Azul...
Cantos de vida y esperanza

Letras Hispánicas

Rubén Darío

Azul...
Cantos de vida y esperanza

Edición de José María Martínez

CUARTA EDICIÓN

CÁTEDRA

LETRAS HISPÁNICAS

1.ª edición, 1995
4.ª edición, 2002

© Ediciones Cátedra (Grupo Anaya, S. A.), 1995, 2002
Juan Ignacio Luca de Tena, 15. 28027 Madrid
Depósito legal: M. 24.816-2002
ISBN: 84-376-1371-X
Printed in Spain
Impreso en Anzos, S. L.
Fuenlabrada (Madrid)

Índice

Introducción

Para mis padres

Mi agradecimiento al profesor Lee Fontanella, que tan fácil hizo mi acceso a los fondos de UT Austin, y a los profesores Ricardo y Marisol Dunia y Curtis Herbert, que tan gratas hicieron mis atareadas estancias en la ciudad. Mi agradecimiento también al personal bibliotecario de UT Pan American, y en especial a Rubén Coronado; sin su diligente ayuda no hubieran sido posibles los aciertos que este trabajo pudiera tener. Mi agradecimiento, por último, a los miembros del Pan American Research Council, por la beca que cubrió los gastos necesarios para la investigación.

Rubén Darío en 1892.

«AZUL...»

Rumbo a Chile y con el pasaje pagado por el presidente de Nicaragua se embarcaba Darío en el puerto de Corinto el día 6 de junio de 1886. Las causas de su partida siguen sin estar del todo claras, aunque los testimonios más fiables hacen pensar, como él mismo aseguró, en «la mayor desilusión que puede sentir un hombre enamorado» (*OC* I, 50)[1]. Aunque Darío había pensado en marchar a Estados Unidos, los encendidos consejos del general salvadoreño Juan José Cañas, exiliado por entonces en Nicaragua, le hicieron

---

[1] Los periódicos nicaragüenses hablaron también de las continuas e insufribles pullas recibidas por Darío de sus enemigos literarios, y, en Chile, llegó incluso a circular el rumor de que el poeta habría salido huyendo por temor a represalias políticas. En favor de la causa sentimental contamos con testimonios más fidedignos, tales como el autobiográfico poema «Versos tristes», escrito momentos antes del embarque, o las palabras de Manuel Rodríguez Mendoza, íntimo de Darío en Chile (Loveluck, «Una polémica...» 244).
Las siglas *OC* de la Introducción remiten a las *Obras Completas* de Darío (Madrid, Afrodisio Aguado, 5 vols., 1950-1953). El mismo sistema se utilizará para las demás recopilaciones de textos del poeta; así *OD* hace referencia a las *Obras desconocidas de Rubén Darío* editadas por Silva Castro en 1934 (Santiago, Universidad), *OE* a *Obras escogidas* (Santiago, Universo, 1939), *CC* a *Cuentos Completos* (México, FCE, 1950), *ED* a *Escritos dispersos* (La Plata, Universidad Nacional, 2 vols., 1968 y 1977) y *PC* a *Poesías Completas* (Madrid, Aguilar, 1968). El resto de las obras del poeta, que también se recogen en la bibliografía final, serán citadas bien por las primeras palabras de su título o bien, si éstas se repiten, por el año de su edición. Para los demás casos y autores se sigue el método parentético recomendado por la MLA.

cambiar de opinión. El general Cañas había representado a su país natal en Chile durante la Exposición Universal de 1875; allí su calidad de escritor le había facilitado un trato de privilegio y un sinnúmero de célebres amistades, entre ellas la del prolífico Vicuña Mackenna. No resulta extraño, pues, que Cañas, admirador de la pujante intelectualidad chilena y conocedor de las posibilidades literarias de Darío, le aconsejase como meta la «culta y populosa Santiago» (Sequeira 1945, 263) y le firmase sendas cartas de recomendación para Eduardo McClure y Eduardo Poirier, ambos influyentes en el periodismo del país sureño. El atractivo panorama cultural de Chile que le debió de dibujar Cañas y en el cual, según la misma prensa nicaragüense, la literatura había «llegado a un grado de desarrollo admirable» y las ciencias habían «adquirido un ensanche prodigioso» (Sequeira 1945, 292), pudo sembrar en Darío la idea de que allí iba a encontrar «un ambiente propicio a los estudios y disciplinas intelectuales» (*OC* I, 195) y de que, por tanto, se encaminaba al país idóneo para sus inquietudes literarias.

Valparaíso y Santiago:
encuentro con la urbe moderna

A finales de junio de 1886 llega Darío a un Chile que, después del triunfo liberal en las elecciones de 1864 y de la victoria bélica en la Guerra del Pacífico, se encontraba en un periodo de febril crecimiento económico en el que los capitales extranjeros, principalmente británicos, jugaban un papel decisivo. Entre 1879 y 1880 el comercio internacional se duplicó y las rentas fiscales casi se cuadruplicaron; la opulencia emergente afectó a las costumbres y a la mentalidad de la población chilena, ahora comandada por una plutocracia minera y mercantil y cuyos temas de conversación oscilaban entre las transacciones bursátiles y las novedades europeas que el intercambio comercial ponía a su alcance. Valparaíso, el primer puerto chileno que pisó el poeta, y que, como otras ciudades porteñas de Latinoamérica, era un agitado ejemplo de ese tráfago mercantil, había congre-

14

gado a una burguesía emprendedora y llena de recursos, seguía incrementando su población y asistía orgullosa al incesante crecimiento de su tráfico marítimo y de sus recaudaciones aduaneras (Romero 252).

Aquí iba a residir Darío hasta su primer viaje a Santiago, a mediados de agosto, redactando con Eduardo Poirier la folletinesca *Emelina*, visitando la biblioteca de Eduardo de la Barra y enviando artículos a la prensa. En uno de éstos, recogido en *El Mercurio* el 26 de julio y dedicado a la figura de Hermógenes de Irisarri, Rubén deja ver su sorpresa e incomodidad ante el «nuevo mundo» y, a la vez, su decepción ante el panorama literario encontrado al llegar:

> ¡Las musas se van! ¡Oh, Póstumo! [...] Las musas se van porque vinieron las máquinas y apagan el eco de las liras [...] El mercantilismo que invade las sociedades ha maleado el viejo templo [...] Pero ¿en dónde están [los poetas chilenos]? Casi todos permanecen silenciosos; casi todos han olvidado el amable comercio de las Gracias. Quién con la cartera del diplomático no cura si la Fama le ha encumbrado a la categoría del primer poeta filosófico de América; quién en prosaicas oficinas cuenta números en lugar de hemistiquios [...] (*OD* 11-17).

En agosto del 86 marcha a Santiago, la capital, y allí permanece hasta febrero del 87. Durante ese medio año su vida va a girar en torno a la redacción de *La Época*, propiedad de Eduardo MacClure, y a las amistades que allí hizo y que le ayudaron a sobrellevar el vacío afectivo y literario que le rodeaba. Santiago se encontraba igualmente inmersa en el proceso de cambio que afectaba a las grandes ciudades hispanoamericanas y que las hacía modernizarse siguiendo la urbanística europea y en especial la parisina. La acumulación de dinero había también favorecido el advenimiento de una burguesía no tradicional, más cosmopolita, que necesitaba otro espacio urbano diferente al del modelo colonial. Santiago se moderniza, se llena de lugares para la vida social y la ostentación de los propios méritos; se adorna profusamente con la riqueza material que tanto agrada a estos grupos y se puebla de figuras que buscan su identidad en el reconocimiento público. Como afirma Eduardo de la Barra al prologar *Azul...*, sus calles se inundan de «paseantes ajustados al último corte parisiense, y [...] de lindas mujeres ávidas de mirar y de ser miradas» (IX). Pero, como contrapartida, sus inquietudes artísticas están apelmazadas; a pesar de su cosmopolitismo y su riqueza, Santiago «monta a la alta escuela, y a veces hace versos en sus horas perdidas» (*OC* II, 51-52).

Valparaíso y Santiago suponen para Rubén su encuentro con la modernidad y su contacto real —en Nicaragua no había pasado de libresco— con el lujo material y las mercancías de lejana y cosmopolita procedencia. Pronto advirtió el poeta que en estas ciudades se estaba labrando un nuevo estilo de vida, impregnado de una densa presencia extranjera y muy distinto al de las provincianas urbes nicaragüenses, y pronto también lo consignó en sus escritos. Así, en «El pájaro azul», de diciembre de 1886, seis meses después de su llegada a Chile, dibuja un París fantástico que tiene a Santiago como modelo real y efectivo. El protagonista de este cuento es, además de poeta, un verdadero «flaneur», es decir, el habitante típico de la nueva ciudad, que recorre los paseos como los pasillos de su casa y asiste al espectáculo continuo del movimiento urbano (Benjamin, 41-51). Garcín «andaba por los boulevares; veía pasar indiferente los lujosos carruajes, los elegantes, las hermosas mujeres. Frente al escaparate de un joyero sonreía». Además de personajes como Garcín, como Ricardo, como el mendigo de «La canción del oro» o como la santiaguesa de «Un retrato de Watteau», también el tipo de escenarios dominantes y de la emotividad general de *Azul...* hablan de su carácter urbano, de su dependencia del encuentro personal de Darío con una vida urbana nueva para él.

«*La Época*» y «*Abrojos*»

Cuando Rubén llegó a la redacción de *La Época* encontró un ambiente desigual, incómodo, en el que a ratos se le zahería por su desentonado vestir o su taciturnidad y a ratos se le admiraba por su bondad natural y su facilidad con la pluma. Los redactores que allí trabajan —Luis Orrego Luco, Narciso Tondreau, Manuel Rodríguez Mendoza, Samuel Ossa Borne, Pedrito Balmaceda, etc.— eran en su mayoría jóvenes y dinámicos, con frecuentes aunque mediocres incursiones en la creación literaria e inundados de un cosmopolitismo mental de corte galicista. Con dos de ellos —Manuel Rodríguez y Pedro Balmaceda— trabó Darío una estrecha amistad que, de diversas maneras, acabó repercutiendo en sus escritos de estas fechas. A la vez, su trabajo como periodista le iba a ir encaminando, quizá sin que él fuera siempre consciente, a fijar más su mirada en la realidad cotidiana, a descubrir la existencia de un público distinto al nicaragüense, a experimentar los mecanismos publicitarios y las campañas de promoción y también a ejercitarse en una «gimnasia de estilo» que necesitaba escapar del lenguaje común para captar la atención de la nueva audiencia. Si tenemos en cuenta que casi la totalidad del primer *Azul...* apareció antes en las páginas de *La Época*, hemos de pensar que la labor periodística del poeta se encuentra entre las causas de algunos de los rasgos de identidad del libro. Es el caso, por ejemplo, de los recursos apelativos al lector de «El Rey Burgués» y de «El palacio del sol», o de la personalización del narrador y la «debilitación de la fábula» perceptible en muchos otros (Mattalía 284-85).

En sus páginas del 22 de noviembre anunciaba *La Época* la próxima publicación de *Abrojos,* que acabó apareciendo en Santiago el 16 de marzo del año siguiente, cuando Darío se encontraba ya empleado en la Aduana de Valparaíso. Lo dedicó Darío a Manuel Rodríguez Mendoza quien, además de estar presente en la primera redacción de muchos de los poemas, se preocupó, junto a Pedro Balmaceda, de conseguir del Ministerio Chileno de Instrucción Pública el dinero para su edición. La nota más llamativa del poemario no es su altura estética, a pesar de los elogios de Pedro Balmaceda en la prensa santiaguesa (Silva Castro, *Rubén Darío* 178), sino su calidad de confesión íntima y personal. Y en esto, por momentos, resulta un documento emotivo que habla de la dura y difícil experiencia que para Darío

17

estaba suponiendo su vida en Chile. Sólo dos semanas después de su publicación envía a Narciso Tondreau el libro y una carta en la que afirma que las reseñas que se han ocupado de él no miran «esos versos ásperos y tristes [...] por su lado verdadero [...] porque *spleen* y no otra cosa, son los tales versos» (Ghiraldo 340-41). Así lo había presentado él mismo, en el prólogo en verso que le puso al frente:

> Si yo he escrito estos *Abrojos*
> tras hartas penas y agravios,
> ya con risa en los labios,
> ya con el llanto en los ojos,
> ....
> Juntos hemos visto el mal
> y en el mundano bullicio,
> cómo para cada vicio
> se eleva un arco triunfal.
> (*PC* 455-58)

Y, como algunos críticos han sugerido, es en esta incómoda situación íntima y afectiva, previa a toda intervención de factores librescos o específicamente culturales, donde hay que ubicar la unidad de fondo que poseen resultados estéticos tan distintos como *Abrojos* y *Azul...* y, por consiguiente, el origen último de este segundo libro[2]. Sobre ello volveré más adelante.

Pedro Balmaceda. Las lecturas de Darío

En la redacción de *La Época* y antes de regresar a Valparaíso, conoció también a Pedro Balmaceda Toro, hijo de

---

[2] «A la hora de analizar sus hallazgos literarios han de tenerse en cuenta esas circunstancias [lujos, espíritu libresco, exotismo, gustos estéticos], y no porque fuesen determinantes en la aparición del modernismo..., sino porque determinaron la evolución personal de quien hubo de sentirse ajeno a esa ciudad [Santiago]. Ese es el sentido en el que las condiciones económicas determinaron la aparición de un nuevo lenguaje (Fernández, «Rubén Darío...» 55).

José Manuel Balmaceda, presidente chileno de 1886 a 1891. Congeniaron desde el primer momento y enseguida se vieron envueltos en una amistad de la que los dos resultaron beneficiados. Pedro encontraba en el poeta un asiduo acompañante en sus paseos por la capital y sus lugares y ambientes más selectos, y también un entusiasta interlocutor en sus conversaciones sobre arte y literatura. Pedro era un encendido admirador de los productos artísticos más recientes y novedosos y un incansable seguidor de la literatura francesa. En su cuarto, comenta Manuel Rodríguez, llamaba la atención «su escogida librería de autores contemporáneos, la más valiosa que haya visto a ningún joven dedicado al cultivo de las letras» (Silva Castro, *Rubén Darío* 132). Esta misma impresión es la que dejó Darío en su *A. de Gilbert* (1890) cuando, después de referirse a las japonerías, bronces, lienzos y *bibelots* que invadían la habitación de su amigo, recordaba a ésta llena de «libros, muchos libros, libros clásicos y las últimas novedades de la producción universal, en especial de la francesa. Sobre una mesa diarios, las pilas azules y rojizas de la *Nouvelle Revue* y la *Revue de Deux Mondes*» (*OC* II, 161).

Así, Pedro Balmaceda tuvo que convertirse en uno de los principales caminos de Darío hasta las lecturas que originaron las abundantes referencias librescas de *Azul...*; también explicaría en parte la cercanía e inmediatez que siente el lector de *Azul...* con el mundo lujoso y exótico del libro y que sólo puede descansar en un continuo y cercano contacto del autor con estos ambientes. La biblioteca de los Balmaceda no fue, sin embargo, el único camino. Numerosos datos confirman que Darío sació su voracidad lectora en otros lugares, tanto en Santiago como en Valparaíso. Una voracidad que, por momentos, parece enfermiza y que, tal vez, fuese la única manera de compensar el vacío que el poeta sentía fuera de él. Francisco Contreras, chileno también y amigo de Darío en París, asegura que la vida de Darío en Valparaíso consistió en visitas continuas a la casa de Eduardo de la Barra, donde «pasaba largas horas leyendo [...] Por las noches solía leer en su cuarto hasta la madrugada» (56). Coincidente es el testimonio de Eduardo

Poirier que, además, concreta las lecturas que mantenían desvelado al poeta:

> Y lo difícil para mí era despertarlo por las mañanas, para que llegase con puntualidad a su empleo, después de haberse llevado casi toda la noche devorando en el lecho y mascullando en alta voz [...] alguna novela de Flaubert, de Goncourt y de Zola, o entregado al delectante estudio de sus maestros favoritos: Hugo, Verlaine, Poe, Walt Whitman (Silva Castro, *Rubén Darío* 187).

En Santiago, igualmente, era un asiduo visitante de la Biblioteca Nacional y también de las colecciones particulares de otros amigos, como la de Samuel Ossa Borne, «compuesta casi exclusivamente de autores franceses y contemporáneos [...]. Consta que prestó a Darío no pocos de sus libros» (Silva Castro, *Rubén Darío* 151). En la misma dirección apuntan los recuerdos de Manuel Rodríguez cuando reproduce las palabras de la patrona de la pensión donde se alojaba Rubén y donde llevaba varios días encerrado. Afirmaba la buena señora que Darío era «muy raro» y que pasaba la mayor parte de su tiempo «acostado, rodeado de libros y de papeles, hablando solo a ratos» (Silva Castro, *Rubén Darío* 125).

Tampoco fueron el Palacio de la Moneda ni los otros lugares relacionados con Pedro Balmaceda los únicos contactos con el lujo y los fetiches artísticos. En primer lugar se encontraba el «lujo cegador» (*OC* II, 51) de Santiago y Valparaíso y de los edificios y viviendas de los grupos adinerados[3]. El internacionalismo de la burguesía había pro-

---

[3] Raúl Silva Castro (*Rubén Darío* 58-64) describe con más pormenores el espacio físico de Santiago, tal como pudo conocerlo Darío. Al mismo tiempo sugiere que, si bien este esplendor podía ser real, no abarcaba ni a toda la población ni a todos los barrios de la ciudad; sin dejar de ser cierta, la riqueza de Chile se encontraba injustamente repartida y era por tanto un hecho limitado. Es seguro entonces que los arrabales porteños de «El fardo» disponían de lugares equivalentes en la capital chilena. De todos modos, cuando el poeta califica el lujo santiagueño de «cegador» indica, precisamente, que para él se trata de un espectáculo desconocido, novedoso y moderno, ausente en su Nicaragua natal.

piciado que la vieja casona patricia se decorase de acuerdo al estilo y la categoría de cada familia pero «sin que faltara el alarde esteticista» manifestado «en la presencia de cuadros, esculturas y *bibelots* acordes con el gusto de los *snobs* del momento» (Romero 288). Darío contaba también con el edificio de *La Época,* que albergaba en su interior un salón griego, poblado de estatuas de mármol, y un salón dieciochesco, con reproducciones de Watteau y Chardin. Mantuvo también unas cálidas relaciones con el escultor Nicanor Plaza, de cuyo taller era un asiduo visitante, y con Carlos Toribio Robinet, amigo de «todos los artistas extranjeros que llegan a Chile» (*OC* II, 48). Éste último, nacido en Macao e hijo de un acaudalado comerciante con países orientales, había trabajado en el negocio de su padre y se había traído de China una vasta colección de japonerías que guardaba en un salón también frecuentado por Darío.

Queda así entendido que la profusión artística, exótica, cosmopolita y libresca de *Azul...* no tiene nada de artificiosa evasión, como tantas veces se ha afirmado, y es más bien el retrato que Darío hizo del mundo que estaba viviendo y que se le aparecía muy distinto al de su tierra natal. Los salones de «El rey burgués» o de «La muerte de la emperatriz» son tan verídicos como los arrabales de «El fardo», la calle de «La canción del oro» o el parque de «Paisaje»; y todos ellos constituyen, en conjunto, un verdadero panorama de las dos urbes chilenas. De la misma manera, la erudición libresca y las referencias artísticas que salpican «La ninfa» y «En busca de cuadros» son tan biográficas como las sentidas añoranzas de «Palomas blancas y garzas morenas». Ambas facetas explicitan la experiencia global (vital y estética) de su autor en este momento de su vida.

Los anteriores datos completan y hacen más inteligible lo que con acierto llamó Ángel Rama «la transformación chilena de Darío» (*Rubén Darío* 81), es decir, la aparición en un breve espacio de tiempo de un escritor distinto, con un estilo y una poética diferentes, una mentalidad más abierta y madura y —lo que es más importante— con el convencimiento personal de que esto efectivamente era así y de que estaba apartándose de los modos de escritura tradicionales.

La intención que rondaba su voluntad de escritor era la de conseguir una voz propia, personal, también con idea de distanciarse del medio literario chileno. Lo recordaba Darío pocos años después, en «Los colores del estandarte»: «Qui pourrais-je imiter *pour être original?*». A esta pregunta se contestaba: «Pues a todos. A cada cual le aprendía lo que me agradaba, lo que me cuadraba a mi sed de novedad y a mi delirio de arte; los elementos que constituirían después un medio de manifestación individual» (*OC* IV, 876). Su respuesta, pues, no resultaba novedosa en cuanto a la actitud, ya que la mímesis había sido y continuó siendo en él algo permanente[4]; la originalidad de su trabajo iba a nacer por supuesto de sus privilegiadas dotes creativas, pero también de los materiales librescos que utilizó como modelos, materiales éstos que le resultaban más accesibles y abundantes en Chile que en Nicaragua y que le descubrieron multitud de inexploradas posibilidades para nuestro idioma.

Este continuo contacto de su afán mimético con autores en su mayoría franceses acabó aminorando su inicial casticismo literario[5], y derivando también en un lenguaje galicista y en el

---

[4] De su precoz habilidad imitativa son muestras evidentes la décima al centenario de Calderón (1881; *PC* 167), el soneto escrito «En la última página de *El romancero del Cid*» (1881; *PC* 168) o el extenso poema «La poesía castellana» (1882; *PC* 258-267). Más importante que recordar estos ejemplos es notar que, como escribe en su epístola a Francisco Contreras, él mismo concebía este recurso como inseparable de su modo poético y, por tanto, de la originalidad que pudiera encontrarse en sus versos (*PC* 336 y 338).

[5] Dicho casticismo parece una respuesta a la invasión de mediocres imitaciones de obras foráneas que tenía lugar en Chile y de las cuales *Emelina* podía ser un ejemplo evidente. En su reseña del poemario *Penumbras*, de Narciso Tondreau (*La Época*, 14 de enero de 1887) aclaraba Darío que la penuria literaria de entonces no se debía sólo a la ausencia de las grandes figuras, sino también a la epidemia de calcos franceses llevados a cabo sin mesura y sin concierto; respondía al filogalicismo presente en todas las esferas de la vida chilena: «La moda francesa invadiendo la literatura ha hecho que la lengua castellana se convierta en una jerga incomprensible. La tendencia generalizada es la imitación de escritores y poetas franceses. Puesto que muchos hay dignos de ser imitados, por razones de escuela y de sentido estético, sígaseles en cuanto al sujeto y lo que se relaciona con los vuelos de la fantasía, pero hágase el traje de las ideas con el rico material del español idioma, adunando la brillantez del pensamiento con la hermosura de la palabra» (*OD* 92).

22

afrancesamiento libresco de los espacios, ambientes y personajes que componen los cuentos y poemas del libro. En estas circunstancias y dado también el afrancesamiento general de la sociedad chilena, el galicismo mental del que habló Valera y el complejo de París al que se refirió Pedro Salinas, eran, a todas luces, algo inevitable. Sin embargo, la consecuencia más trascendental de este encuentro fue la aparición de una poética propia e innovadora, el hallazgo de un modo de escribir considerado por él como signo de identidad personal frente a un mundo hostil y luego erigido por la historia literaria como una de sus piedras miliares. Y si las teorías propiamente literarias de esa poética, esparcidas en cuentos como «El rey burgués» o en artículos como «Catulo Méndez *[sic]*. Parnasianos y decadentes», no parecen responder a una concepción sistemática que las unifique, sí tienen en común, sin embargo, un voluntario alejamiento de los gustos entonces dominantes y consecuentemente una denuncia de las apetencias literarias de la mayoría burguesa; es así como el lenguaje y el mundo de *Azul...* se convierten en una transfiguración de la persona de su autor, en una concreción de su identidad personal. Lo confirma el tono especialmente agresivo y excluyente de los textos antes citados. En el primero, aparecido en *La Época* el 4 de noviembre de 1887, el poeta predica su ideal ante el rey de cara de naipe con estas palabras:

> ¡Señor, el arte no está en los fríos envoltorios de mármol, ni en los cuadros lamidos, ni en el excelente señor Ohnet! ¡Señor! el arte no viste pantalones, ni habla en burgués, ni pone los puntos en las íes.

En el segundo, recogido por *La Libertad Electoral* el 7 de abril del año siguiente y escondiéndose tras la figura de Mendès, escribe lo siguiente:

> [Catulle Mendès] aborrece a los gramáticos, a los filólogos de pacotilla, a los descuartizadores de las partes de la oración, por sus disciplinas, por sus anteojos, porque aturden con sus reglas y se sientan sobre sus diccionarios; y no obstante, es Méndez gramático consumado, puesto que no ol-

23

vida nunca ser correcto y bello al escribir. Conoce más que lo que enseña el señor profesor (*OD* 171).

Tales lecturas, que evidentemente le condujeron a un afrancesamiento lingüístico y mental y al encuentro con su propio modo de escribir, también hicieron que el idioma recuperase el aprecio por su forma literaria, una forma literaria que, realmente, desde las grandes figuras del Barroco y sin contar los escritos de Martí y de Bécquer, necesitaba una fuerte sacudida para demostrar que seguía viva y que era capaz de sintonizar con el nuevo mundo que estaba apareciendo.

«Azul...» primera edición y primer público

Desde marzo hasta septiembre de 1887 encontramos a Darío en Valparaíso, huido de Santiago por temor a la epidemia de cólera que asolaba la capital y cumpliendo irregularmente con su empleo en la Aduana del puerto. En septiembre vuelve a Santiago donde permanece hasta fines de año, fechas de su regreso final a Valparaíso. En esta ciudad sobrevive con sus trabajos para la prensa y con las ayudas de sus amigos; en ella, el 30 de julio de 1888, se concluirá la impresión de *Azul...*

Antes de la aparición de su «libro primigenio» Rubén había enviado, por invitación de Pedro Balmaceda, dos obras poéticas a un concurso convocado en Santiago y patrocinado por el rico industrial y político Federico Varela, primer destinatario de *Azul...* Esos dos trabajos eran el *Canto épico de las glorias de Chile,* largo poema que compartió el premio en la modalidad de poesía heroica con otro de su amigo Pedro Nolasco, y las *Rimas* u *Otoñales,* catorce composiciones breves que respondían a la petición de los organizadores de «poesías del género subjetivo de que es tipo el poeta Bécquer». Éstas no resultaron premiadas aunque sí merecieron un accésit y se elogiaron incluso por encima de las del ganador, Eduardo de la Barra. Los dos trabajos de Darío tuvieron la suerte de aparecer publicados poco tiempo después

24

de la resolución del jurado[6]. Sin embargo, lo más significativo de todo ello es que el tipo de composiciones requeridas por los convocantes del certamen y el buen resultado de los versos de Darío —que ciertamente no pueden incluirse entre sus obras más logradas— dejaron al descubierto las preferencias de la oficialidad literaria santiagueña; así se explica que un libro tan diferente como *Azul...* no se entendiera luego correctamente y que sus lectores más entusiastas se encontraran fuera de esos círculos oficiales.

Los versos y prosas que pasarían a integrar *Azul...* se recogieron en la prensa chilena entre el 7 de diciembre de 1886 («El pájaro azul») y el 23 de junio de 1888 («Palomas blancas y garzas morenas»). No existe una regularidad periódica en su aparición pero sí es perceptible una «acumulación» de poesía en la primera mitad de 1887 (de febrero a junio se publican todos los poemas, excepto «Primaveral») y una de prosa en la segunda mitad, que en sólo dos meses (octubre y noviembre) ve publicados textos tan paradigmáticos como «El rey burgués», «La ninfa» y «El velo de la reina Mab»; todos ellos eran textos a los que en un principio Darío no había pensado en agrupar bajo un título único. Es posible que Rubén comenzase a pensar en ello cuando en septiembre de 1887 se encontraba en Santiago, después de escuchar los elogios a sus poemas del Certamen Varela. La entrega de premios —a la que Darío no asistió— tuvo lugar el 8 de septiembre, y a ella debieron de seguir las felicitaciones y lógica resaca triunfalista entre las amistades del poeta. Tal vez ésta es la razón que explica la aparición de «Primaveral», el poema que faltaba para completar «El año lírico», precisamente a finales de septiembre, varios meses después de los otros. *La Época,* en su salida del 15 de octubre de ese año,

---

[6] El *Canto* lo fue en *La Época* el 9 de octubre de ese año y luego dentro del volumen que recogía algunas de las composiciones contendientes al concurso (*Certamen Varela,* Santiago, diciembre de 1887, págs. 52-66). Las *Rimas* aparecieron también en ese mismo volumen junto a las del vencedor que, incómodo por las preferencias de los lectores hacia Darío, meses después las publicó y parodió en *Las rosas andinas, Rimas y contra-Rimas por Rubén Darío y Rubén Rubí* (Valparaíso, febrero de 1888).

pudo, por tanto, anunciar la próxima publicación de *El año lírico*, «un elegante volumen de composiciones del aplaudido poeta y escritor don Rubén Darío, tan ventajosamente conocido en nuestro movimiento literario» (Silva Castro, *Rubén Darío* 255). Resulta posible que ésta fuese la primera intención del poeta pues, sin duda y para buscar una especie de confirmación, querría él aprovechar el reconocimiento que, en el Certamen Varela, le habían procurado sus versos y no su prosa. Sin embargo, un mes más tarde la idea inicial ha cambiado y en el mismo periódico, el 16 de noviembre, puede leerse lo siguiente:

> EL REY BURGUÉS.—De Rubén Darío saldrá próximamente, tal vez el 1.º de enero, un volumen titulado como este suelto, y que contendrá los artículos en prosa y verso y los cuentos que han dado a la luz *La Época* y *La Revista de Artes y Letras,* producidos por dicho autor. La edición será de lujo y dirigida por don Samuel Ossa Borne. El libro llevará como introducción varios juicios y apreciaciones respecto a los artículos y composiciones en él contenidos. Entre éstos figurará una carta de Armand Silvestre, muy honrosa para el señor Darío (Silva Castro, *Rubén Darío* 255).

Es decir, cuando Darío ya había publicado «El rey burgués» (4 de noviembre) y cuando seguramente se encontraba trabajando en «La ninfa» (aparecido el día 25 de noviembre), el proyecto iba quedándole más claro y acercándose más a lo que sería el resultado definitivo; le faltaban todavía los cuentos que, dadas las previsiones de publicación del libro (a comienzos de 1888), no habitaban aún la mente de Darío. Ahora se concibe *Azul...* como un volumen de prosa y verso, compuesto por sus colaboraciones con la prensa chilena y seguramente con el prólogo del «gran chileno» y ya anciano José Victorino Lastarria, que había actuado como jurado en el Certamen Varela. La mencionada carta de Armand Silvestre nunca llegó a publicarse y se supone enviada a Darío después de que éste remitiese al autor francés el «Pensamiento de otoño», traducción de su «Pensée d'Automne».

Tal es el estado de cosas cuando en diciembre de 1887 Rubén regresa a Valparaíso para incorporarse a la redacción de *El Heraldo,* un diario «completamente comercial y político» y de donde acabó siendo despedido «por escribir bien» (*OC* I, 59). Dado que Valparaíso fue la ciudad donde *Azul...* vio la luz, debe suponerse que Rubén, ya con la decisión de publicar su trabajo, llevó consigo los originales o las posteriores redacciones de sus poemas y cuentos y los presentó a Eduardo Poirier y a Eduardo de la Barra. Éstos, según Francisco Contreras (58), se encargaron de buscar las suscripciones que costearan la impresión, pues las peticiones de ayuda y la dedicatoria del libro dirigidas a Federico Varela, nunca fueron atendidas. Al tiempo que se va encarrilando la publicación, aparecieron, en febrero, «La canción del oro» y, en junio, «El rubí» y «Palomas blancas». A mediados de junio recibiría la noticia del fallecimiento de Lastarria y, por tanto, encargaría el prólogo a Eduardo de la Barra. En este lapso de tiempo fue seguramente cuando Darío decidió bautizar a su libro con el título de *Azul...* y cuando se envió el original a la imprenta Excelsior de Valparaíso.

¿Por qué dio ese título al libro? La crítica ha barajado varias posibilidades aunque puede afirmarse que, hasta hoy, ninguna de ellas parece definitiva. Quizá el testimonio más fiable sea el del propio poeta, cuando, a sólo dos años de estas fechas y en la primera nota a la edición de 1890, afirmaba que la frase «de Víctor Hugo que sirve de epígrafe al prólogo de Eduardo de la Barra [“L'art c'est l'azur”] explica el porqué del título de la obra». Sin embargo, en la *Historia de mis libros* (1913), afirma que esa frase de Hugo le era desconocida, aunque no «otros azules» del francés y tampoco los de Plinio y Ovidio, autores latinos. Asegura también que éste «era para mí el color del ensueño, el color del arte, un color helénico y homérico, color oceánico y firmamental [...] Concentré en ese color célico la floración espiritual de mi primavera artística» (*OC* I, 197). Como se han encargado de recordar Ivan A. Schulman y Raúl Silva Castro, estos significados del azul, sin dejar de ser ciertos, no deben considerarse invenciones del nicaragüense, pues eran ya frecuentes en las literaturas hispánica y francesa a las que el poeta tenía acceso (Schulman, «Génesis...» 168-69; Silva

Castro, «El ciclo...» 146-67)[7]. Para Miguel Ángel Asturias, por último, la raíz se encuentra en el azul natural de las aguas y cielos de su natal Nicaragua y podría responder más bien a un retorno inconsciente a su infancia (Anderson Imbert, *La originalidad* 37). Sea como fuere, lo importante es que dicho título comportaba una dosis de sorpresa y novedad no ajenas a las intenciones de Darío y que llevaron a Juan Valera a comenzar una lectura que no tenía prevista, una lectura que acabó abriendo al libro las puertas de la fama[8].

Según reza su colofón, el libro «se acabó de imprimir, en Valparaíso / treinta de Julio / de MDCCCLXXXVIII / en la Imprenta Excelsior». Las primeras noticias sobre él son del 21 de agosto, cuando *La Patria* le dedicó un acuse de recibo, y del 22 de agosto, cuando *La Época* hizo lo propio (Silva Castro, *Rubén Darío* 271-72). La portada, además del título, el nombre del autor y los datos de la imprenta, presentaba una división del libro en dos partes: «I Cuentos en prosa / II El año lírico». En las tapas se anunciaba, también, la próxima aparición de otras obras suyas que nunca vieron la luz[9]. El

---

[7] Sin embargo, el segundo crítico deja de mencionar dos posibles referencias de relativo interés. Una es la teoría de los colores que Joris Karl Huysmans desarrolla en *À rebours* (1884) y que concede al azul unos valores próximos a los de Darío (Skyrme, «Darío's *Azul*...» 73-76). La otra es la honda huella que *Scénes de la vie de Bohème*, que frecuentemente reviste este color de connotaciones artísticas y musicales, dejó en los textos de *Azul...* (Martínez, «Nuevas fuentes...»). Cfr. también la propuesta de Pedro Talavera, en su artículo «'Galicismo mental' en Rubén Darío» (*Letras hispanas* 2 [1997] 21:35).

[8] Según recuerda Manuel Rodríguez Mendoza, los deseos de captar la atención del público utilizando títulos inusuales no eran desconocidos para su amigo: «... los *Abrojos* se llamarían *Gotas de vitriolo*, título absurdo al parecer que le sugerí yo al autor de *Azul...* a fin de despertar la indiferencia egoísta del público, a fin de sorprender [...] a los refinados que gustan leer las obras que saben a bombones parisienses» (Donoso 58). Por su lado, Valera reconoce que al principio miró «el libro con indiferencia..., casi con desvío. El título *Azul...* tuvo la culpa» (carta I).

[9] Se anunciaba «en preparación» *La carne*, proyecto novelesco de incierta identidad, y «en prensa» *Albumes y abanicos, Estudios críticos y literarios, Mis conocidos* y *Dos años en Chile*. Sólo acerca del último de ellos existe una certeza y es la de que Darío pensaba incorporarle más adelante el «Álbum santiagués» y el «Álbum porteño» que aparecían en *Azul...* (cfr. nota XIX de Darío en la edición de 1890 y también Silva Castro, *Rubén Darío* 258).

volumen de 1888 constaba de tres paginaciones, con cuatro páginas de cortesía, treinta y seis para el prólogo de Eduardo de la Barra, y ciento treinta y ocho para el texto, el índice, el colofón y el remate. El original no se conserva y es muy posible que desapareciera durante la revolución de 1891 contra el presidente Balmaceda, en el incendio de la casa de Eduardo de la Barra. Se ignora el número exacto de ejemplares que salieron a la venta, aunque debieron rondar los quinientos (Coloma 11), cifra a la cual habría que sumar los «veinte ejemplares en papel Holanda» y el «ejemplar en papel Japón» que se anunciaban en una de las páginas finales[10].

No da la impresión de que *Azul...* tuviese un éxito de ventas inmediato. Como luego se verá, el libro habría de esperar hasta las cartas de Valera en *El Imparcial* de Madrid, en octubre de 1888, para empezar a ser «buscado y conocido tanto en España como en América» (*OC* I, 198) «Publicado en una ciudad comercial, este libro extraordinario no tuvo en seguida la resonancia a que era acreedor. Los amigos de nuestro poeta estaban lejos, y Pedro de Balmaceda se encontraba enfermo de gravedad» (Contreras 59). Hasta las cartas de Valera sólo consta que ocupase la atención de la prensa chilena en dos ocasiones. Fue, en primer lugar, el detonante de una polémica entre Manuel Rodríguez Mendoza y Eduardo de la Barra, en los meses de agosto y septiembre; la contienda, sin embargo, derivó en una serie de descalificaciones personales que acabaron omitiendo cualquier apreciación crítica del libro (Loveluck, «Una polémica...»). También ocasionó un elogioso comentario de Pedro Nolasco Préndez en *El Mercurio de Valparaíso* el 8 de septiembre[11].

---

[10] Sobre estos últimos ejemplares no existe, sin embargo, mención alguna en la bibliografía consultada; sólo Valera habla del libro como de un «folleto de 132 páginas»; seguramente esta afirmación resulta de un recuento distinto al mío y, si así fuera, no procedería de uno de esos ejemplares que nadie ha conseguido ver.

[11] Entre otras ideas, Nolasco aseguraba que «la espontaneidad de la inspiración rebosa en este delicado libro, en cuyas páginas, palpitantes de frescura, se rinde culto a los dogmas de lo bello [...] La prosa lo atrae y sus páginas, en periodos de extraña y elegante construcción, ofrecen a cada instante explosiones de brillo, de intención, de energía, presentando la idea bajo su faz más poética y seductora» (Silva Castro, *Rubén Darío* 278-79).

Cuando el 16 de noviembre de 1888 *La Estrella de Guatemala* reprodujo íntegro este último comentario, lo acompañó de una breve nota con discretas referencias al éxito comercial de *Azul...*: en ella se hablaba del «interés que ha despertado en Chile el último libro que ha publicado en Valparaíso este poeta centro-americano». Muy probablemente las cartas de Valera ya habrían extendido el renombre del poeta en esas fechas y con toda seguridad eran una de las causas del interés mencionado por el diario guatemalteco. Pero también hay datos suficientes para pensar que no se trataba de la única razón. Además de las amistades de Darío y de los minoritarios círculos intelectuales, debía existir también una audiencia capaz de absorber una tirada relativamente numerosa como fue la de *Azul...*; se trataría del público femenino, un público femenino originado o consolidado al amparo de la prosperidad chilena.

En efecto, como ya se dejó apuntado, la evolución socioeconómica de Chile había generado una masa de burgueses y capitalistas cuyas esposas, hijas o prometidas disponían ahora de suficiente poder adquisitivo para comprar libros y de tiempo sobrado para leerlos. Sus gustos naturales las inclinaban hacia los poemas y relatos emotivos o cargados de referencias al mundo del lujo, de la moda o de las excelencias europeas; por tanto, difícilmente una audiencia así podría permanecer pasiva ante páginas como «Acuarela», «Un cuadro de Watteau» o «Invernal». Aunque el mismo Darío constató la realidad de este público en otras ocasiones[12], su presencia penetra también los textos de *Azul...*: parece obvio, por ejemplo, que estos ambientes y estas mujeres son las que Darío tuvo en mente cuando retrató la Susette de «La muerte de la emperatriz». La joven esposa del acomodado Recaredo es una lectora cuyos libros, «desflorados por su espátula de marfil, estaban en el pequeño estante negro, con sus hojas cerradas, sufriendo la nostalgia de las blandas manos de rosa y el tibio regazo perfumado». No

---

[12] Cfr., por ejemplo, sus palabras acerca de Eduardo Poirier, el coautor de *Emelina*, frecuente traductor de autores ingleses y franceses en la prensa de Valparaíso (*OC* II, 67).

debe extrañarnos tampoco que De la Barra, perfecto conocedor de la sociedad y la clientela porteñas, orientase hacia las lectoras el prólogo de *Azul...* e insistiese en las cualidades más «femeninas» del libro.

Por otro lado, el nombre del poeta tampoco resultaba desconocido entonces para esta audiencia. Aparte de los álbumes y abanicos femeninos que acogieron sus versos chilenos, en sus colaboraciones periodísticas de todo este periodo las mujeres habían sido igualmente repetidos destinatarios de sus escritos. Por ejemplo, a finales de 1886 las lectoras de *La Época* tuvieron en sus manos una crónica dedicada a la exposición de las alumnas de un colegio religioso y también una breve pero elocuente nota acerca de los vaivenes de la moda[13]. En 1887 apareció *Emelina* y con ella el nombre del poeta junto al de Eduardo Poirier, uno de los autores más populares entre las porteñas. En junio de este año se publicó «El palacio del sol» que Darío dirigía a «vosotras, madres de las muchachas anémicas». Por último, desde febrero hasta abril de 1888, es decir, pocos meses antes de la publicación de *Azul...*, Darío envió con regularidad sus crónicas semanales a *El Heraldo* de Valparaíso, también frecuentado por mujeres. Al presentar su primera colaboración para este periódico y después de rechazar la política como tema de sus crónicas, había revelado lo siguiente:

> Y luego pensaba en que sería algo exótico en este gran pueblo de comercio y de actividad, dar al viento la palabra soñadora, el oropel del estilo «decadente» *[sic]* aunque espontáneo; y casi habría desistido de mi propósito, si no hubiese venido a mi cerebro una idea salvadora [...]
> Vi que existe entre nosotros un mundo aparte, para el cual todo oro y sueño son pocos: el mundo de las mujeres.

---

[13] El comienzo de la nota no puede ser más explícito: «Señoritas, es con ustedes. Tenemos que darle una mala noticia [...] Señoritas, pronto se dejará de usar corsé. Un periódico inglés asegura que "se trabaja vivamente en los círculos femeninos y londonenses *[sic]* por sustituir algo así como el bombacho turco a los trajes que hoy se usan y por arrojar a eterno olvido el viejísimo corsé"» (*OD* 75). La crónica mencionada se encuentra también en *OD* (83-89).

> Escribiré —me dije— para tales lectoras. Sobre todo sé que las de *El Heraldo* son muchas (*OD* 112).

Los datos anteriores no implican necesariamente que Rubén seleccionase y organizase los textos de *Azul...* pensando en una audiencia femenina, pero al mismo tiempo sí debe admitirse que para muchos de sus cuentos y poemas ésta representaba entonces un público ideal. Igualmente la fama del poeta en estos ambientes y la aparición de los textos y de la «publicidad» de *Azul...* en una prensa frecuentada por mujeres, tuvieron, a la fuerza, que ocasionar cierta expectación y originar un caldo de cultivo para la venta del libro[14]. Que la recepción de *Azul...* por este sector no tuviera un eco proporcionado en la prensa, y que, por tanto, no pueda documentarse con estadísticas o hablarse de un éxito de renombre literario es un problema de otro tipo.

Cabe concluir, por tanto, que los primeros ejemplares de *Azul...* se repartieron en las dos direcciones señaladas por De la Barra en su prólogo; la primera llevaría a «los jóvenes estudiosos que quieran comprender este libro en su valor artístico», es decir, a los amigos del poeta, artistas, escritores y figuras admiradas que bien compraron el libro o lo recibieron de Darío a través del correo. La segunda llevaba hasta «los lindos ojos de las curiosas, astros errantes que recorrerían gozosos las poéticas páginas de *Azul...*», es decir, hasta un público «no oficial» pero quizá más numeroso que el primero y que posteriormente consideraría el libro como una especie de devocionario estético[15]. Fuera de este espec-

---

[14] Muy significativo resulta que a los pocos días de su publicación, *La Época* se dirija al sector femenino como potencial comprador del libro: «Compradlo, lectores y lectoras, el *Azul...*: hay allí mucha alma, mucho derroche de imaginación...» (Silva Castro, *Rubén Darío* 272).

[15] Así lo permiten pensar los testimonios sobre el entusiasmo femenino que rodeó a las fechas de la segunda edición del libro, y que el mismo Darío se preocupó de alimentar. En la sección «Correspondencia» de *La Unión* (San Salvador) del día 17 de diciembre de 1889, se lee: «A la Srta. L. F. G. R., Sonsonate: «El libro *Azul...* no se encuentra de venta en nuestras librerías. *La Unión* publicará poco a poco ése y otros trabajos del señor Darío» (Sequeira 1964, 227).

tro quedarían entonces los «poetastros a la antigua», los «fabricantes de octavas reales», los «confiteros del verso» y los «zapateros, sastres y dependientuchos» que el poeta denostaba en su nota IX a la segunda edición del libro. Y fuera quedaba también el cincuenta por ciento de la población chilena que, como la familia de «El fardo» o el mendigo de «La canción del oro», vivía en la miseria y era presa del analfabetismo.

Las cartas de Valera

Sabedor de que, a pesar de todo, el éxito entre las preferencias femeninas no iba a otorgarle un reconocimiento autorizado, Rubén promocionó su libro en los círculos específicamente literarios y periodísticos. Por eso distribuyó ejemplares entre las figuras y los diarios influyentes del momento. Al general Mitre iba destinado el que llegó a *La Nación* junto a su primer artículo para el diario argentino, publicado el 15 de febrero de 1889. Pedro Ortiz, periodista nicaragüense, debió de recibir de su amigo Rubén el empleado para la reseña que envió, en febrero de 1889, a la *Revista Ilustrada de Nueva York,* de fuerte penetración en toda Hispanoamérica. También Gutiérrez Nájera conoció *Azul...* al poco de ponerse en venta y, según sugiere Edelberto Torres (108), lo recibió con rendida admiración. Como es sabido, Darío no se conformó con América, y envió ejemplares «a París, a varios hombres de letras» quienes, según sigue contando, llegaron a utilizarlo como modelo (*OC* I, 200). Es muy posible que sus admirados Catulle Mendès y Armand Silvestre se encontrasen también entre esos «hombres de letras» que recibieron el correspondiente ejemplar. Pasando a España, huelga decir que Juan Valera fue uno de los destinatarios y que, muy probablemente, Menéndez Pelayo también recibió el suyo. El del primero iba presentado con una «amable dedicatoria», y le llegó a don Juan a través de su primo Antonio Alcalá Galiano quien, desde 1887, encabezaba el consulado español en Valparaíso. El de Menéndez Pelayo se conserva hoy en su nutrida biblioteca (Arellano 28) y pudo muy bien ser el origen de aquellas afirmaciones suyas de 1891 que presentaban a Rubén como uno de los jóvenes poetas centroamericanos que había mostrado «serlo de verdad»[16].

Las dos famosas cartas de Valera fueron recogidas inicialmente por *El Imparcial* de Madrid los días 22 y 29 de octubre de 1888. Rubén pudo leerlas en las mismas páginas de *El Imparcial*, que mantenía intercambios con los diarios chilenos, o también a través de sus relaciones con Alcalá Galiano, el primo de don Juan. Sea cual fuere el camino, ya las conocía antes del 26 de diciembre, fecha en que, desde Valparaíso, dirige a Narciso Tondreau la siguiente carta:

> No habría querido enviar a ningún diario las cartas de don Juan Valera si Ud. no me hubiese escrito.
> He estado agriamente impresionado con toda la prensa, sobre todo con la en la que hay algunos que se dicen mis amigos. Sé que diarios como *La Época,* donde hay varios poetas, están suscritos a *El Imparcial* de Madrid. Hay más. Se han reproducido todas las cartas de don Juan Valera y se han saltado las dirigidas a mí. Es cierto que don Juan hace elogios que no me ha hecho nadie, y que con la publicación de su juicio vendríamos a quedar que yo soy un ternero de cinco patas [...]
> Por lo demás, le envío la única carta que conservo, pues la segunda se me perdió. (Ghiraldo 345-46).

Narciso Tondreau se encargó de reproducirlas en *La Tribuna,* donde trabajaba como redactor, el 23 y el 26 de enero de 1889, cuando faltaba menos de un mes para que Darío regresase a Nicaragua. La nota de *La Tribuna* a la primera de ellas informaba también de que éstas habían «sido reproducidas por *Las Novedades* de Nueva York y otros importantes diarios de Norte y Sud América» (Silva Castro, *Rubén Darío* 288) y deja ver por tanto que *Azul...* y su autor, apoyados en el prestigio de Valera, empezaban a estar en boca de los círculos literarios españoles e hispanoamericanos. Ningún

---

[16] El elogio de don Marcelino se encuentra en su *Historia de la poesía hispanoamericana* (Madrid, Victoriano Suárez, 1891, I, 211).

otro joven autor americano había conseguido honores tan altos de la pluma de don Juan; el único caso semejante había sido el de Rafael Obligado, poseedor también de un ejemplar de *Azul...* y cuyo prestigio superaba entonces al de Rubén. Conseguir una crítica de don Juan Valera suponía «alcanzar la gloria de un solo golpe» (Ghiraldo 246). Y de esto era consciente Darío, que desde muy pronto se sirvió de las cartas como credenciales de presentación[17]. A la vez, sus mismos admiradores las leyeron con asombro y vieron en ellas un espaldarazo definitivo y autorizado a su labor. En julio del 89, por ejemplo, Rodríguez Mendoza envía desde Santiago una carta a su amigo en la que le pregunta si sus compatriotas nicaragüenses saben del «juicio que sobre tu personalidad ha emitido el autor de *Pepita Jiménez*» (Sequeira 1964, 106). Las cartas, entonces, supusieron la primera —y buscada— consagración oficial de Darío, su primera internacionalización. Debido a la relativa escasez de ejemplares fuera de Chile y, al contrario, a la amplia difusión de las cartas, fueron también la única referencia para muchos lectores y críticos; y puede pensarse igualmente que muchos de ellos no hubieran leído el libro de no haber sido por las palabras de Valera. Hicieron que los ejemplares sobrantes se persiguiesen de verdad «con interés en los escaparates de los libreros» y que éstos se agotasen en «menos de decir amén» (Sequeira 1964, 105; Montiel 61). Consecuentemente, supusieron un crecimiento potencial de su audiencia y una especie de justificación para los imitadores del poeta; por todo ello y ya que las entendió como una preparación ideal para la segunda edición del libro[18], resulta lógico admitir que cuando Rubén dejó Chile rumbo a Nicaragua,

---

[17] Resulta sintomático que, ya en fecha tan temprana como la de julio de 1889, escriba el prólogo para los *Asonantes* de su amigo Tondreau casi en un tono paternal, como lo haría un autor de fama. A propósito de Valera, en el mismo trabajo, comenta: «Yo, por mi parte, me huelgo del "galicismo mental" que encontró don Juan Valera en uno de mis pobres libros» (*OC* II, 58-59).

[18] Prueba de esto es que Rubén se sirvió de ellas, bien citándolas o bien transcribiéndolas, cada vez que anunciaba su nuevo *Azul...* Cfr., por ejemplo, Sequeira 1964, 64 y 71.

el 9 de febrero de 1889, llevase en su cabeza el proyecto de un nuevo *Azul*...

El segundo «*Azul*...»:
«*promoción*», ediciones y éxito

Tras una breve escala en Lima, donde visitó a Ricardo Palma, llegó Rubén a Nicaragua el día 6 de marzo de 1889. Va a permanecer en su país, enredado en diversas aventuras amorosas, hasta el 1 de mayo, día en que pasa al Salvador. Allí cae en gracia al general Francisco Menéndez, presidente de la República, ferviente partidario de la Unión Centroamericana y que iba a ofrecer al poeta la dirección de un periódico gubernamental:

> A los pocos días me mandó llamar y me dijo: «¿Quiere usted hacerse cargo de la dirección de un diario que sostenga los principios de la Unión?». «Desde luego, señor presidente», le contesté. «Está bien —me dijo—; daré orden para que en seguida se arregle todo lo necesario.» En efecto, no pasó mucho sin que yo estuviera a la cabeza de un diario, órgano de los unionistas centroamericanos y que, naturalmente, se titulaba *La Unión* (*OC* I, 67).

Sin embargo, antes de que saliese el primer número de *La Unión*, en noviembre de 1889, Rubén ya tenía concebido su segundo *Azul*... como un libro distinto al de 1888. En efecto, en una carta remitida el 19 de agosto a *El Imparcial*, periódico salvadoreño, se despedía anunciando a sus lectores «que pronto aparecerá en las librerías una nueva edición de mi libro *Azul*..., aumentada con cuentos inéditos y nuevas poesías» (Sequeira 1964, 71)[19]. Rubén pensaba en las incorporaciones de «La muerte de la emperatriz de China»,

---

[19] En estas fechas debió de comenzar también la redacción de su *A. de Gilbert*, como homenaje a Pedro Balmaceda que había fallecido en Santiago el día 1 de julio. El libro, concluido el 1 de enero de 1890 y prologado por el general Cañas, se publicó en San Salvador en marzo de ese mismo año.

redactada durante ese mismo verano, y, posiblemente, en «El sátiro sordo», aparecido en Chile poco después del primer *Azul...* Las «nuevas poesías» aludidas podrían ser los tres «Sonetos Áureos» («Caupolicán», «Venus» y «De invierno»), publicados en julio de 1889 y tal vez alguno de los «Medallones» (el dedicado a Palma había aparecido en junio). En cuanto a los poemas en francés Rubén tenía, por entonces, la idea de incorporarlos a su *Libro del Trópico,* que quería editar en San Salvador pero que nunca llegó a ver la luz.

De acuerdo con ciertas referencias históricas, su nombramiento al frente de *La Unión* ocurrió entre septiembre y octubre de 1889[20] y Rubén, tras su experiencia en la prensa chilena, tuvo que ver en ello una ocasión ideal para promocionar el libro. Ser el director de un periódico con todo el apoyo oficial, donde «estaba remunerado con liberalidad», donde trabajaban redactores procedentes de toda Centroamérica y donde, además, colaboraban «las mejores inteligencias del país» (*OC* I, 68), constituía, evidentemente, una situación privilegiada para sus operaciones publicitarias. Así, hasta el 7 de junio de 1890, quince días antes de la salida de Darío hacia Guatemala y de la consiguiente desaparición del diario, sus páginas se encuentran más que profusamente salpicadas de textos de *Azul...* o de avisos y correspondencia relacionados con el libro. En los meses de noviembre y diciembre de 1889 se publicaron allí, por este orden, «El sátiro sordo», «El rey burgués», el prólogo de Eduardo de la Barra, «La ninfa», «El fardo», «El velo de la reina Mab» y «Autumnal». A partir de enero, y hasta el 7 de junio, se recogen las cartas de Valera, «La canción del oro», «El rubí», «El palacio del sol», «El pájaro azul», «Palomas blancas», «En busca de cuadros», «La muerte de la emperatriz de China», los tres poemas restantes de «El año lírico»,

---

[20] El 15 de septiembre se firmó en San Salvador, entre los delegados de los diversos países, el Pacto de Unión Centroamericana, y el 20 de octubre estos delegados ofrecieron un banquete al general Francisco Menéndez. En esa misma ceremonia Rubén declamó su poema a la «Unión Centroamericana» (*PC* 922-23).

los «Sonetos áureos» y la «Chanṣon Crepusculaire» (Sequeira 1964, *passim.*).

En esta línea de promoción del libro entra también el envío de números de *La Unión* con textos de *Azul*... a sus amistades y autores de otros países y la frecuente reproducción de peticiones de ejemplares y de opiniones distinguidas acerca del libro. Ya se vio, por ejemplo, que a la señorita «L. F. G. R.» de Sonsonate, se le contestaba, el 17 de diciembre, que *Azul*... no se hallaba «de venta en nuestras librerías» y que *La Unión* publicaría «poco a poco ése y otros trabajos del señor Darío». Medio año más tarde, en mayo de 1890, respondía Darío a don Antonio Rubió, catedrático de la Universidad de Barcelona, con unas palabras que no lograban ocultar el placer de su autor al saberse en boca del mundillo literario; tampoco ocultaban sus deseos de agradar a las instancias oficiales de las que, en cierta manera, seguía dependiendo su prestigio[21].

Las noticias sobre la impresión del libro son también significativas, y no sólo porque sugieran diversos aplazamientos de ella sino porque hablan también de la amplia red de distribución prevista por el poeta y que abarcaba a las principales ciudades del continente americano. Las librerías e instituciones de las que pensaba servirse se encontraban, según el aviso de *La Unión* del 28 de abril de 1890, en San Salvador, Guatemala, San José de Costa Rica, Granada, Tegucigalpa, Bogotá, Curaçao, México, La Habana, Santiago de Chile, Valparaíso, Lima, Nueva York y San Francisco (Sequeira 1964, 220). Ello permite pensar, primero, en unos in-

---

[21] Sus palabras eran las siguientes: «El que estas líneas traza, tiene a honra publicar en el diario de su dirección, carta de tal importancia y aprovecha la oportunidad para agradecer al literato catalán los elogios que respecto a él se sirvió escribir, en una de las cartas que dirigió al poeta don José Joaquín Ortiz, y que fueron publicadas en *El Correo de las Aldeas,* de Bogotá. Pero también se atreve a decir al señor Rubió y Lluch, que no es justo juzgar por un fragmento la tendencia de una obra y menos el carácter y fondo moral de un escritor. Y que Valera, su gran compatriota, procedió de otra manera al ocuparse en el libro *Azul*..., libro cuyo autor cree limpio de blasfemia, obscenidad o chiste torpe, y el cual es el que debe haber provocado cierta aversión de don Antonio» (Sequeira 1964, 232).

tensos contactos de índole comercial entre la redacción del periódico y las librerías y, segundo, en una efectiva difusión del nombre, el prestigio y la comercialidad de Darío, por toda América, en poco más de un año. Lo muestra, por ejemplo, el hecho de que a su mesa de redacción llegasen libros procedentes de Argentina o de Colombia y cuyos autores buscaban ya los prólogos o las reseñas del poeta (Sequeira 1964, 94). Aunque resulta difícil determinar con precisión la intervención directa del poeta en esta campaña, existen suficientes razones para suponerla alta y constante, y muy alejada por tanto de la extendida idea que presenta a Darío como un artista puro, volcado con la confección interna de su obra pero olvidado de su comercialización[22].

La noticia más explícita de *La Unión* acerca del nuevo *Azul...* apareció también el 28 de abril de 1890, al lado del anterior elenco de librerías; eso significa que su impresión y puesta en venta se veían ya como algo inminente:

> A los libreros y demás personas que han solicitado esta afamada obra de Darío cuya primera edición de Santiago de Chile *[sic]* se agotó completamente en Sud-América, anunciamos la segunda edición que aparecerá próximamente impresa por la tipografía de *La Unión,* en Guatemala, y aumentada con cuentos, narraciones y poesías nuevos. El libro viene precedido de un largo juicio por don Juan Valera, de la Real Academia Española (Sequeira 1964, 219).

Sin embargo, y a pesar de las razonadamente optimistas previsiones del diario, hubo un acontecimiento que trasto-

---

[22] La tradicional imagen de poeta desinteresado o de «hombre de arte» no casa en absoluto con los consejos que por entonces daba a escritores noveles. A Vicente Acosta, autor de *Lira Joven* (San Salvador, Imprenta Nacional, 1890), le comentaba: «No regales tu libro. El público vulgar cree que las prosas y los versos se escriben juega jugando. No sabe nada de los insomnios, de los padecimientos físicos y espirituales de los que damos el jugo de nuestras venas y la vida de nuestro cerebro para dar alimento al vientre nunca saciado de la prensa periódica. No regales tu libro. Que lo vendan las librerías hispanoamericanas. Entiéndete con Bethancourt de Curaçao, con Miranda de Santiago, con Casavalle de Buenos Aires. Si tu libro gusta [...] se agotará esta edición, ganarás dinero y recibirás buenas propuestas. No regales tu libro» (Sequeira 1964, 315).

có todos los planes. El 22 de junio tuvo lugar el cuartelazo del general Carlos Ezeta contra el presidente Menéndez, que murió ese mismo día; Rubén, cuya amistad con Menéndez era conocida públicamente, creyó oportuno marchar a Guatemala. En El Salvador dejaba a Rafaelita Contreras, con quien había contraído matrimonio civil la misma víspera del levantamiento, y amistades como la de Francisco Gavidia y el general Juan J. Cañas. El día 30 de junio llegó a Guatemala, donde iba a permanecer hasta el 15 de agosto del año siguiente. Al llegar, el general Manuel Barillas, presidente de Guatemala y amigo de Menéndez, le ordenó una crónica sobre el golpe militar de Ezeta, crónica que, con el título de «Historia negra», apareció publicada en tres números de *El Diario de Centroamérica*. Este trabajo le valió a Darío sendas entrevistas con dos ministros de Barillas de las que salió nombrado «director y propietario de un diario de carácter semioficial» que iba a llamarse *El Correo de la Tarde* (*OC* I, 76). Dado que su primer número no vio la luz hasta el 8 de diciembre, dos meses después de la publicación del nuevo *Azul...*, sus páginas no pudieron convertirse en una antesala del libro; sí lo fueron sin embargo las páginas de otros periódicos guatemaltecos. Así, *El Imparcial* recogió «De invierno» el 13 de julio, «Estival» y «A un poeta» una semana más tarde y «A una estrella» el 31 de julio. *El Diario de Centroamérica* honró las suyas del 11 de julio con el medallón dedicado a José Joaquín Palma y fue el primero en confirmar, el 8 de julio, que los talleres de *La Unión* de Guatemala se encontraban trabajando en el nuevo *Azul...* Por otro lado, Rubén contaba con la amistad y el apoyo de Francisco Lainfiesta, acaudalado unionista guatemalteco, propietario de los citados talleres y también poeta a quien Darío había dedicado tiempo atrás respetuosas críticas y, en los días del Pacto Centroamericano, un emotivo brindis en verso[23]. Con tal protector y libre todavía de sus cargos en *El Correo* resulta lógico pensar que Darío siguiese de cerca las labores de impresión y co-

---

[23] Cfr. los textos de Mejía Sánchez («Darío y Centroamérica» 202-203), Sequeira (1964, 91) y el propio Darío (*PC* 924).

rrección, y procurase una edición cuidada y lujosa de su libro. Si se añade que Lainfiesta corrió con los gastos de imprenta, es natural que Darío le dedicara la edición del nuevo *Azul...*[24].

Aunque existen noticias anteriores anunciando como muy próxima la venta del libro, la del 4 de septiembre de *El Imparcial* es la más explícita acerca de su contenido:

> Pronto, dentro de unos cuantos días, se comenzará a vender en las librerías de esta capital, el precioso libro *Azul...* que tanto ruido ha hecho en el mundo de las letras, y cuya primera edición en Chile se agotó en menos de decir amén. La segunda, cuidadosamente trabajada en lo que a su contextura material se refiere, está además, aumentada con nuevos cuentos en prosa; con una colección de sonetos que el autor llama «Áureos» [...]; con una colección de poesías francesas, entre las cuales sobresale y resalta por la sonoridad de los alejandrinos, dignos de Rameau, la «Chanson crépusculaire»; y con unas cartas literarias que el más ilustre de los ingenios españoles contemporáneos, el más sutil analizador, el más grande de los críticos de la madre patria, le dirigió a nuestro eximio poeta con motivo de la publicación de su *Azul...* (Montiel 61-62).

Debe notarse que esta detallada relación de los nuevos textos de *Azul...*, con un evidente origen último en el propio Rubén, no menciona ni «A un poeta» ni tampoco los «Medallones». Aunque el caso del primero parece tratarse de un olvido, con los «Medallones» cabría la sospecha —y sólo sospecha— de que fueron incorporados a esta edición a última hora; primero, porque Darío estaba pensando en ellos como poemas para otro libro distinto, titulado precisamente «Medallones» (Soto Hall 111), y, segundo, porque, aunque constituyen un grupo de poemas bien diferenciado

---

[24] Ni la *Autobiografía* de Darío ni las memorias de Lainfiesta confirman que el guatemalteco corriese con los gastos de la edición; sin embargo, éste siempre ha sido un dato aceptado como cierto entre los biógrafos del poeta. En cualquier caso, y de acuerdo a los datos disponibles, lo que debe lícitamente suponerse es que desempeñó un papel decisivo en la impresión del libro.

de los «Sonetos áureos» y de «Echos», no presentan, en su disposición tipográfica final, los mismos tipos de epígrafes y encabezamientos que éstos[25].

Según el colofón del volumen, «Acabóse de imprimir / este libro, en la imprenta "La Unión" / a cuatro de octubre / de MDCCCXC». Dos semanas más tarde el *Diario de Centroamérica* informaba de su puesta en circulación y encomiaba —con razón— la excelente labor de los impresores:

> La 2.ª edición de este libro de Rubén Darío [...] acaba de salir de las prensas de la tipografía «La Unión». Como obra de esta imprenta, el volumen de 317 páginas en 4.º francés nada deja que desear: buen papel, impresión nítida y de excelente gusto [...] El nombre del autor y el sumario de los trabajos en prosa y verso que el *Azul...* contiene, basta para considerar la reimpresión de tan bello libro como uno de los mejores acontecimientos de nuestra historia literaria; pero hay que leerlo para gozar con las bellezas artísticas que contiene ese delicadísimo joyel. Está a la venta a $ 2 en el almacén de Löwental, en las librerías y en la tipografía Unión (Montiel 80-81).

La mencionada cifra de trescientas diecisiete páginas corresponde a la suma de las doscientas treinta y siete de los textos de Darío, el índice final, las ocupadas por las cartas de Valera, el prólogo de Eduardo de la Barra y las páginas de cortesía. En la portada, además del nombre del autor, del título y de los datos de la imprenta, se informaba que se trataba de una «segunda edición aumentada» y «precedida de un estudio sobre la obra por don Juan Valera de la Real Academia Española».

Aparte de las diferencias tipográficas o textuales internas de cada cuento o poema, el nuevo *Azul...* se alejaba del primero en lo siguiente:

---

[25] Tanto el título de «Sonetos áureos» como el de «Echos» ocupaban, ellos solos, toda la página anterior al primer poema de su serie respectiva. El epígrafe «Medallones» apareció en otro tipo de letra más sencillo y en la parte superior de la página que ocupa «Leconte de l'Isle», el primero de ellos. Similares divergencias se perciben en el índice final del libro y, como las anteriores, podrían explicarse perfectamente por la precipitación en la organización final del texto.

1) Desaparición de la dedicatoria «Al Sr. D. Federico Varela» y del texto que la acompañaba y su sustitución por otra: «Al Sr. D. Francisco Lainfiesta / Afecto y gratitud / R. D.».

2) Reproducción de las dos cartas de Valera antes que el prólogo de Eduardo de la Barra, que se mantiene.

3) Inserción del cuento «El Sátiro Sordo» entre «El Rey Burgués» y «La Ninfa».

4) Incorporación de las prosas «La muerte de la emperatriz de China» y «A una estrella» después de las de «En Chile» y antes de la sección en verso, que comienza con «El año lírico».

5) En la sección en verso, inclusión de «A un poeta» entre «Pensamiento de otoño» y «Anagke».

6) Adición final, por este orden, de «Sonetos áureos», «Medallones», «Echos» y las «Notas» del propio poeta.

Una lectura de los textos añadidos confirma que, realmente, no se trata de una alteración fundamental de la primera edición, aunque sí pueda hablarse de diferencias cualitativas en el campo del verso. Si el cuento «La muerte de la emperatriz» y la romanza «A una estrella» nada sustancial añaden a las habilidades y evocaciones de las prosas chilenas, en el verso, en cambio, los tercetos de «A un poeta» y los sonetos de «Sonetos Áureos» y «Medallones», nos hablan de un versificador distinto, menos «castizo» que el de «El año lírico». Aunque algunos de los últimos poemas proceden de Chile, tal vez tuvieron que esperar a la puntualización de Valera para que Darío los recuperase como prueba de que su capacidad innovadora no estaba limitada a la prosa[26]. Probablemente pensó Darío que de esta manera el segundo *Azul...* empezaría a verse como línea de separación con toda la literatura anterior y a él mismo como artífice de esa ruptura.

---

[26] Al comienzo de la carta II se lee: «En este libro no sé qué debo preferir: si la prosa o los versos [...] En la prosa hay más riqueza de ideas; pero es más afrancesada la forma. En los versos la forma es más castiza. Los versos de Ud. se parecen a los versos españoles de otros autores, y no por eso dejan de ser originales.» En la misma línea de confianza en sí mismo, de afán renovador y de cierto «complejo de vedette», deben entenderse los poemas escritos en francés.

Pero aún más interesantes son las conclusiones que pueden desprenderse de la adición de las treinta y cuatro notas explicativas. Resulta evidente, en primer lugar, que ningún autor añade este tipo de aclaraciones si no está pensado en su público y en la recepción de su libro como algo prioritario. Al mismo tiempo, la presentación de su trabajo como un texto necesitado de explicaciones, parece indicar la pretensión de su autor de ser considerado a la altura de los clásicos y su obra a la de las obras también consagradas, merecedoras de ediciones críticas y de la atención de los eruditos. Y éstas son razones en absoluto ajenas al Darío que, según Rodríguez Mendoza, tenía en la «celebridad de las letras […] una de sus ambiciones» (Loveluck, «Una polémica...» 246). En esa línea apuntarían también las precisiones sobre las propias fuentes de sus textos, sobre los chilenismos léxicos —cuya explicación se convierte en necesaria ante una audiencia mayor que la de 1888— y la reproducción, en la penúltima nota, del extenso elogio recibido en la prensa centroamericana. Por otro lado traslucen también su rendida gratitud hacia Valera. Sus cartas preceden en la presentación al prólogo de Eduardo de la Barra y sus opiniones sobre el libro no merecen ninguna discrepancia en esas notas. No ocurre lo mismo con las opiniones del académico chileno que, si bien recibe el reconocimiento de sus méritos, no sale del todo bien parado en las aclaraciones de Darío. En éstas, además de alguna precisión sobre la intertextualidad de sus cuentos y poemas, Rubén busca distanciarse de las acusaciones de decadentismo que le hace su primer prologuista y que él rechaza con rapidez. Sin embargo, ya que, como intuyeron algunos de sus contemporáneos (Rodríguez Mendoza, Julián del Casal, el mismo Valera) y como luego se explicará, el filodecadentismo de *Azul...* resulta obvio, parece lícito sospechar que lo que realmente pretendía Darío era evitar un incómodo encasillamiento que le restase una buena prensa en los ambientes oficiales de los que seguía dependiendo su fama. Es decir que, fuera o no consciente de su propio decadentismo, no lo consideraba tarjeta de presentación adecuada para un grupo de lectores todavía salpicado de prejuicios literarios y extraliterarios hacia la «décadence», y más acostumbrado al prestigio de Victor Hugo o al buen nombre de los parnasianos.

Escasos son los datos acerca del éxito del libro entre el público más inmediato; tampoco se conoce el número de ejemplares puestos a la venta y que, a pesar de la «campaña publicitaria» promovida por su autor, no debieron ser muy numerosos. Su precipitada huida a Guatemala, el cierre de su diario salvadoreño y el consiguiente deterioro o desaparición de la red de distribución montada en torno a él, debieron de trastocar sus planes iniciales e inclinarlo hacia una tirada más corta y, posiblemente, más lujosa. Además, hay que contar con el mercado real del libro en la Centroamérica de entonces y del que el mismo poeta había comentado su penuria, su carencia «de lectores sino en pequeñísimo número» (*OD* 210). Sin duda y como años más tarde ocurrirá con *Cantos de vida y esperanza*, ante un panorama tan poco favorable y con un público más bien restringido, lo más apropiado era sacar una edición de tales características[27].

Al poco de publicarse, y como ya hizo en 1888, Darío procedió a enviar ejemplares a sus amistades literarias. Así, *La Habana Elegante* del 5 de abril de 1891 informa de la recepción de «tres tomos del bello libro *Azul...* que Rubén Darío [...] enviaba [...] como obsequio amistoso a nuestro compañero Julián del Casal, a nuestro caro colaborador y amigo Raúl Cay y al director de este semanario» (*Azul... y las literaturas* 48-49). Puede añadirse también que el libro continuaba vendiéndose a mediados de 1892 en las librerías centroamericanas. En una carta de Rafaelita Contreras a D. Vicente Navas, político nicaragüense amigo de su familia, se lee:

> Cuando Rubén salió de ésa con destino a Madrid, me avisó a mí que Pedro Alvarado, su primo, quedaba encargado

---

[27] Una señal indirecta en favor de la idea de una reducida segunda edición de *Azul...* es que en las bibliotecas estadounidenses (y hasta donde llegan mis datos) sólo se conserva un ejemplar salido de *La Unión* (UT Austin) y varias fotocopias del mismo; frente a esto, de la edición de Valparaíso existe una cifra de ejemplares cercana a la quincena.

de jirarme *[sic]* mensualmente ciento cincuenta soles de su mensualidad como secretario de la comisión de Nicaragua a la exposición de Madrid. Además, el quince de agosto pasado debía también jirarme ciento ochenta soles de una cantidad de libros *Azul... [sic]* que en ésa vendió y que debían entregar a Alvarado el dinero el dicho quince del pasado (Arellano y Jirón 111).

Se sabe también que Rubén llevó algunos ejemplares consigo en su primer viaje a España. Uno de ellos acabó en manos de Salvador Rueda y más tarde pasó a Juan Ramón Jiménez[28]. Durante esta visita a España, de agosto a noviembre de 1892, *Azul...* será, obviamente, la obra que explique el respeto con que lo acogen autores como el mismo Valera o Campoamor y la rendida admiración de otros como Rueda[29]. Significativo es igualmente que en una reunión de tintes académicos, como lo era el Congreso Literario Hispanoamericano, en septiembre de 1892, hubiera ya destacadas voces que aceptasen a Darío como una de las plumas más originales de la lengua y como la cabeza visible de la nueva generación literaria de Hispanoamérica (Arellano 29). Y aunque con frecuencia se tachaba a Rubén de decadente en un mundillo literario que además miraba casi con indiferencia la literatura de sus antiguas colonias, lo cierto es que estos meses españoles tuvieron que servir para extender la fama de *Azul...* y el renombre de su original autor aunque sólo fuera en círculos muy limitados. La casi segura escasez de ejemplares de la segunda tirada y la comple-

---

[28] El volumen, conservado en la Biblioteca Nacional de Madrid, se encuentra gravemente mutilado. En la dedicatoria del ejemplar, escrita en la parte superior de la primera de las cartas de Valera, se lee: «A mi queridísimo y admirado Sal / vador Rueda, enemigo de los [j] ohtumbas / Recuerdo y Cariño / Rubén Darío / Madrid, 6 de setiembre del 92»; y en la página anterior a la dedicatoria a Lainfiesta: «A Enrique [¿Díez Canedo?], / esta ruina de Rueda / Juan Ramón / Madrid, abril, 1917.» A este volumen debe referirse el moguereño al comentar que «Villaespesa y yo leíamos [los poemas y cuentos de *Azul...*] embriagados en aquel único ejemplar de Salvador Rueda» (Cano, *Españoles* 121).

[29] Cfr., para el caso de estos tres autores peninsulares, Sequeira, 1964 (425-27) y Arellano 27.

ta ausencia de una distribución comercial no pudieron hacer de él un libro conocido en España, como tampoco lo iba a ser años más tarde la primera edición de *Prosas profanas*[30]. De esta manera puede explicarse que las menciones a Darío y a su libro mismo se repartan, en los años posteriores a 1892, de modo desigual; los datos recogidos por Jorge Arellano acerca de los primeros lectores de *Azul...* evidencian que, a par-tir de 1893 y hasta aproximadamente 1899, casi la totalidad de las reseñas periodísticas, los elogios y las reproducciones parciales del libro se localizan en las publicaciones americanas y, por el contrario, están prácticamente ausentes de las españolas.

Las siguientes ediciones

Hasta la muerte de Darío en 1916 hay constancia de otras cinco ediciones más. La primera de ellas, si merece tal denominación, es de 1903 y se publicó en Santiago de Chile. Sólo contenía la sección poética de «El año lírico» y salió a la calle sin el conocimiento del autor.

La segunda apareció en la Biblioteca *La Nación* en 1905 y, aunque autorizada por el poeta, no contamos con datos ciertos sobre su intervención en ella (preparación del original, corrección de pruebas, etc.)[31]. Presenta dos significati-

---

[30] A esta particular lacra de las librerías españolas de fin de siglo se refirió el poeta en una crónica de 1899. Sus palabras dejan ver la ausencia de un verdadero intercambio comercial de libros entre España e Hispanoamérica, ausencia que tuvo que afectar también a su «libro primigenio»: «Las librerías de Madrid son de una indigencia tal, sobre todo en lo referente al movimiento extranjero, que a este respecto [Fernando] Fe, que es el principal, o Murillo, o cualquier otro, están bajo el más modesto de nuestros libreros [de Buenos Aires]. En Madrid no existe ninguna casa comparable a las de Peuser o Jacobsen, o Lajoune [...] El que no encarga especialmente sus libros a Francia, Inglaterra, etc., no puede estar al tanto de la vida mental europea. Es un mirlo blanco un libro portugués. De los libros americanos no hablemos» (*OC* III, 223).

[31] Esto ha dividido a los editores de Darío con bastante frecuencia. Saavedra y Mapes, que trabajan con la de 1888, insisten en sus prevenciones hacia la de 1905: «si bien debemos suponer que el autor mandó un ejemplar de la

vas diferencias con las ediciones de 1888 y 1890; la primera es la ausencia total de dedicatorias y supresión del prólogo de Eduardo de la Barra; la segunda es la supresión del medallón dedicado a Parodi, de los poemas en francés y de las notas finales. Es la edición que acabará convirtiéndose en estándar y en modelo para las siguientes, la primera de las cuales fue publicada también por *La Nación* en 1907.

La siguiente vio la luz en Barcelona, en el mismo año de 1907 y en la misma casa que estaba trabajando en la segunda edición de *Cantos de vida y esperanza*. Se conservan dos cartas de los propietarios de esta editorial a Darío, con referencias a *Azul...* En la primera, del 2 de mayo, le informan de que unos quince días antes se «terminaba la impresión de *Azul...* que actualmente encuadernamos. Ya le remitiremos algunos ejemplares cuando esté lista» (Álvarez 140). En la segunda, del 12 de julio, le anuncian la inmediata salida de *Cantos* y se quejan de que el éxito de *Azul...* «ha sido muy limitado, tal vez por estar invadida toda América de ediciones populares del referido libro» (Álvarez 141). Si esto es así, puede pensarse que las dos tiradas de *La Nación* fueron amplias y abarcaron a toda América y, muy probablemente, también a España.

La última edición es de 1912 y apareció en Valparaíso, en la imprenta Barcelona, reproduciendo el texto de la de 1888 con la excepción del prólogo y la dedicatoria.

Hubo, además, varios intentos de edición anteriores a 1907; aunque no llegaron a buen término presentan el libro como una pieza codiciada entre las editoriales e, incluso, como recurso del propio Darío contra sus penurias económicas. Los tres testimonios de que disponemos marcan igualmente la frontera de 1889 o 1900 para lo que podría llamarse el americanismo editorial de *Azul...* (antes de esas

---

segunda edición enmendado por él, es más que probable, dadas sus costumbres, que no se hizo enviar las pruebas a Europa» (118). Por su lado, Mejía Sánchez, que sigue la de 1905, se justifica con las razonables causas que llevaron a Darío a realizar en este texto las eliminaciones señaladas y al empleo del mismo cuando redactó su *Historia de mis libros* (Darío, *Poesía* ix).

fechas) y su posterior europeización. El primer proyecto estuvo a cargo de José Enrique Rodó y, a juzgar por su carta a Luis Berisso, fechada en Montevideo el 4 de marzo de 1898, no salió adelante por la escasa diligencia de Darío (Ghiraldo 135-36). La segunda habría estado encargada a la casa Heinrich de París a finales de 1904 y pudo no ver la luz debido sencillamente a las estrecheces económicas del poeta en aquel entonces (Álvarez 127). Por último, también la casa Pueyo se manifestó interesada en publicar el libro y, según el contrato que le ofrecían al poeta en diciembre de 1906, pudieron ser las exigentes condiciones de la editorial las que hicieron que Rubén no lo llegara a aceptar (Ghiraldo 130).

A partir de su muerte y tanto en España como en América las ediciones y reimpresiones han sido incesantes y se han repartido más o menos uniformemente, a lo largo de todas las décadas del siglo[32]. Tal dato, que evidencia la innegable comercialidad de *Azul...* y la extensa popularidad de su autor, es la advertencia contra el progresivo deterioro que de hecho ha sufrido el texto y, a la vez, una prevención con la que el lector de ediciones poco cuidadas debe contar.

Valoración y significado de «Azul...»

Dado que las perspectivas del poeta fueron distintas en cada una de las tres primeras ediciones del libro, puede afirmarse que desde el punto de vista de su elaboración no

---

[32] Hasta la fecha, se han publicado al menos unas ciento treinta ediciones de *Azul...*, incluyendo traducciones al alemán, al italiano y una versión en Braille. La más sobresaliente es la que en 1939 llevaron a cabo Julio Saavedra y Erwin K. Mapes (*Obras escogidas de Darío publicadas en Chile,* Santiago, Imprenta Universo, 115-403). Además de una competente anotación, incluye las variantes de todas las ediciones anteriores a 1912 y comprende también los dos prólogos y las notas del poeta a la segunda edición; presenta sin embargo una peculiar y discutible ordenación de lo añadido en 1890 y de lo eliminado en 1905. A pesar de todo, se mantiene como una referencia imprescindible para cualquier acercamiento serio al trabajo de Darío.

existe un único *Azul...* Efectivamente, el Rubén chileno que recopila sus colaboraciones periodísticas animado por sus amigos y que es desconocido fuera de Chile y Centroamérica, no puede entender su libro como el Rubén de Guatemala, convertido casi en publicista y consciente de que el apoyo de Valera ha extendido ya su nombre por toda América y también por España. Y ambos son distintos al Rubén que en 1905, ya definitivamente consagrado, da luz verde a *La Nación* para una nueva tirada del libro. *Azul...*, como luego *Prosas profanas,* no es una obra cerrada ni siquiera para el mismo Rubén. Su trayectoria global, su significado personal y su orientación en cada momento resultan indisociables de la biografía más interna del poeta.

La crítica sin embargo ha preferido orientar sus inquisiciones por caminos diferentes. Un simple vistazo a la ya casi inabarcable bibliografía sobre *Azul...* anuncia que los asedios sufridos proceden de múltiples ángulos, complementarios unas veces y contradictorios otras. Tanto el primer estudio de Eduardo de la Barra como las cartas de Valera llamaron principalmente la atención sobre el virtuosismo técnico del libro y, aunque ni el primero pasó por alto el idealismo de su autor ni el segundo su pesimismo de fondo, ninguno de ellos lo conectó de verdad —tampoco contaban con la suficiente perspectiva para ello— con la revolución modernista entonces en gestación; ni De la Barra ni Valera van más allá de considerar *Azul...* como una obra brillante, sí, pero aislada. «Valera —comentará Rubén veinticinco años más tarde— vio mucho, expresó su sorpresa y su entusiasmo sonriente [...] pero no se dio cuenta de la trascendencia de mi tentativa» (*OC* I, 198). Las deslumbrantes cualidades formales del libro, resaltadas por la carencia de un didactismo explícito, seguirán captando la atención de los análisis de *Azul...* hasta bien entrado el siglo XX. Su intertextualidad ocupará los inexcusables trabajos de Erwin K. Mapes y Arturo Marasso, amén de las precisiones que siguen apareciendo hasta hoy. De todos ellos se desprende una presencia dominante del influjo francés y, en concreto, de las orientaciones parnasianas y decadentes; los caracteres de esta doble influencia francesa son los que, al mezclarse, confieren al libro su identidad literaria principal.

Lo que, en relación a esta mezcla, resulta más difícil determinar es hasta qué punto *Azul...* es un libro parnasiano y hasta qué punto un libro decadente. Sí resulta evidente sin embargo que no se trata sólo de un calco hispánico del frío parnasianismo francés; y esto a pesar de las repetidas afirmaciones de la crítica y a pesar también de las conocidas palabras de Darío:

> ¿Cuál fue el origen de la novedad? —se pregunta en *Historia de mis libros*—. El origen de la novedad fue mi reciente conocimiento de autores franceses del Parnaso, pues a la sazón la lucha simbolista comenzaba en Francia y no era conocida en el extranjero, y menos en nuestra América (*OC* I, 195-96).

Basta leer el prólogo de Eduardo de la Barra y recordar su polémica con Rodríguez Mendoza para que la última afirmación del poeta quede invalidada. Una cala en su biografía chilena confirma además que el Simbolismo o Decadentismo era tema de conversación y de lectura en aquellos círculos culturales en unos momentos en que el poeta padecía una auténtica voracidad lectora y en los que a cada escritor «le aprendía lo que [le] agradaba» (*OC* IV, 876). En la biblioteca de Ossa Borne, por ejemplo, junto a volúmenes de Banville, Mendès y Leconte de Lisle, se encontraban otros de Verlaine o Villiers de l'Isle Adams (López Morillas 11). Rodríguez Mendoza recuerda haber conversado más de una vez con Darío acerca de «los mentados decadentes» (Loveluck, «Una polémica...» 237). Baudelaire asoma a menudo por sus escritos chilenos con una imagen suficientemente perfilada como para suponer un conocimiento real de su vida y de su obra (Cfr. *OD* 70). Por último, los comentarios que podía leer en los números de la *Nouvelle Revue* del Palacio de la Moneda eran lo bastante amplios, explícitos y objetivos como para conseguir una idea más que acertada de la literatura simbolista y para acercarse por tanto hacia aquellos modelos que él considerase más atractivos[33]. Así, no resulta extraño que *Azul...* cuente con una serie de recurrencias temáticas y formales comunes a los postulados simbolistas y a menudo ausentes de los parnasianos. Ahí están, por ejemplo, la omnipresencia de la música y de una música de corte wagneriano («El sátiro sordo», «El velo de la reina Mab»), la aparición de una Naturaleza simbólica y casi trascendente («El rey burgués»), la subversión antiburguesa de «La canción del oro», los ambientes etéreos y nada escultóricos de «Autumnal» y «A una estrella», el pesimismo baudelariano que percibió Valera como fondo del libro, los poemas en prosa y la versificación fluida y sugerente de «Primaveral»... Y si Darío no llegó a afirmar la presencia simbolista o decadente en *Azul...*, no quiere decir esto que no existiese, sino que hubo otra serie de razones que le llevaron a ocultarlo, razones como el miedo a ser tachado de decadente al comienzo de su carrera o los simples deslices de la memoria al volver sobre el libro años más tarde.

Los acercamientos formalistas a *Azul...* han alcanzado, a mi juicio, otros tres momentos de acierto en los trabajos de Raimundo Lida, de Enrique Anderson Imbert y de Rudolph Kohler. Los párrafos que los dos primeros dedicaron a la prosa del libro han figurado y seguirán figurando como referencias obligadas para cualquier estudio de las técnicas darianas, y a ellos remito al lector interesado en el tema. El

---

[33] Especialmente interesante es «Symbolistes et décadents», artículo de Maurice Peyrot aparecido en la *Nouvelle Revue* del 1 de noviembre de 1887 (págs. 123-46) y cuyo título recuerda al que Darío publicó en abril del año siguiente en *La Libertad Electoral* («Catulo Mendès. Parnasianos y decadentes»). El de Peyrot es una detenida consideración del movimiento simbolista, de sus raíces en Baudelaire, de sus logros y de sus exageraciones. Como líderes o figuras más meritorias del Simbolismo se erigen Mallarmé y Verlaine; en un segundo plano quedarían otras como Huysmans y Moréas. Reproduce el soneto «Voyelles» (128) de Rimbaud, al que considera como primer manifiesto simbolista y a continuación, y de modo parcial, recoge el «Art Poétique» de Verlaine, a quien elogia y cuyos versos califica de «charmantes» (129). Por último, alguna de sus frases pudo llegar a ser la fuente para el nombre con que Darío acabó bautizando a «su» movimiento: «C'est sans doute afin de prouver les idées plus *modernistes* peuvent être traitées en Style decadent que Stéphane Mallarmé...» (137).

trabajo del tercero, además de exponer las semejanzas puntuales de las narraciones breves de Darío con el impresionismo pictórico de su tiempo, deja la puerta abierta para una interpretación de la estructura del libro a la luz de su sincretismo artístico. En efecto, *Azul...* es ante todo, y desde el punto de vista compositivo, el producto de un «collage» cuyos textos no fueron concebidos a priori como integrantes de un mismo volumen ni tampoco ordenados según su cronología; si sacamos consecuencias del trabajo de Kohler, cada texto sería una pincelada suelta que sólo al final encuentra su lugar en el espacio total del cuadro. Y de ahí que las posteriores modificaciones textuales a la primera edición no desdigan ni dañen la unidad estructural del libro. Si a esta técnica compositiva unimos la moral estética de *Azul...*, que toma la sinestesia como eje fundamental de su actuación y que, por ello, trata de acumular materiales pictóricos, arquitectónicos, esculturales y musicales (Salvador 57), el resultado final no puede ser otro que el de un libro concebido como obra de arte total, es decir, una versión literaria de las ideas de Richard Wagner acerca de la ópera y que a Darío le resultaban ciertamente familiares en las vísperas de la impresión de *Azul...*[34]. En efecto, el 18 de febrero de 1888 escribía para *El Heraldo* un breve resumen de las teorías del alemán y llamaba la atención sobre la idea

---

[34] A Wagner ya le menciona con admiración en «El velo de la Reina Mab», de octubre de 1887; además, en febrero de 1888, ya en Valparaíso, Rubén asiste a los minoritarios conciertos de Augusto Patin, convencido wagneriano que había dado a conocer en Buenos Aires las «obras del autor de *Lohengrin*» (*OD* 116) y que muy posiblemente facilitó a Rubén documentación acerca del músico alemán. Existen además otros dos probables caminos. El primero es la *Revue Wagnerienne*, que se publicaba en París desde 1885 y que, dirigida por Ernest Dujardin, contó con las colaboraciones de Mendès, Mallarmé y Verlaine y fue un vehículo perfecto para propagar la interpenetración de las artes y la música; tal vez fue otra de las revistas que Pedro Balmaceda recibía de Francia junto a la *Nouvelle Revue* y la *Revue de Deux Mondes*. El segundo pudo ser la obra crítica de Baudelaire, que, desde 1861, comprendía un extenso y admirativo trabajo acerca del *Tanhäuser* donde se insistía en la preocupación por un arte total y sintético, en la sinestesia, a la que se asignaba un fundamento divino, y en el recurso del *leitmotiv*, que se presentaba como algo profundamente rítmico y de hondo significado.

de la «gran melodía». De ésta le interesaba especialmente su sentido de globalidad, que describía recurriendo a la metáfora wagneriana del bosque:

> La abstracción, según él, produce la percepción del gran concierto de la selva. Es el conjunto soberbio y armónico el que se escucha; la voz del tronco, de la hoja, del nido, la inmensa melodía salvaje y solemne. *Todo unido produce el gran himno* (*OD* 116, subrayado mío).

Quizá la última frase sea también la clave para entender la organización de *Azul...* que, en este sentido, se convertiría en una pequeña ópera y, de acuerdo a la terminología de Wagner, en una *Gesamtkunswerk* u obra universal de arte. Bajo esta concepción globalizante de todas las formas artísticas podrían entonces convivir armonizadas técnicas musicales como el leit motiv de «El palacio del sol» y los museos de artes plásticas que son «En Chile» y «Medallones»; igualmente cabrían tanto las narraciones en prosa como las evocaciones subjetivas en verso o en los poemas en prosa. La concepción teatral de numerosas escenas («La canción del oro», «El velo», «El sátiro sordo», «Primaveral») se completaría con la historia del poeta entendida como inmolación estética o delicada iniciación amorosa («El pájaro azul», «El rey burgués», «Palomas blancas», «Primaveral»), y declamaciones grandiosas o momentos musicales sublimes como los del poeta de «El rey» o los de Orfeo en «El sátiro» podrían alternar naturalmente con situaciones trágicas como la de «El fardo» o apuntes filosóficos como «Anagke». En *Azul...* coincidiría entonces toda esa rica gama de situaciones argumentales y elementos artísticos que concurren o pueden concurrir en una pieza de ópera y que se hallan unificados en torno al arte musical, el mismo arte que, en niveles tan diferentes como los recursos formales, los ambientes recreados o las alusiones referenciales, invade todos los textos de *Azul...* y les confiere su unidad estructural de fondo. Como prueba de esta concepción predominantemente musical del texto escrito y por tanto de la más que segura aplicación al caso de *Azul...*, deben recordarse por último aquellas palabras de Darío, de noviembre de 1888, en las que afirmaba que el verso era «música. Y la prosa cuando es rítmica y musical es porque en sus periodos lleva versos completos que marcan la armonía» (*OC* 263).

Los principales acercamientos temáticos al libro consideran la protesta contra los valores de aquella sociedad chilena como el nervio ideológico del libro. Esa protesta incluiría tanto las acusaciones explícitas de «El rey burgués», «El rubí», «Anagke», etc., como las implícitas de aquellos textos que concluyen en un mundo ajeno a los valores mercantiles («Palomas blancas», «Autumnal», etc.). En *Azul...* encontraríamos, según Ángel Rama, «la pobreza sarcástica frente a la opulencia, el poeta al servicio del señor ignorante, la crueldad del poderoso» (Darío 1977, xx). Por su parte, Noël Salomon, entiende como idea central del libro «el aplastamiento de lo humano en la sociedad chilena dominada por la mercancía y el dinero» (23); para Fidel Coloma, ésta sería más bien «la inconformidad y la insurgencia contra una situación humana y social que se considera injusta» (74). Aunque todo esto parece cierto también lo es el hecho de que la protesta de Darío no llega a revestir ningún tipo de compromiso colectivo o comunitario. Forzado resultaría ver en *Azul...* un reproche explícito en contra de la situación global de la sociedad chilena. Ya se adelantó que la riqueza de Chile era tan ostentosa como real, pero que, al mismo tiempo, estaba reservada «a dos o tres personas de cada cien, las razonables comodidades de la sociedad moderna eran compartidas por unos pocos más, [...] más de las nueve décimas partes de la población se apiñaban en chozas o conventillos, usaban harapos, comían alimentos escasos y poco nutritivos» (Mañú 49). Enfrentar tal situación con *Azul...* y concluir que el libro es una protesta social o clasista sería una sobrevaloración inadecuada de sus aspectos contestatarios. «El rey» y «La canción del oro» son respuestas antiburguesas en la medida en que la actuación del burgués margina al poeta y a sus aspiraciones pero no en cuanto tal actuación da lugar a un mundo repleto de injusticias sociales[35].

Pienso que la respuesta de Darío debe leerse mejor como algo primaria y estrictamente individual y, por tanto, derivado de experiencias concretas y puntuales de su biografía chilena; su inconformidad se explica primero por haber experimentado en propia carne y fuera de su espacio natal las incomodidades del mercantilismo y sólo después por haber descubierto una sociedad injusta. Como prueba de ello puede recordarse la particular criba temática que operó en los trabajos de Henry Murger y de Percy B. Shelley que le sirvieron como fuentes en *Azul...* De *Scènes de la vie de Bohème,* la novela del francés, elimina las peripecias económicas y amorosas que sostienen su unidad temática y convierte «El pájaro azul» en la narración de un drama principalmente estético-existencial. También son distintas la Mimi de Murger y la Nini de Darío; aquélla es una *grisette* pobre y errabunda en cuya pobreza material se insiste repetidamente y ésta es sólo una joven y hermosa vecina de Garcín que muere en el curso del relato. De «Queen Mab», el poema de Shelley que Darío tuvo presente en «Autumnal» y «El palacio del sol», se omite su contenido ideológico o profético. Nada se sugiere en el cuento de Darío acerca de temas que, como la Maldad del Hombre o la Utopía del Futuro, ocupaban un lugar central y una cantidad de versos considerable en el poema del romántico inglés[36].

Si, en resumen, Rubén tuvo al alcance tanto una sociedad desigual como unos modelos librescos suficientes para literaturizar una grave denuncia y lo que sin embargo hizo fue colocar sus preocupaciones estético-existenciales en un primer plano, no parece correcto ver en *Azul...* una protesta social o económica. Esto existe pero creo que debe relegarse a un segundo momento, detrás de la citada cuestión estético-existencial. ¿Podría ser de otro modo la actitud de

---

[35] Un claro ejemplo es «El fardo», donde lo que podría haber derivado en una clara denuncia social se acaba convirtiendo en una emotiva tragedia humana y familiar.

[36] Para más detalles cfr. mi artículo: «Nuevas luces...».

un joven hipersensible, tímido, enfermo a menudo, hipocondríaco en esas fechas, añorando intensamente su tierra natal, sin residencia ni empleo fijos, sin un amor que lo ligase al nuevo país, viviendo a merced de voluntades ajenas, y que, meses después de su marcha, recordó su estancia en Chile como un mal sueño? Difícilmente[37]. El nervio contestatario de *Azul...* es, en este sentido, el producto de una crisis personal, una crisis que acabó tomando cuerpo artístico al tiempo que su privilegiado autor descubría un nuevo mundo referencial (el Chile distinto a Nicaragua) e incorporaba a su estilo unas nuevas formas expresivas. Y de aquí, de esta primera simbiosis de índole biográfica, que el fondo pesimista que alienta en el libro no contradiga su riqueza y exuberancia formales.

Por último, y para aludir al significado histórico-literario del libro, baste recordar que la inercia de la crítica se encargó, por mucho tiempo, de fechar en 1888 el repentino nacimiento del Modernismo, y de ver en *Azul...* su primer fruto granado. Se olvidaba que numerosos trabajos de Martí, Silva, Gutiérrez Nájera y Del Casal eran anteriores al de Darío y que, como éste, apoyaban su novedad en su distanciamiento temático y formal de la literatura anterior. Tampoco puede afirmarse que el distanciamiento de Darío fuera excepcionalmente mayor que el de aquéllos, ni que los méritos estéticos de *Azul...* sobresaliesen de manera abrumadora sobre los trabajos de Martí o de Nájera. Pero también es cierto que ninguna obra de éstos tuvo en su tiempo la proyección y el reconocimiento de *Azul...*; sólo éste, que contó, además de sus cualidades, con el providencial empujón de Valera y un público devoto del poeta, consiguió fijar las inquietudes de la juventud artística de Hispanoamérica. *Azul...* fue, hasta *Prosas profanas*, la referencia permanente

---

[37] Las noticias concretas que pueden extraerse de biografías como las de Silva Castro, Contreras, Doñoso, o de la correspondencia de Darío con sus contadas amistades y de los mismos textos creativos del poeta, no permiten una imagen menos positiva de la que acabo de dibujar. Cfr., por ejemplo, sus propias «Humoradas» chilenas (*PC* 892), su carta al hermano de Manuel Rodríguez Mendoza (Watland 1967, 127) y la despedida que Luis Orrego publicó en *La Libertad Electoral* (Silva Castro, *Rubén Darío* 317).

que autores y críticos de la época tuvieron en sus labores creativas o en sus pronunciamientos acerca de la nueva literatura. A despecho de lo que luego hiciera la legión de sus baratos imitadores y de la obsesión de la crítica que, simplificando conceptos, identificaba Modernismo con *Azul...,* el libro permitió que esta nueva literatura pudiera verse ya como algo «definido y definible» (Rojo 5) y que tuviera abiertas, definitivamente, las puertas de entrada en la modernidad.

«CANTOS DE VIDA Y ESPERANZA»

España y el hispanismo

En diciembre de 1898 dejó Darío Buenos Aires, donde vivía desde 1893, y se embarcó hacia España como corresponsal de *La Nación;* llevaba consigo el encargo de informar acerca de los efectos del Desastre en la sociedad española. Nada más arribar comenzó la redacción de las crónicas que más tarde iban a integrar su *España Contemporánea* y que traslucen el aprecio por la madre patria que ya había mostrado en «El triunfo de Calibán», de 1898, y que recogió también en poemas como «Al rey Óscar» o «Cyrano en España», escritos al poco de llegar a Madrid. No debemos, sin embargo, considerar este hispanismo del poeta únicamente como fruto de su aprecio personal por la nación española; también presenta como marco condicionante el ambiente de simpatías internacionales hacia España que, como respuesta cultural a la derrota de 1898, interesó a numerosos creadores y ensayistas y produjo multitud de encuentros institucionales. El mismo poeta se preocupó de explicitar y alentar ese acercamiento en una crónica del 23 de marzo de 1900. Antes de repasar los numerosos encuentros y celebraciones acaecidas en Madrid con este telón de fondo, asegura no haber creído nunca «en fundamentales antipatías entre España y los países que fueron un tiempo sus colonias [...] España quiere levantarse; quiere volver a ser grande y la orientación que le conviene seguir es la que hacia las naciones nuestras la atrae» (*ED* II, 49-52).

En 1899 redactó poemas tan representativos de esta línea como «Cyrano en España», «Al rey Óscar», «Retratos» y «Trébol» y aunque todos ellos, como otros posteriores también incluidos en *Cantos,* responden a motivaciones más puntuales, lo cierto es que necesitan de ese marco de referencia para ser entendidos en su integridad. También sirven, junto a numerosos textos en prosa orientados en el mismo sentido, para no desligar a Darío de la palpitante «cuestión de España» que por entonces centraba la atención de los intelectuales y para, de este modo, impedir una concepción excesivamente esteticista de su poesía. Además, en estos poemas hispanófilos se percibe un salto cualitativo en relación a los poemas del mismo corte de su primera visita a España. Si en los de 1892 («Elogio de la seguidilla», «Pórtico», «Cabecita rubia», etc.) la imagen dominante es la de una España tópica, andaluza, en los de *Cantos* el tono de sentida franqueza asoma en todos sus versos y, por ejemplo, en la «Oda a Roosevelt» o «Los Cisnes» alcanza una sinceridad estremecedora, como nadie hasta entonces había logrado en poemas de esta índole. Y es que, realmente, también puede hablarse de las fechas de 1898 y de 1899 y de esta segunda estancia en España como el momento de otra transformación en la persona y en la obra del poeta. Esta transformación no va a consistir por supuesto en una negación de los logros formales y temáticos de sus etapas anteriores, ni tampoco en una repentina modificación de sus patrones vitales o creativos; se trata más bien de la incipiente aparición de tonos poéticos diferentes a los de *Azul...* y a los de *Prosas profanas,* y que en estas fechas se concretan en las inquisiciones poéticas añadidas a la segunda edición de *Prosas* y en la insistente presencia del hispanismo en sus escritos.

Antes de marchar a París como corresponsal de *La Nación* en la Exposición Universal de 1900, dos hechos importantes ocurren en su vida. El primero es el encuentro con Francisca Sánchez, que será su compañera desde entonces y hasta su último viaje a América, y que le iba a dar tres hijos. El segundo hecho fue su incipiente amistad con la juventud literaria peninsular, de la que —sólo hasta cierto punto— quedó convertido en guía, maestro y mentor. Al tiempo que asiste al envejecimiento y desaparición de aquellos escritores que, como Valera o Núñez de Arce, le habían acogido amigablemente en su primera estancia española, comienza a frecuentar la compañía y lugares de reunión de autores que, como Valle-Inclán, Villaespesa o Benavente, constituían un heterogéneo grupo de inquietudes vitales y artísticas similares a las consagradas por Darío en Buenos Aires. A ellos y a otros muchos dedicará Darío numerosos poemas compuestos a partir de entonces y hasta la aparición de *Cantos*. Fue en estos meses también cuando firmó una carta de Villaespesa a Juan Ramón Jiménez invitando a éste a participar en Madrid en la «lucha modernista». Juan Ramón, que conocía los poemas de Darío desde sus años de Sevilla y de los cuales, como él mismo recordó (*Alerta* 72-75), le habían cautivado su sentido de novedad y su apartamiento del prosaísmo realista, obtuvo de su familia el permiso para viajar a la capital e incorporarse a su vida literaria. Su incipiente amistad con el nicaragüense fructificó luego en hechos como la elección del título de *Almas de violeta* por parte de Rubén, el intercambio mutuo de poemas, los sinceros elogios y reseñas críticas de uno para con otro, y, por parte de Juan Ramón, un sentimiento de admiración y respeto constantes hacia el nicaragüense. Esta admiración, aunque impulsiva y entusiasta al comienzo, no iba a desaparecer en ningún momento de su vida e iba a desempeñar un papel decisivo en la edición de *Cantos*.

A comienzos de 1900 y habiendo dejado a Francisca en Madrid, sale Rubén hacia la capital francesa para, desde allí, escribir las crónicas que acerca de la Exposición Universal le ha encargado *La Nación*. En París convive con Rufino Blanco Fombona, Enrique Gómez Carrillo, Amado Nervo y otros hispanoamericanos que se encuentran trabajando como corresponsales y que van a ser compañeros constantes de su bohemia. Conoce a Oscar Wilde, trata a Laurent Tailhade, el anarquista que le había ocupado un capítulo de *Los raros*, y convive con Henri de Groux, el excéntrico pintor con quien comparte sus aficiones al alcohol con frecuencia casi diaria. Las crónicas acerca de la Exposición confirman su admiración por la magnificencia del evento y hablan también de la mezcla de admiración y reproche que le merecen los valores del mundo anglosajón, y en particular los del país de su admirado Walt Whitman. Por otro lado, ésta su segunda estancia en París le sirve para corregir la idealizada imagen de la ciudad que guardaba de su primera estancia en ella, durante el verano de 1893. A aquel París, a aquella «ciudad del Arte, de la Belleza y de la Gloria» (*OC* I, 102) de cuyos encantos pudo disfrutar sin ningún agobio económico, donde conoció a Verlaine y a otros famosos simbolistas, le sucede un París que da la sensación de una ciudad «loca de una locura universal: loco el Gobierno, las Cámaras, los jueces, las gentes todas» (*OC* III, 501-502). Y él mismo sugería que en París, su más estable lugar de residencia desde entonces hasta 1913, estaba condenado a sentirse extraño y a experimentar un desencanto existencial que, unido a sus temores a la muerte y a lo desconocido, van a explicar en parte el pesimismo de *Cantos*:

> La antigua familia cruje y se desmorona. Los sentimientos sociales se bastardean y desaparecen. Los extranjeros que en los comienzos y aún a mediados del siglo pasado venían a París, encontraban hospitalidad, amabilidad, algún desinterés [...] Hoy reina la pose y la farsa en todo. La mujer es una decoración y un sexo. El estudiante extranjero no encuentra el apoyo de otros días, y, desde luego, le está cortado el ejercicio de su profesión [...] La enfermedad del dinero ha invadido hasta el corazón de la Francia, y sobre todo de París (*OC* III, 499-500).

Sus compromisos con *La Nación* le llevan, en septiembre de 1900, a viajar por Italia, para cubrir los acontecimientos relacionados con la celebración del Año Santo. En Italia va a tener ocasión de admirar las bellezas artísticas de sus ciudades, de emocionarse al estrechar la mano del papa León XIII y de iniciar su amistad con el colombiano Vargas Vila. En noviembre regresa a París adonde, en enero de 1901, llega también Francisca, que en abril del año anterior había dado a luz a Carmen, el primer fruto de sus amores con Rubén. La pequeña había quedado en Ávila, al cuidado de sus abuelos, y acabó falleciendo en la primavera de 1901. Por otra parte, este año de 1901 es para Darío fructífero en publicaciones; de las prensas de la editorial parisina «Viuda de Ch. Bouret» ve salir la segunda edición de *Prosas profanas,* prologada por el famoso estudio de José Enrique Rodó, y también las primeras de *España Contemporánea* y *Peregrinaciones,* ambas integradas por las crónicas de *La Nación* de sus estancias en España y en Francia e Italia.

París. «La caravana pasa»

De 1901 hasta finales de 1902 puede hablarse de una vida centrada en París, más o menos estable en sus aspectos económicos y familiares aunque no en los existenciales; deben mencionarse también los comienzos de su amistad con Antonio Machado, un corto viaje a Inglaterra, otro a Bélgica y otro a Dieppe, en compañía de Francisca y del argentino Manuel Ugarte. Las crónicas de esta temporada fueron recogidas en *La caravana pasa,* que apareció en julio de 1902 y que, aunque no se encuentra entre sus mejores obras en prosa, sí revela las inquietudes vitales que entonces ocupaban a Darío. Dado que se trata de un trabajo semejante a *Cantos* por el estado de ánimo que trasluce y el repertorio de temas que despliega, resulta una valiosa referencia para determinar la transformación dariana en tierras europeas y merece por ello un escueto comentario.

En primer lugar notamos que el desencanto de Darío por París sigue aumentando. Es un lugar en el que cada día se siente «más extranjero» (*OC* I, 388). La ciudad va perdiendo su atractivo literario y va convirtiéndose en frecuente escenario del absurdo humano y del nacimiento de opciones ideológicas extremistas y fanáticas[38]. Igualmente, el tenso panorama de relaciones internacionales de esos años, le

---

[38] Cfr., por ejemplo, *OC* III, 614, 628 y 791.

ocasiona algunos temores apocalípticos y, sobre todo, una visión pesimista de la condición humana[39]. En este panorama existe un hecho sobre el que vuelve repetidamente y con más gravedad que en anteriores ocasiones; se trata del expansionismo norteamericano, que le ocupa un nutrido número de páginas del libro cuarto de *La caravana* y que aparece como punto de referencia para otros dos temas más particulares y también presentes en *Cantos:* el conflicto del Canal de Panamá y la cuestión del panlatinismo. Escribe Darío:

> Los norteamericanos se esfuerzan, con inaudito despliegue de energía, en rehacer el mundo a su imagen y semejanza. Y la americanización universal ha comenzado. Inglaterra está invadida. Irlanda es más americana que inglesa [...] La americanización de Europa va en una rápida progresión, aunque a ella se opongan unos cuantos espíritus defensores y previsores (*OC* III, 797-99).

En cuanto al asunto del canal, conviene recordar que una de las causas del referido expansionismo estadounidense había sido la puesta en práctica de la doctrina de James Monroe, presidente de 1817 a 1821, por la cual su país se autoproclamaba árbitro y custodio de las relaciones entre los demás países americanos. Entre sus prioridades se encontraba ahora la construcción de un canal que uniese el Pacífico con el Atlántico. A partir de 1900 Estados Unidos intensificó su política de imposiciones a los países interesados en alojar el canal, como lo eran Costa Rica y Nicaragua, y en 1902 adquirió también las acciones de la compañía francesa que finalmente había decidido construirlo al norte de Colombia. Cuando en 1903 el gobierno colombiano re-

---

[39] Especialmente crítico se muestra con los frutos de la Conferencia de La Haya (1899) y con la voracidad colonial que siguió al encuentro: «Inglaterra saltó sobre el África del Sur; Alemania agarró más fuertemente la Alsacia y la Lorena; Francia apuró sus fábricas del Creusot, la China fue "castigada" por la pacífica y civilizadora Europa [...] El sueño de la paz universal queda reducido a espuma [...] Rusia, Francia, Alemania, Inglaterra, los amenazantes yankis, el mundo entero civil está listo para la matanza y la rapiña» (*OC* III, 707-708).

husó firmar el tratado de Hay-Herran con Estados Unidos, éstos, con Roosevelt como presidente, promovieron la insurrección de la actual Panamá y reconocieron inmediatamente su independencia. Al poco de saber la noticia y mientras se encontraba en Málaga, Darío iba a componer su famosa «Oda a Roosevelt». Sin embargo, el contexto político del conocido poema de *Cantos* no debe reducirse a las maniobras estadounidenses de última hora, como a menudo se ha hecho. El tema había ocupado la pluma de Darío no sólo en *La caravana* sino también en su correspondencia diplomática con José Santos Zelaya, el presidente de Nicaragua que le había nombrado cónsul en París en marzo de 1903. Uniendo ambos testimonios se desprende la imagen de un Rubén atento al problema, con cierta inclinación hacia un canal en suelo nicaragüense pero, al mismo tiempo, receloso de la ambición norteamericana. En su crónica comenta:

> El proyecto de Nicaragua parece ganar terreno, el cadáver de Panamá se diría conmovido eléctricamente [...] Nada se ha resuelto todavía. Entretanto los norteamericanos se posesionan poco a poco de Nicaragua, en donde el Gobierno ha comenzado por hacer concesiones que han sido aminoradas por declaración del presidente Zelaya, pero que, por parte de los Estados Unidos, han sido mantenidas [...] es decir: cesiones territoriales a un lado y otro del futuro canal, con derecho de establecer guarniciones militares y tribunales de justicia. No se podrá alegar, pues, en tal caso, la «soberanía» de la república centroamericana, aunque hay que confiar en el reconocido patriotismo y tacto político del general Zelaya (*OC* III, 805).

En consecuencia, parece que el poema dedicado a Roosevelt no conviene ser leído sólo como el producto de un puntual desahogo antiestadounidense, ocasionado por la toma de Panamá a finales de 1903; también puede entenderse como el resultado de una decepción política de Darío en un asunto que atrajo su atención en los primeros años del siglo y sobre el cual no mantuvo una postura muy definida pero tampoco completamente imparcial o desinteresada.

Algo semejante cabe afirmar acerca del latinismo de alguna de estas crónicas y de poemas como la «Salutación del optimista» y «Los Cisnes (I)». En realidad, y como ha estudiado Lily Litvak, la búsqueda de la identidad cultural de los pueblos latinos mediante su comparación con los pueblos germánicos y sajones había comenzado hacia 1870, con ocasión de la derrota francesa ante Alemania, y había renovado su intensidad después de la derrota española de 1898. Alrededor de estos acontecimientos surgió una avalancha de publicaciones que, con razones de más o menos fundamento, trataba de confirmar la superioridad de los pueblos latinos, pueblos que tendrían en Francia su guía y modelo y donde también quedarían incluidos Grecia, Portugal y los países de Hispanoamérica. Tanto España como Francia e Italia vieron la aparición de un sinfín de libros y revistas con esta inquietud, que incluso condicionó los contenidos de algunas publicaciones calificadas de «esteticistas» (Litvak 172). Es evidente que Darío no pudo permanecer ajeno a este clima y que, por consiguiente, los poemas de *Cantos* inscritos en esta temática no pueden ser únicamente frutos de una momentánea inspiración. En el libro cuarto de *La caravana* y a propósito de una Alemania entonces arrogante por sus triunfos militares, había escrito:

No; no puede ser simpático para nuestro espíritu abierto y generoso, para nuestro sentir cosmopolita, ese país pesado, duro, ingenuamente opresor, patria de los césares de hierro y de enemigos netos de la gloria y de la tradición latina [...] Nosotros somos latinos por las ideas, por la lengua, por el soplo ancestral que viene de muy lejos. «En la América del Sur —ha escrito M. Hotanaux— ramas vigorosas han florecido sobre el viejo tronco latino y le preparan el más brillante porvenir» (*OC* III, 833).

Igualmente, si en los últimos años del siglo XIX el sentimiento dominante entre los escritores latinos era el de un sostenido pesimismo, a partir de los primeros años del XX éste se transforma en un sentimiento de optimismo y confianza que, incluso, quedó registrado en los nombres de las revistas de esas fechas. En 1902 se fundó en Roma *La Ren-*

naisance Latine y en 1905, en Madrid, *Renacimiento Latino,* revista donde colaboraban, entre otros, Alejandro Sawa y Rafael Cansinos Assens. En ella iba Darío a publicar su «Soneto de trece versos» en abril de 1905, mes en que la *Revista Hispano Americana* recogió la en este campo paradigmática «Salutación del optimista».

Otro de los temas que *La caravana* comparte con los poemas de *Cantos* es el sobrecogimiento del poeta ante la inevitabilidad de la muerte, de su muerte. Sabido es que la obsesión de Darío por la muerte arranca de sus primeros años de Nicaragua y que permanece en él como algo constante. Sin embargo, parece que es a partir de estas fechas cuando se agudiza de tal manera que repercute seriamente en su comportamiento cotidiano. Así lo han registrado sus biógrafos que, al mismo tiempo, se fijan en el progresivo desgaste de la salud física y de la estabilidad mental que padecía el poeta. Teodosio Fernández, por ejemplo, afirma que en el segundo «Nocturno» de *Cantos* esas preocupaciones «aparecen ligadas a la noche y el insomnio, tan temidos que condicionan su conducta y sus horarios, e incluso las posibilidades de disfrutar de la soledad» (*Rubén Darío* 102). Junto a poemas de *Cantos* como los «Nocturnos» o «Thánatos» conviene recordar la desacostumbrada gravedad admonitoria que Rubén adopta en el siguiente párrafo de *La caravana,* a raíz de una macabra noticia aparecida en la prensa:

> La verdad es que no hay que jugar con la muerte, y París está jugando con ella, sin mirar que desde lo oscuro de su abismo, horrible como en el fresco del camposanto pisano, esa flaca fatal ve mucho más allá de sus ausentes narices […] Desde luego el olvido. ¿Quién recuerda, en el bullicio de esta vida de continuos placeres, en la lucha incesante por el dinero, por la posición o por la fama […], quién recuerda que tiene que morir? (*OC* III, 627)[40].

---

[40] Continúa Darío: «Las ofensas [a la muerte] son más. La frecuencia del duelo es una de tantas manifestaciones. Otra, la destrucción de la vida en su germen, los fraudes del amor, las connivencias de M. y Mme. Satur-

Esta creciente preocupación por su acabamiento, y la búsqueda de una solución entre religiosa y científica, le llevó también a continuar sus coqueteos con los círculos esotéricos o teosóficos. Sin embargo, iba a terminar por alejarse de ellos a causa del escepticismo que le provocaban y que conservó más o menos presente a lo largo de toda su vida[41]. A esta misma reacción de búsqueda parecen responder también las insistentes miradas hacia el catolicismo de su infancia que a menudo iban acompañadas de arrebatos de religioso arrepentimiento. «Suelo penetrar —comenta— en los templos —Saint Severin, Nôtre Dame, Saint Eustache, lejos de la devoción elegante y ostentosa— y allí veo, siempre, muchas almas buenas francesas, con humildad, en silencio, haciendo una cosa muy sencilla e inmensa, que se creía que ya no se hace, y menos en París, orando» (*OC* III, 828). Lo cierto sin embargo es que no se trató nunca de una conversión intelectual —casi imposible en una personalidad como la suya— y que este catolicismo previo a *Cantos* era más bien un cristianismo recurrido como garantía de su inmortalidad o refugio de sus angustias, y también más intuitivo y tolstoiano que doctrinal o teológico. Tampoco se trataba de una reacción estrictamente individual pues el renacimiento del evangelismo y el aumento del interés por la figura de Cristo eran algo notorio y frecuente en aquellos círculos a los que, por su calidad de escritor y *croniqueur*, Darío solía dirigir sus miradas (cfr. *OC* III, 824-25).

A este panorama de conjunto, donde las esperanzas y desesperanzas de Darío se mezclan en un inestable equilibrio, concurre por último la presencia femenina, esa presencia con don de ubicuidad en toda la obra del poeta y que en estas fechas se escinde en dos vertientes, una atractiva y placentera, y otra triste y superficial. Se trata evidentemente de

no. La estadística enseña resultados increíbles y la simple conversación con un portero instruye como un libro. Las "hacedoras de ángeles" han ocupado tanto a la justicia como la cirugía galante que abelardizó una crecida clientela de damas ultraprudentes, partidarias de la despoblación francesa» (*OC* III, 627-28).
[41] Cfr. *OC* II, 388, y Fernández, *Rubén Darío* 99-100.

las mismas dos facetas apreciables en el erotismo dariano de *Cantos* y que ya habían comenzado a emerger con las adiciones de *Prosas profanas*. *La caravana* muestra que la figura femenina continúa siendo un elemento necesario para que Darío sienta como completo cualquier lugar que visite. Lo mismo que, por ejemplo, en *España Contemporánea* escribió un capítulo titulado «La mujer española» y en su posterior *Viaje a Nicaragua* (1909) dedicó otro entero a la nicaragüense, en *La caravana* las mujeres de París, Inglaterra, Bélgica y Dieppe, es decir las de los lugares visitados en esas fechas, aparecen también como contrapuntos obligados de todas sus descripciones. La recurrencia textual y los matices que estas figuras presentan en *La caravana* las convierten en algo revelador de las reflexiones eróticas del poeta. Las londinenses, por ejemplo, le parecen «deliciosas figuras [...] de un particular atractivo y dignas de ser, *in continenti,* madrigalizadas y amadas» (*OC* III, 679). De las belgas comenta que son «fuertes, hermosas de carnes, frescas de colores; y el primer día, al llegar, pude contar: uno, dos, tres, diez, muchas Rubens y Jordaens» (*OC* III, 717). Pero, al mismo tiempo, la mujer y el placer se asocian al lado más oscuro y temido por Darío. Al describir la cara nocturna de París comenta que la ciudad,

> en medio de un paraíso de locura, en que la mujer, en su sentido más carnal y animal, es la reina invencible y la devoradora todopoderosa, ha olvidado que hay algo inevitable y tremendo sobre los besos, sobre los senos, sobre la alegría, sobre la música, sobre el capital, sobre la lujuria, sobre la risa, sobre la primavera y sobre el otoño; y este algo es sencillamente la muerte (*OC* III, 633).

Puede suponerse entonces que en estos primeros años del siglo, su obsesión por lo inevitable de la muerte proporciona a sus reflexiones eróticas un carácter principalmente desilusionado o pesimista; al tiempo, y en dirección contraria pero no contradictoria, se acentúa su «carpe diem» erótico. *Cantos,* entonces, puede acoger en sintonía poemas de tonos tan distintos como «¡Carne, celeste carne!» y «Lo fatal» o «¡Aleluya!» y «¡Oh, miseria!». Y es que, obviamente, al sentirse más cercana la presencia de la muerte y al considerar incierta la existencia de una vida ulterior, el goce amoroso permanece para Darío como un remedio contra la infelicidad pero, a la vez y dado su carácter caduco, le revela el trágico e inevitable paso del tiempo y el caminar hacia la muerte.

En resumen, *La caravana* muestra cómo hacia 1902 el universo mental de Darío se halla ya poblado de los temas y figuras que en 1905 tomarán cuerpo en forma de verso. En *La caravana,* se detectan su latinismo cultural, con su antimperialismo e hispanismo adyacentes, sus temores y pavuras existenciales, sus compensaciones carnales, sus escarceos esotéricos y apocalípticos, su renacimiento cristiano, es decir, los mismos asuntos que van a sostener el tono general de *Cantos*. De hecho, la mayoría de los poemas que, como «Ofrenda», «A Goya» o «La marcha triunfal», resultan difíciles de encajar en esta temática, son precisamente los que proceden de sus años centroamericanos o bonaerenses, es decir, los redactados antes de este prematuro otoño de su vida.

Cónsul, «croniqueur» y viajero

En marzo de 1903, y por mediación del doctor Rodolfo Altamirano, el presidente Zelaya nombra a Darío cónsul de Nicaragua en París; en abril, y dentro de la correspondencia que desde 1901 mantiene con Juan Ramón, Rubén hace ya la primera mención a su «próximo volumen de versos»; ese mismo año ve el poeta nacer a su segundo hijo tenido de Francisca, Rubén Darío Sánchez, al que llamará «Phocás» en el conocido soneto de *Cantos*. «Entre mis tareas consulares —resume años más tarde— y mi servicio en *La Nación* pasaba mi existencia parisiense» (*OC* I, 157). A finales de año y «en busca de sol y de salud» viaja a Málaga y visita también Gibraltar, Marruecos, Granada, Sevilla y Córdoba. Regresa a París en marzo y en mayo, y en compañía del acaudalado mexicano Felipe López, que es quien corre con los gastos, lleva a cabo otro breve viaje por Alemania, Austria, Hungría e Italia. Las impresiones de ambos viajes quedaron recogidas en *Tierras solares,* libro que, al cuidado de Gregorio Martínez Sierra, salió de la Tipografía de Revistas y Archivos ese mismo año. No se modifica, en *Tierras solares,* el panorama interior que Darío había dejado ver en *La caravana;* sí puede hablarse sin embargo de un momentáneo rejuvenecimiento que quedaría explicado por el carácter lúdico o recreativo de las dos salidas. Aunque atenuado de carga trágica, *Tierras solares* sigue mostrando alguno de los temas que habían ocupado *La caravana* y que también quedarán recogidos en *Cantos.* El poeta continúa fijándose en las mujeres de las ciudades que recorre, asiste a diversas ceremonias religiosas, evoca con dolor los signos de la decadencia de París, menciona con cierta preocupación el conflicto bélico ruso-japonés que también le arrancará algunos versos de *Cantos* y sigue por último ocupado con la identidad de los pueblos latinos[42].

Desde junio de 1904 hasta febrero de 1905, Rubén permanece en París y, según coinciden sus biógrafos, sufre un precipitado envejecimiento físico: ha engordado demasiado y su rostro parece el de una persona de cincuenta años. Al mismo tiempo su carácter se hace más difícil e insoportable para los que con él conviven y su dependencia del alcohol le pone con frecuencia al borde de estados comatosos. «Los versos —escribe a Juan Ramón en enero de 1905— no han ido porque he estado enfermo. Estoy ya convaleciente y pronto me pondré a copiar» (Jiménez, *Mi Rubén* 115). Tan sólo el cariño y los desvelos de Francisca, que se ve obligada a soportar los frecuentes caprichos del poeta, consiguen aminorar las consecuencias de sus excesos.

Su estancia en Madrid, desde febrero hasta julio de 1905

---

[42] A este propósito y durante una escala en Barcelona, escribe: «poco a poco se va formando más íntima relación entre ambos continentes, gracias a la fuerza íntima de la idea y a la internacional potencia del arte y de la palabra [...] La unión mental será más y más fundamental cada día que pase, conservando cada país su propia personalidad y su manera de expresión. Se cambiarán con mayor frecuencia las delegaciones de los intereses y las delegaciones de las ideas. Seremos, entonces sí, la más grande España, antes que avance el yanqui haciendo Panamaes» (*OC* III, 857-58).

e interrumpida por un breve viaje a la región manchega, oscila entre sus ratos de amistad con autores como Manuel Machado, Gregorio Martínez Sierra o José Santos Chocano, y sus, de nuevo, repetidas indisposiciones a causa del alcohol. Simultáneamente, su prestigio como poeta y la paulatina desaparición de los prejuicios antimodernistas en los medios culturales hacen que se solicite su presencia en numerosos acontecimientos de esta índole. En marzo y en una sesión solemne del Ateneo de Madrid lee la «Salutación al optimista»; en mayo compone la «Letanía a don Quijote», que fue recitada en una de las muchas ceremonias de homenaje que Cervantes estaba recibiendo en el tricentenario de su novela. También, durante esta primavera, firmó, junto a Valle, Maeztu, Azorín y otros, la protesta en contra de la concesión del Nobel a José Echegaray. En junio y con la única compañía de Francisca muere su hijo «Phocás», en Navalsaúz. Por último, aprovecha estos meses para tratar con Juan Ramón de la composición definitiva de *Cantos de vida y esperanza,* cuya publicación tiene lugar cuando el poeta se encontraba fuera de Madrid, descansando y recuperándose en un pequeño pueblo de Asturias.

La preparación de «Cantos». Juan Ramón Jiménez

Aunque ya se ha aludido a algunas fechas y momentos relativos a la composición del libro, la existencia de una documentación no muy extensa pero sí suficientemente precisa, aconseja una exposición separada del anterior bosquejo biográfico. Es sabido que dicha documentación tiene como cuerpo central la amistad y las relaciones epistolares entre Rubén Darío y Juan Ramón Jiménez a lo largo de todos estos años[43].

---

[43] Citaré dicha correspondencia según la edición más completa de la misma, es decir, la que recupera Antonio Sánchez Romeralo en su reconstrucción del proyecto de Juan Ramón (*Mi Rubén Darío*, Moguer, Fundación Juan Ramón Jiménez, 1990, 91-120 y 191-203). Sobre los detalles de diferente orden que apoyan (fuertemente) la hipótesis de una intensa intervención de Juan Ramón en la organización de *Cantos,* me he extendido en mi trabajo "Para leer *Cantos de vida y esperanza"* (José María Martínez, *Rubén Darío. Addenda,* en prensa).

Antes de 1899 el poeta de Moguer conocía y había leído algunos poemas de Darío, pero es en este año cuando recibe su invitación a viajar a Madrid y cuando, en la capital, conoce al nicaragüense en persona:

> Yo tenía una gran correspondencia con Francisco Villaespesa [...] Un día, de nuevo en Moguer [...] recibí una tarjeta postal de Villaespesa en la que me llamaba hermano y me invitaba a ir a Madrid a luchar con él por el Modernismo. Y la tarjeta venía firmada también por Rubén Darío. ¡Rubén Darío! Mi casa moguereña, blanca y verde, se llenó toda, tan grande, de estraños espejismos y ecos mágicos [...] todo vibraba con el nombre de Rubén Darío [...].
> Madrid. Rubén Darío, de copa alta y levita, en casa de Pidoux. Villaespesa, Valle-Inclán, Ricardo Baroja ¡yo!... Valle leía «Cosas del Cid», que ya yo conocía. Alrededor de Rubén —licores selectos— se reunían, grupo tras grupo, estraños entes españoles, hispanoamericanos, franceses, despatriados. Benavente, príncipe entonces de aquel renacimiento, lo admiraba, franco. Ramón del Valle-Inclán lo leía, lo releía, lo citaba y lo copiaría luego [...] Villaespesa le servía de paje y yo lo adoraba desde lejos (*Mi Rubén* 173-74).

A partir de entonces se suceden las muestras de admiración y respeto de Juan Ramón hacia su «querido maestro», como él gustaba saludarlo en sus cartas. Por parte de Rubén también menudearon los gestos de apoyo, consuelo y confidencialidad hacia el moguereño, a quien, en 1902, consideraba «uno de los espíritus jóvenes más nobles, más brillantes y más puros que he conocido» (*Mi Rubén* 94). Antes, en 1899, Darío le había sugerido el título de *Almas de violeta* y en 1900, le había enviado desde París el poema pórtico para *Ninfeas* al tiempo que un pésame por la muerte de su padre; más tarde, en *Tierras solares* (1904), incluiría una elogiosa crítica de *Arias tristes*, el libro de versos de Juan Ramón publicado en 1903. De todos modos, la correspondencia entre ambos poetas no comienza a ser abundantemente llamativa hasta los primeros meses de 1903, cuando

Juan Ramón invita a Darío a colaborar en la recién fundada *Helios*[44].

Las dos cartas cruzadas entre ambos y relacionadas con el primer número de la revista anuncian lo que ocurrirá los meses siguientes. Por un lado, Juan Ramón, al pedir al nicaragüense un ejemplar de *La caravana* para reseñar en *Helios* le participa que tiene también como proyecto un «estudio sobre su personalidad literaria [...] Quisiera que me dijese usted dónde encontrar *Los raros* [...] Yo conozco *Azul...*, *Prosas profanas* y *España contemporánea*. ¿Tiene usted publicada, en revistas, la novela *El hombre de oro*? Si es así, dígame dónde está para procurarme los ejemplares. Tengo que decir muchas cosas sobre usted» (*Mi Rubén* 194). Ya se ve, entonces, que la «avidez» de Juan Ramón y sus deseos de ahondar en la obra de Darío eran grandes, como también lo eran sus intenciones de ofrecer al maestro una especie de homenaje: «Un día, con vida y con salud, haré un libro sobre usted... ¡para estos brutos...!» (*Mi Rubén* 195-96). Por otro lado, Darío, el 12 de abril de 1903, al agradecer el envío de ese primer número, deja ver a Juan Ramón que ya tiene en mente un nuevo poemario; promete que le va a enviar «lo primero de mi próximo volumen de versos» (*Mi Rubén* 96), volumen del que sin embargo no proporciona dato alguno. A partir de abril tal proyecto debió de ir madurando en Darío pues el 24 de julio, el poemario ya recibe un título y aparece concebido como un volumen de no mucha extensión. Ese día solicita Darío a Juan Ramón que «no publique el soneto a Cervantes, solo. Mañana o pasado le enviaré otros versos, todos de mi próxima *plaquette: Cantos de vida y de esperanza [sic]*» (*Mi Rubén* 98). Meses más tarde, el 12 de octubre, y con ocasión del envío de «¡Torres de Dios!» al frente de un ejemplar de *Prosas profanas,* le comenta que sigue trabajando en su «nuevo libro de versos»

---

[44] La correspondencia conservada entre ambos poetas suma un total de cincuenta y ocho cartas, treinta y nueve de las cuales fueron escritas por el nicaragüense. De las cincuenta y ocho, cuarenta y ocho se escribieron entre 1903 y 1905, es decir, durante los años de *Helios* y los años de composición de *Cantos de vida y esperanza* (*Mi Rubén* 33).

aunque no queda «satisfecho de lo que hago» (*Mi Rubén* 99). Desde esta fecha y hasta el 10 de marzo de 1904 no vuelve a referirse a dicho trabajo; debe recordarse que son los meses de su viaje al sur de España en busca de descanso y que, seguramente, al ausentarse de París donde estaba concibiendo el nuevo poemario, quiso también olvidarse de trabajar en él. Y esto permite pensar que poemas tan renombrados como «Yo soy aquel...» y la «Oda a Roosevelt», redactados en este intervalo de tiempo, no estuvieran destinados al cuerpo original de *Cantos de vida y esperanza*.

Al regresar de España, Darío se muestra más animado y parece reemprender la tarea con fuerza. Así, de marzo de 1904 existen cuatro cartas de Darío a Juan Ramón, dos de ellas con *Cantos* como telón de fondo. La primera es del día 10 y en ella promete al moguereño «seguir su indicación, y hacer los [versos] precisos para dar pronto esa *plaquette*» (*Mi Rubén* 107). La del día 30 contiene datos más precisos. Anuncia Darío que «le mandaré, pues, pronto versos. Para *B y N* y para el libro. Le mandaré además los documentos que pueda para ese libro que me tiene prometido [...] Sus proyectos, los acepto todos. Así, me apuraré para que mis versos vayan y vuelvan con el perfume de los "Jardines"» (*Mi Rubén* 109). Se refiere Darío, en estas últimas palabras, a la propuesta que le había hecho Juan Ramón de una publicación simultánea de *Cantos* y de *Jardines lejanos*, y que, a pesar de todo, no pudo llevarse a cabo ya que *Jardines* acabó apareciendo en 1904, un año antes de *Cantos*. Aunque en esta correspondencia sí existen alusiones anteriores a poemas que luego pasarían a *Cantos*, no es hasta el mes de diciembre cuando se encuentran menciones al libro como tal, menciones que, por otra parte, van haciéndose más explícitas. El día 12 de este mes y desde París, escribe Darío:

> En cuanto al [libro] de versos míos, le diré que tengo ya unos cuantos que podrían formar una bonita *plaquette*, juntándolos con los que V. tiene (la «Marcha triunfal» por ejemplo, que yo no tengo). Se podría clasificar lo que hay y dar ordenación a los escasos materiales. Si usted

gusta lo haremos —o lo hará la bondad de usted (*Mi Rubén* 113)[45].

Como dejan ver las últimas palabras, Darío habría abandonado la idea de encargarse él solo de la edición del libro y se habría decidido a llevarla a cabo junto a Juan Ramón o, incluso, a dejarla enteramente en manos de éste. Y es que durante la segunda quincena de diciembre de 1904 el nicaragüense estaba pasando por momentos de profunda desilusión y decaimiento y seguramente no se veía con fuerzas para acometer tal empresa. Eran momentos, según responde a Juan Ramón en una carta del 24 de diciembre, de «duras penas morales. Pequeñas, muy pequeñas cosas íntimas; pero que mi neurastenia, mi cerebro trabajado, y mi modo de ser, me hacen ver muy grandes» (*Mi Rubén* 114). La carta continuaba con referencias a su nuevo poemario, al que calificaba de «interior», «sentido» y «otoñal» y al que asignaba como editorial la Tipografía de Revistas y Archivos, donde colaboraba Gregorio Martínez Sierra y que ya había publicado *Tierras solares*. También le sugería la elección de un formato cuidado y elegante y seguía pensando en un volumen de no mucha extensión y que —y esto merece resaltarse— le produjese beneficios económicos[46].

---

[45] En una nota a esta carta de Darío, Juan Ramón se extiende acerca de la procedencia de otros poemas de *Cantos;* sin embargo, el desliz que comete al comienzo de ellas permite ciertas reservas a la hora de aceptar el resto de sus aclaraciones: «R. D. empezaba ya a concebir su libro "Cantos de vida y esperanza", pero este título no lo había pensado aún *[sic]*. El gran poeta, siempre alcoholizado, olvidaba y perdía sus poemas, sus libros, todo lo suyo. Yo pude copiarle de mi memoria la "Marcha triunfal", "Cosas del Cid", "Al Rey Óscar" y otros poemas que recojió en dicho libro. Su tercera mujer, la buena Francisca Sánchez, le ordenaba y le guardaba cuanto podía, copiaba las cartas que él escribía y las que los demás le escribíamos a él» (*Mi Rubén* 114).

[46] «Voy a mandarle pronto muy pronto los versos —escribía a su amigo—. V. verá. Hay de todo. Mas por primera vez se ve lo que Rodó no encontró en *Pr[osas] profanas*, el hombre que siente. Será que cuando escribía entonces, aunque sufría, estaba en mi primavera y esto me consolaba y me daba alientos y alegría.

»Irán, pues, pronto los versos.

En estas fechas Darío se encuentra trabajando también en la edición de *Opiniones,* que tenía previsto publicar en París pero que acabó viendo la luz en Madrid en 1906; preparaba además la segunda edición de *Los raros,* que publicó la casa Maucci, y cuyo prólogo firmaría el poeta en «París, enero de 1905». En las páginas finales de este último se daba una lista de sus otras obras y se señalaba «en preparación» una en verso que llevaría como título «Los cisnes y otros poemas» y que seguramente se trataba del proyectado *Cantos* aunque con el título cambiado y con una organización todavía distinta a la definitiva. Es verdad que no existen suficientes documentos que aseguren tal suposición, pero tampoco esa ausencia desmiente que los «otros poemas» aludidos no correspondan a los mencionados en las cartas anteriores, a los pensados para la *plaquette,* y que, por tanto, pudieran ir precedidos por la serie de «Los cisnes». En cualquier caso, lo que resulta lícito suponer es que los tres poemas de «Los cisnes», que no aparecieron antes de *Cantos,* se redactaron alrededor de estas fechas, alrededor de diciembre de 1904 y enero de 1905. La última carta de Darío acerca de la preparación del libro es, también, de enero de 1905 y en ella le comenta a Juan Ramón que el prometido envío de los versos ha sufrido un retraso «porque he estado enfermo» y que «pronto me pondré a copiar». Y añade:

> Entre cortos y largos poemitas, habrá como unos cuarenta o cincuenta, contando con algunos viejos. De más decirle que no quedo muy satisfecho. Apenas me gustan algunos nuevos, porque me han salido de lo más hondo (*Mi Rubén* 115).

Con todas las prevenciones que hagan al caso, esta última carta de Darío permite pensar que los «cuarenta o cincuenta» poemas mencionados, cortos y largos, nuevos y vie-

---

»Que los haga el Sr. [Leonardo] Williams, puesto que lo quiere; y que lo haga a la inglesa, elegante y seria y decorativamente. Este libro, por corto que sea, puedo asegurarle que será un negocio, al menos en América toda» (*Mi Rubén* 115).

jos, se corresponden en su mayor parte con los cincuenta y uno que, en la edición final de *Cantos,* aparecen en el último grupo, después de «Los cisnes» y bajo el epígrafe de «Otros poemas». Realmente, si exceptuamos el soneto a su hijo «Phocás» y la «Letanía de nuestro señor Don Quijote», ambos compuestos en los primeros meses de 1905, todos los demás tendrían cabida en el heterogéneo grupo que menciona el poeta.

Así las cosas, las tareas consulares van a llevar a Darío a Madrid, a negociar con Honduras y ante el monarca español los límites fronterizos entre ambos países centroamericanos. Antes de llegar había escrito un telegrama a Juan Ramón, con quien se encontró en la capital en la primavera de 1905 y con quien tuvo que ir perfilando los detalles de la edición[47]. Es muy posible que, tras este encuentro, Juan Ramón ya dispusiera de la práctica totalidad de los manuscritos y comenzase, con o sin intervención de Darío, la ordenación de los mismos. Seguramente suya fue la mano que a la cabeza de autógrafos como los de «¡Oh, terremoto mental!» y «A Phocás el campesino» (Oliver Belmás 432) escribió las cifras romanas correspondientes a la colocación definitiva de tales poemas. También por estas fechas comenzaría su acopio de los poemas conservados por él («Marcha triunfal», «¡Torres de Dios!», etc.) y de los aparecidos en publicaciones recientes como *Helios* o *Alma española* («Yo soy aquel...», «Oda a Roosevelt», «Cyrano en España»); éstos iban a ser colocados, en su mayoría, a la cabeza del poemario y a decidir, ya que «Los cisnes» perdían su lugar al frente del libro, el regreso al título de *Cantos de vida y esperanza.* Ya sólo habría que esperar hasta la lectura pública de la «Sa-

---

[47] Es lo que se desprende de los recuerdos del moguereño: «Un telegrama de París: "Llego mañana en el Rápido." La dos de la tarde. ¿Abril? Soledad hueca en la estación del Norte... Hotel Inglés. Cuarto oscuro, hastiante, como todos los de Rubén. De pie los tres, abre un saco de mano y saca un montón de borradores. Vargas Vila desaparece. Rubén me lee "Buey que vi", "Lo fatal", "Otoño en primavera". Me dice que viene con carta abierta a tratar una cuestión de límites con Vargas Vila, que tiene dinero y quiere hacer una edición monumental de *Los Cisnes* [sic]» (*Mi Rubén* 174).

lutación del optimista» y de la «Letanía» y hasta la redacción del prefacio para enviar todo ello a la imprenta. Igualmente, el breve proemio debe fecharse en estos meses y una vez que Darío hubiera aceptado o decidido la inclusión del primer grupo de poemas[48].

Resumiendo, y de acuerdo a los datos anteriores, el original de *Cantos* habría quedado integrado por los siguientes grupos de poemas:

1)   Los pensados por Darío para la *plaquette* que inicialmente tituló *Cantos de vida y esperanza* y que, en su mayoría, si no todos, se incluyen en la tercera serie de poemas de *Cantos*. No habrían aparecido antes en publicación alguna y habrían sido redactados durante los años de 1903 y 1905. Los autógrafos de algunos de ellos presentan numerosas enmiendas que parecen responder a diversos momentos de desánimo o vacilaciones durante su redacción. Sobre ellos, sobre poemas como «Divina Psiquis», los «Nocturnos» o «Lo fatal», descansaría el tono pesimista y desesperanzado que domina *Cantos*.

2)   Los conservados por Darío en París pero que ya habían aparecido en publicaciones periódicas, en España o América. También habrían quedado incluidos en la misma serie que los anteriores; estos dos grupos formarían el conjunto de cuarenta o cincuenta «cortos y largos poemitas» a los que se refería Darío en su carta de 1905 a Juan Ramón. «Leda», «Tarde del trópico» o «Marina» serían algunos ejemplos.

3)   Los cuatro poemas de «Los cisnes», uno de los cuales procede de los años bonaerenses del poeta; posiblemente y de modo temporal, Darío los consideró apropiados para encabezar su *plaquette,* una vez cambiado el título. Esto implicaría que, al contrario de lo que a veces se ha afirmado, «Los cisnes» no sería un proyecto distinto al original de *Cantos* sino simplemente un nuevo nombre; un nuevo nombre que acabó siendo desplazado con la entrada del siguiente grupo al comienzo del poemario.

4)   Los conservados por Juan Ramón, bien porque Da-

---

[48] Obviamente, las menciones del prefacio del libro a la «Oda a Roosevelt» no pudieron escribirse antes de su inclusión en el libro.

río se los hubiera hecho llegar a él por diversas razones («¡Torres de Dios!», «Por el influjo de la primavera», etc.), bien porque él, a causa de su devoción por el nicaragüense, los hubiera ido recogiendo de las publicaciones periódicas. En su mayor parte integrarían la primera serie de catorce poemas, abierta convenientemente con el poema-autorretrato recogido en *Alma Española* y continuada con un nutrido grupo de poemas hispanistas.

5) Los compuestos y/o recitados en Madrid desde febrero de 1905 hasta la fecha de entrega del manuscrito. Aquí se incluirían la «Salutación», la «Letanía» y, posiblemente, el soneto «A Phocás».

La tarea más ardua, por supuesto, sería la de delimitar con precisión los papeles de Rubén Darío y de Juan Ramón en la organización final del manuscrito, en la ordenación de los poemas. Contamos sin embargo con varios hechos ciertos que apuntan hacia una intensa intervención del moguereño en tal tarea. El primero es la ya citada existencia de una mano distinta a la de Darío al escribir en los autógrafos de algunos poemas la cifra romana correspondiente a su colocación definitiva o casi definitiva en el libro; el segundo es la confesada predilección que —como aclararán las notas correspondientes— manifestó Juan Ramón por varias composiciones incluidas en la primera serie y que podría ser una de las causas de su colocación en ese lugar. Al mismo tiempo, el respeto por su «querido maestro» y la evidente conveniencia de que «Yo soy aquel» abriese la colección, le habrían llevado a relegar «Los cisnes», a él dedicado, a una posición intermedia. Por otro lado, el propio Juan Ramón aseguró que el poema «¡Torres de Dios!» acabó apareciendo en *Cantos* con ligeras modificaciones textuales nacidas de su propia voluntad (Guerrero 125). Igualmente, ante Ricardo Gullón, Juan Ramón parecía apropiarse de la labor de preparación del trabajo cuando recordaba que «yo le edité, a mis veinticinco años, los *Cantos de vida y esperanza*» (Gullón 56); y, aunque fue el propio Darío quien costeó la edición (Ghiraldo 453), debe suponerse también que la opinión de Juan Ramón resultó decisiva al determinar la cualidad material del volumen: el nicaragüense le habría encargado «que cuidase el libro en la imprenta» (Jiménez, *El trabajo* 230). Los ejemplares de la primera edición eran de formato amplio y papel limpio y sólido; presentaban en las tapas los colores morado y oro —de los preferidos por el moguereño— y, en el interior, una letra Bodini elegante y proporcionada. Para concluir, Darío regaló los manuscritos de sus poemas a Juan Ramón, quien posteriormente los donó a diversas amistades e instituciones, entre ellas, en 1922 y con fines humanitarios, al diario *El Sol,* de Madrid (*Mi Rubén* 207). Puede que todas estas referencias no sirvan para asegurar la paternidad completamente juanramoniana de la final organización de *Cantos,* pero, ciertamente, permiten pensar que el moguereño tuvo un papel más que decisivo en ella y que, sin su trabajo, *Cantos* no hubiera aparecido con el formato y la repartición interna que hoy conocemos.

Ya que la «Letanía» fue compuesta en las últimas semanas de mayo, hay que suponer que el manuscrito llegaría a la imprenta en las primeras semanas de junio. El día 23 de ese mes la casa encargada de publicarlo expidió una factura por una cantidad de quinientos ejemplares y un precio total de 816 pesetas y 25 céntimos (Álvarez 125). Muy cercanas a esos días deben ser la carta de Juan Ramón a Darío, todavía éste en Madrid, con el envío de los primeros resultados de imprenta (*Mi Rubén* 201) y la escena del improvisado recital en el Café Colonial de Madrid, a cargo de Valle, y en donde se leían directamente de las pruebas las estrofas de «Canción de otoño» y de la «Marcha triunfal» (Cabezas 235-36). Existe por último una carta de Ricardo Jaime Freyre a Darío, fechada el 6 de junio de 1905, de la que se deduce que Darío también se había preocupado, aunque con menos intensidad que en *Azul...,* de promocionar este nuevo trabajo cuya publicación sabía entonces inminente (Ghiraldo 260).

Publicación, éxito y ediciones

La Tipografía de Archivos no indicó la fecha final de impresión en ninguna página del volumen, pero éste ya se encontraba en circulación a comienzos de julio de 1905. Del día 9 de este mes es la breve reseña aparecida en *Gedeón* y en la que los redactores dejan ver su agrado y sorpresa ante el nuevo libro. Comentan que les «gustan mucho los versos de Rubén Darío», admiten que su autor sería digno de recibir «un bombo de los no usados aquí» y luego parodian la «Canción de otoño», composición que a su juicio es la más meritoria. Pronto llegó también la edición a manos de Darío; del día 23 de ese mismo mes es la dedicatoria que el propio poeta estampó en las páginas de un ejemplar enviado «con un afectuoso saludo» y «desde la orilla del Cantábrico» a don Miguel de Unamuno (Oliver Belmás 192).

Ciertamente, esa admiración y esa cálida acogida del libro que registraba *Gedeón* fueron los sentimientos que dominaron de modo absoluto en los comentarios de críticos y autores, tanto de los amigos de Rubén y representantes de la «gente nueva» como de los más insistentes antimodernistas. Entre los primeros, la recepción del libro fue entusiástica y triunfal. A los pocos días de su aparición, Navarro Ledesma, desde las páginas de *ABC*, saludaba exultante al «grandísimo poeta» y lo calificaba de «fecundo, lleno de felicísimos repentes, audaz como los primerizos y variado y maestro como los curados de espanto» (Torres Bodet 187). A este elogio de Navarro Ledesma debía de aludir Antonio Machado cuando, en carta remitida el 16 de julio al pueblecito asturiano donde veraneaba el «querido maestro», le preguntaba *(Poesía y prosa* 1478) si había recibido noticias del rápido triunfo de *Cantos* en la capital y le anunciaba la próxima publicación de un artículo escrito por él mismo. Por su parte, Bernardo García de Candamo, en su colaboración para el número de octubre de *La Lectura*, parece utilizar la altura poética de *Cantos* como argumento definitivo y seguro en favor de las posibilidades de la estética modernista y en favor también de una «canonización» de Darío como guía y mentor de los escritores más jóvenes. Lo comenta poco antes de glosar poemas como «Yo soy», «Canción de otoño», «Trébol» y «Los cisnes»:

> Él es maestro [...] de toda la generación nueva, designada por los tontos, modernista, y «esteta» por los canallas [...]

Rubén Darío ha tenido gran parte en nuestra evolución literaria. Todos los poetas jóvenes están por él influidos. Y hasta sus audacias prosódicas y sus neologismos, y sus bizarrías de estilo han sido acogidas con entusiasmo, y lo que fue singularidad en un día terminará por vulgarizarse y hasta convertirse en tópico y en cliché[49].

Como ejemplo de la también favorable acogida que recibió el libro en los círculos de la «gente vieja», es decir, entre los recelosos de la estética modernista, debe recordarse el artículo de Eduardo Gómez Baquero recogido en *El Imparcial* el 15 de agosto de 1905. Para Gómez Baquero *Cantos* es, en palabras de Ignacio Zuleta, «una muestra de excelencia poética por la fluidez rítmica de los versos y los aspectos temáticos» (217). Aunque más humano que *Prosas profanas*, la elegancia, el amor al arte y el peso culturalista siguen apareciendo, en opinión del citado polemista, como nervios centrales de sus poemas. El libro se caracteriza por «cierto esteticismo elegante, la opinión, propensión a considerar la vida como fuente de emociones artísticas refinadas y selectas, cernidas al través de la cultura antigua. En sus versos hay mucha literatura, muchos sentimientos que nacieron de la lectura de los libros de tapas amarillas que salen de las prensas francesas» (Zuleta 217).

De todos modos, y aunque fue esta actitud de sinceros y encendidos elogios la que dominó entre sus lectores, al hablar así se corre el riesgo de contemplar el triunfo de *Cantos* con lentes de aumento, es decir, omitiendo una conveniente visión de conjunto. No debe olvidarse que, a comienzos de siglo, la tirada media de un libro era de tres mil a cinco mil ejemplares, y más frecuente la de tres mil que la de cinco mil (Salaun 58). La primera edición de *Cantos,* recordemos, consta sólo de quinientos y se trata, además, de una edición lujosa, pensada evidentemente para una audiencia minoritaria por su nivel cultural y por su poder adquisitivo.

---

[49] El artículo íntegro de Candamo se encuentra en el número de *La Lectura* de octubre de 1905 (663-67).

Sin duda alguna Darío y Jiménez eran muy conscientes del escaso interés que libros así despertaban en el público general de entonces. «En toda España —comentaba el nicaragüense en 1899— hay poca afición a comprar libros; quizá sea por esto que las librerías son de una pobreza desoladora [...] Lo cierto es que los libros se venden poco y mal» (*OC* III, 224). Como en el caso de *Azul...*, hay que precisar entonces que el éxito de *Cantos* fue también un éxito selectivo.

Sin embargo, igualmente incorrecto sería afirmar que, entre ese público minoritario, el libro no se buscó con avidez e insistencia. A pesar de que la red de distribución no parece haber ido más allá de Madrid, los parabienes recibidos en las páginas de las principales revistas hicieron que el 14 de febrero de 1906 el librero-editor Gregorio Pueyo adquiriese los ciento cincuenta ejemplares aún en manos del poeta[50] y que, meses más tarde, le propusiera una segunda edición de mil ejemplares por la que, además, estaría dispuesto a pagarle una suma considerable.

La segunda edición, sin embargo, no la confió Darío a la casa Pueyo sino a la editorial de Francisco Granada, en Barcelona, cuyos talleres imprimieron también la primera edición española de *Azul...* Con Pueyo se había comprometido Darío a no sacar una nueva edición de *Cantos* en un plazo de dos años o mientras aquél conservase un total de, por lo menos, veinticinco ejemplares (Álvarez 126). Sin embargo, y ya que los contactos con la editorial catalana debieron de comenzar en los primeros meses de 1907 (Álvarez 140-41), ha de admitirse que la primera salida de *Cantos* ya se encontraba agotada entonces y que, por ello, autor y editores confiaban en el éxito de una segunda edición. Ésta acabó apare-

---

[50] Exactamente, el total de ejemplares adquiridos por Pueyo fue de ciento cuarenta y seis y la operación la llevó a cabo Ramón Palacio Viso, el secretario de Vargas Vila. Pueyo pagó tres pesetas y cincuenta céntimos por cada ejemplar (Álvarez 126). Esto quiere decir que los otros trescientos cincuenta habrían sido vendidos en poco más de seis meses. Lo cual, para un libro como *Cantos,* de poesía, con encuadernación de lujo y orientado a un público selecto, debe considerarse como un triunfo indudable; así por lo menos lo vio el propio Darío dos años más tarde (cfr. Ghiraldo 453).

ciendo en 1907, durante los meses de julio o agosto, y sus ejemplares, aunque con otro tipo de cubiertas y con un papel más sólido, presentaban las mismas características de paginación, formato, disposición y tipografía que los de la primera. Tampoco llevaban ninguna adición o enmienda fuera de la corrección de algunas erratas que, a veces, resultan discutibles y que no pueden atribuirse a Darío con seguridad. La ausencia de modificaciones relevantes indica, por último, que Darío había aceptado como definitivo el texto de 1905, texto que finalmente iba a mantenerse en todas las ediciones posteriores[51].

Valoración y significado de «Cantos»

Curiosamente, y a pesar de la insistencia de la crítica en la superioridad poética de *Cantos* con respecto a *Azul...*, este último ha sido el trabajo de Darío que más ha ocupado su atención y el que ha producido una bibliografía más voluminosa y profunda. En cierta manera se trata de un hecho lógico, que responde al diferente significado histórico y literario de ambos libros. *Azul...*, aunque, como ya se ha dicho, se sostiene en las experiencias biográficas del poeta, representa también el inevitable punto de referencia al analizar los orígenes y las cualidades del Modernismo; por su sorprendente distanciamiento con los modos de escritura anteriores a 1888, por su complejo contexto social y libresco, por su insuperable calidad formal, supone sobre todo un texto ideal para la historiografía y la crítica literarias.

El caso de *Cantos* es diferente en ambos sentidos. Para el acercamiento historiográfico, *Cantos* no puede presentar el mismo valor que *Azul...*, porque sencillamente, ambos se publicaron en momentos distintos y complementarios de

---

[51] En vida de Darío, *Cantos* salió una tercera vez, de los talleres de la casa Maucci (1915). Constaba de 188 páginas de texto y en la portada interior presentaba la errónea catalogación de «Segunda edición». Hasta el presente se han llevado a cabo más de setenta ediciones, sin tener en cuenta las incluidas en las diversas recopilaciones de las obras y poesías completas de Darío.

la vida del Modernismo. *Azul...,* con todas las precisiones que sean pertinentes, contiene el mismo significado de un manifiesto estético al comienzo de un nuevo movimiento; alrededor de él y luego de *Prosas profanas,* van a girar las creaciones modernistas de la literatura inmediatamente posterior y también las correspondientes represiones de la «gente vieja». *Cantos,* por el contrario, apareció cuando la polémica modernista iba decantándose en favor de los nuevos escritores, cuando, según las palabras prologales de Darío, «tanto aquí como allá el triunfo [del Modernismo] ya está logrado». Por eso *Cantos,* más que un nuevo manifiesto, resulta una explicitación de las extensas posibilidades creativas del Modernismo, el cual, junto a este poemario, admite sin disonancias obras tan dispares como *Castalia Bárbara* de Jaime Freyre, *Alma* de Manuel Machado, *La voluntad* de Azorín o *Ariel* de Rodó. Así considerado, *Cantos* es un ensanchamiento y una cima de la literatura modernista, que confirma de este modo su carácter radicalmente heterogéneo e individual.

Pero al mismo tiempo *Cantos* se separa de *Azul...* por la diferente perspectiva creadora del autor. En *Azul...,* como luego en *Prosas profanas,* Rubén da cuenta de su intimidad pero al mismo tiempo no puede impedir que los brillos formales (externos e internos) la mantengan semioculta a los ojos del lector; el lector es, sobre todo, un espectador del brillante trabajo del poeta, un espectador que sólo tras repetidas lecturas consigue notar que, si hay parnasianismo, se trata realmente de un «parnasianismo interior» (Darío 1920, 15) y que el verdadero asunto del libro es el alma de Darío y no su mundo exterior o sus prodigios formales. En *Cantos* la posición del poeta es diferente; *Cantos* es principalmente una confesión personal, individual, y de ahí también que no pudiese originar una secuela de imitadores semejante a la de *Azul...* o *Prosas.* Al mismo tiempo, el poeta habla porque quiere y necesita ser escuchado y también porque se sabe escuchado exige que el lector, del asombrado espectador que era en *Azul...,* se transforme, desde una primera lectura, en íntimo confidente de sus inquietudes interiores.

Sin menospreciar las diferencias propiamente formales existentes entre *Azul...* y *Prosas* por un lado y *Cantos* por otro, debe reconocerse que es en esta esfera del receptor donde se percibe la mayor y más verdadera separación entre ellos. Primaveral y sensitiva en *Azul...* y *Prosas,* otoñal y desilusionada en *Cantos,* el alma de Rubén sigue siendo el tema de los tres libros; que en los dos primeros discurra transformada en poetas hambrientos, mendigos, sátiros, cisnes o princesas y que en el tercero se deje contemplar en su forma genuina, es algo que no afecta al fondo primario de cada trabajo sino a su ulterior lectura. De esta manera también queda salvaguardada la unidad interna de *Cantos* que, como ya se vio, resultó de un nuevo «collage» literario de su autor: con poemas de muy diversa procedencia cronológica y anímica.

De este hecho nace la diferencia en la orientación de los asedios críticos a *Cantos* y la de los centrados en *Azul...* Dado que *Cantos* muestra con meridiana claridad su motivo temático y que, a causa de su marcado carácter intimista, su contexto social y cultural aparecen más reducidos, es lógico que su bibliografía sobreabunde en análisis formalistas y en comentarios a poemas aislados. Generalmente son frutos de un acercamiento impresionista y descontextualizado, a menudo fecundo pero que suele también ignorar la visión de conjunto de la organización interna del libro y el marco biográfico de su génesis y nacimiento. En este grupo de trabajos llaman la atención los dedicados al problema del hexámetro de *Cantos,* un motivo reivindicado por Darío en su prólogo pero que, realmente, ha hecho correr una cantidad de tinta desproporcionada y ha relegado a un segundo plano lo que latía detrás de su reivindicación.

Ciertamente en este prólogo Darío no lleva a cabo una verdadera presentación del libro e, incluso, comienza por lo que podría entenderse como una excusa para no redactar un largo proemio. Sin embargo dedica el segundo párrafo, el más extenso, a dos cuestiones que sólo tangencialmente tocan el nervio de *Cantos* y que por eso mismo son particularmente reveladoras de otras preocupaciones momentáneas del poeta. La primera es la de su autoconsideración como el verdadero iniciador del Modernismo, dato que debe relacionarse con la progresiva aceptación que tal literatura iba encontrando en los ambientes culturales y que consecuentemente permitía la reflexión crítica sobre su génesis e historia. En este sentido Rubén, poco tiempo antes de redactar el prefacio y en una carta a Juan Ramón, había salido al paso de quienes reclamaban para poetas como José Asunción Silva la primacía temporal del movimiento (*Mi Rubén* 103-104) y, por tanto, no es extraño que aprovechase la ocasión de este prólogo para insistir en sus pretensiones. La segunda, derivada de la anterior, es el deseo de mantener su imagen de renovador del idioma. Para ello dibuja un panorama literario peninsular intencionadamente pobre, incompleto[52], y, a modo de contraste, se presenta como introductor de una novedad formal —la adaptación del hexámetro latino a la métrica castellana— que, al igual que las del pionero *Azul...*, contaría con otros antecedentes en la literatura no hispánica. Más que discutir la validez métrica de su adaptación, ya cuestionada por varios especialistas, lo que interesa destacar es que el supuesto hexámetro aparecería en sólo dos de los poemas del libro, en la «Salutación del optimista» y en la «Marcha triunfal», y que por tanto, y si además tenemos en cuenta que el segundo de ellos se escribió diez años antes que el primero, cuando *Cantos* no existía ni como proyecto, debemos pensar que los deseos de

---

[52] Escribe Darío: «Aunque respecto a técnica tuviese demasiado que decir en el país en donde la expresión poética está anquilosada a punto de que la momificación del ritmo ha llegado a ser un artículo de fe, no haré sino una corta advertencia [...]. En cuanto al verso libre moderno [...] ¿no es verdaderamente singular que en esta tierra de Quevedos y de Góngoras los únicos innovadores del instrumento lírico, los únicos libertadores del ritmo, hayan sido los poetas del *Madrid Cómico* y los libretistas del género chico?»

Aparte de que, poco antes, al haber asegurado que el triunfo modernista era ya un hecho, el propio poeta contradice estas palabras, difícilmente podría sostenerse su afirmación si se recorren las publicaciones de los jóvenes poetas españoles de entonces, poetas a los que Darío, por otra parte, conocía muy bien. Juan Ramón, por ejemplo, había ya visto editados varios de sus poemarios; *Alma*, de Manuel Machado, es de 1901; *Soledades*, de su hermano, de 1903...

una revolución formal semejante a la desencadenada por *Azul...* estaban, realmente, muy lejos de la intención del Darío de 1905.

Otra luz para entender al Darío que envía *Cantos* a la imprenta es la que arrojan las cuatro dedicatorias mayores del libro. En primer lugar, el conjunto de la colección se dedica «A Nicaragua» y «A la República Argentina», los dos países de América a los que Rubén, afectado por el complejo de desterrado americano vuelve los ojos en busca de sus raíces (Nicaragua) y en agradecimiento a quien le consagró como autor principal del Modernismo (Argentina). El primer grupo de poemas, y no sólo el que abre la colección, tiene como destinatario a José Enrique Rodó, autor del estudio sobre *Prosas* que más contentó a Darío y en el que este poemario quedó considerado como la obra culmen del momento y su autor como un poeta de «elegida individualidad» (Darío 1920, 13). A Juan Ramón está dedicada la serie «Los cisnes», la cual debe entenderse sobre todo como otra muestra de agradecimiento personal pero también como otro ejemplo de sus emotivos y sinceros lazos de unión con España y los autores españoles del momento. La última tiene como destinatario al doctor Adolfo Altamirano, a cuyas gestiones debía Rubén su trabajo como cónsul de Nicaragua en París y, por ello, una parte importante de los ingresos que le permitieron salir adelante en la capital francesa. Y es que Rubén, a pesar de su débil voluntad, de su conversación apagada y de sus otras limitaciones personales, fue siempre un espíritu agradecido hacia aquellos que le ayudaron en la publicación y difusión de su obra y también en su lucha contra las adversidades más cotidianas. En este sentido, Rubén continúa en *Cantos* la costumbre que le llevó en *Azul...* a recordar a Francisco Lainfiesta, en *Prosas* a Carlos Vega Belgrano, en *Tierras Solares* a Felipe López y que, más tarde, le llevaría a dedicar *El canto errante* «A los nuevos poetas de las Españas» y el *Poema del otoño* a Mariano Miguel de Val.

En resumen, y teniendo en cuenta la escasa relevancia de los poemarios darianos posteriores, que pocos matices nuevos añaden a la obra y a la persona del poeta, puede decirse que *Cantos* es el verdadero testamento poético de Darío. Bajo un clima de intensidad lírica que ya no se repetiría más adelante, el poemario de 1905 contiene todo el panorama intelectual y afectivo que ocupaba la mente del poeta en su etapa de madurez y que, con variaciones de menor importancia, iba a verse reescrito hasta el final de su vida. *Cantos* concreta entonces la hora del enfrentamiento más inmediato del poeta consigo mismo y de su acercamiento más confiado al lector. *Cantos,* una de las cimas poéticas modernistas, ejemplifica igualmente la virtuosidad métrica y formal del poeta, la cual, aunque menos espectacular que la de *Prosas,* contiene muestras suficientes para ratificar la privilegiada posición de su autor entre los versificadores de nuestra lengua. Conviene recordar por último que, al ser publicado, provocó, junto a las admiraciones, los primeros desconciertos de aquellos críticos que reducían el Modernismo a los brillos formales e icónicos de *Azul...* y de *Prosas* y que, por ello, *Cantos* debe convertirse en un estímulo para que los lectores y críticos de hoy no caigan en la misma simplificación.

Esta edición

La edición de *Azul...* ha resultado de un cotejo de las dos primeras, la de Valparaíso de 1888 y la de Guatemala de 1890. También se anotan las variantes más significativas de la publicada en Buenos Aires en 1905; se designarán, respectivamente, como *88, 90* y *05.* He tomado como base el texto de 1890 por ser el más completo y contener materiales —el prólogo de Eduardo de la Barra y las notas de Darío— que a pesar de su valor no se han recogido íntegros y en un mismo volumen desde 1939. En algún caso —señalado oportunamente— prefiero las variantes de 1888 a las de 1890. Para las cartas de Valera se siguen sus *Cartas americanas* (Madrid, Fuentes y Capdeville, 1889, 213-37), que confronto con el texto de 1890. De la edición de Julio Saavedra (Darío 1939) se toman las referencias a las primeras apariciones de los textos en los periódicos chilenos, hoy inalcanzables. Por otra parte, he modernizado la ortografía de algunas palabras de *90,* edición en la que Darío mantuvo las normas de Andrés Bello utilizadas también en la impresión de 1888. En cuanto a los signos interrogativos y exclamativos que, en ambas ediciones de *Azul...,* de manera frecuente y por influjo del idioma francés, aparecen sólo al final de la frase, los ofrezco completos o cerrados cuando la solución en castellano es evidente y, para dejar libertad al lector, mantengo la disposición original si caben dos o más posibilidades. También se conservan los asteriscos que en *88* y *90* sirven para separar los distintos parágrafos de los cuentos y, al parecer, para marcar su ritmo de lectura. Si en estos casos, como en otros, se peca de escrupulosidad, ha sido con el fin de compensar el deterioro sufrido por el texto en sus incesantes ediciones.

Para la edición de *Cantos de vida y esperanza* se sigue el texto de 1905, que se ha cotejado también con el de 1907. La primera edición de *Cantos,* la de la Tipografía de la Revista de Archivos, se nombrará como *05* y la segunda, la de Francisco Granada y Cía, como *07.* También se anotan las divergencias con los textos de la prensa periódica que recogió los poemas antes de la publicación del libro. Se respetan la ortografía y la tipografía originales, con algunas correcciones de escasa trascendencia. Mantengo igualmente las mayúsculas iniciales de cada verso, que aparecen tanto en *05* como en *07* y también en la mayoría de los manuscritos; para las frases interrogativas y exclamativas sigo los mismos criterios que en *Azul...*

Rubén Darío en 1908.

Bibliografía

ALEMÁN BOLAÑOS, Gustavo, *La juventud de Rubén Darío,* Guatemala, Universitaria, 1958.

ÁLVAREZ, Dictino, *Cartas de Rubén Darío,* Madrid, Taurus, 1963.

ANDERSON IMBERT, Enrique, *La originalidad de Rubén Darío,* Buenos Aires, Centro Editor de América Latina, 1967.

ARELLANO, Jorge Eduardo, «Los primeros lectores de *Azul...*», *Cuadernos Hispanoamericanos,* 489, 1991, 23-38.

— y JIRÓN TERÁN, José, *Contribuciones al estudio de Rubén Darío. Investigaciones en torno a Rubén Darío,* Managua, Dirección General de Bibliotecas y Archivos, 1981.

El Ateneo de Madrid en el III centenario de la publicación de El ingenioso hidalgo Don Quijote de la Mancha, Madrid, Imprenta de Bernardo Rodríguez, 1905.

Azul... y las literaturas hispánicas. Memoria del Simposio Internacional en Homenaje al Centenario de Azul..., Managua, Biblioteca Nacional Rubén Darío/UNAM, 1988.

BENJAMIN, Walter, *Poesía y capitalismo. Iluminaciones II,* Madrid, Taurus, 1980.

BOTI, Regino E., *Hipsipilas,* La Habana, Siglo XX, 1920.

— «Rubén Darío: el soneto de trece versos», *Libro jubilar de homenaje al Dr. Juan M. Dihigo y Mestre,* La Habana, Universidad, 1941, 139-151.

CABEZAS, J. A., *Rubén Darío,* Buenos Aires, Espasa-Calpe, 1954.

CANO, José Luis, *Españoles de dos siglos,* Madrid, Seminarios y Ediciones, 1974.

CARTER, Boyd G. (ed.), *La Revista de América de Rubén Darío y Ricardo Jaymes Freyre,* Managua, Publicaciones del Centenario, 1967.

CHAMBERLAIN, Vernon A. y SCHULMAN, Ivan A., *La Revista Ilustrada de Nueva York. History, Anthology, and Index of Literary Selections*, Columbia, University of Missouri Press, 1976.

COLOMA GONZÁLEZ, Fidel, *Introducción al estudio de «Azul...»*, Managua, Manolo Morales, 1988.

CONDE, Carmen, *Acompañando a Francisca Sánchez*, Managua, Editorial Unión de Cardoza, 1964.

CONTRERAS, Francisco, *Rubén Darío, su vida y su obra*, Barcelona, Agencia Mundial de Librería, 1930.

CUPO, Carlos Óscar, «Fuentes inéditas de *Cantos de Vida y Esperanza*», ed. Mejía Sánchez, *Estudios sobre Rubén Darío*, México, FCE, 1968, 397-404.

DARÍO, Rubén, *Prosas profanas y otros poemas*, París, Vda. de C. Bouret, 1920 (Estudio introductorio de José Enrique Rodó).

— *Obras desconocidas. Escritas en Chile y no recopiladas en ninguno de sus libros*, ed. Raúl Silva Castro, Santiago, Universidad de Chile, 1934.

— *Obras escogidas publicadas en Chile (Abrojos, Canto Épico, Rimas, Azul...)*, ed. Julio Saavedra Molina y Erwin K. Mapes, Santiago, Universo, 1939.

— *Cuentos completos*, ed. Ernesto Mejía Sánchez, estudio preliminar de Raimundo Lida, México, FCE, 1950.

— *Obras Completas*, ed. M. Sanmiguel Raimúndez, Madrid, Afrodisio Aguado, 5 vols., 1950-1953.

— *Poesías Completas*, ed. Alfonso Méndez Plancarte y Antonio Oliver Belmás, Madrid, Aguilar, 1968.

— *Escritos dispersos recogidos de los periódicos de Buenos Aires*, ed. Pedro Luis Barcia, La Plata, Universidad Nacional, 2 vols., 1968 y 1977.

— *Poesía*, ed. Ernesto Mejía Sánchez, prólogo de Ángel Rama y cronología de Julio Valle Castillo, Caracas, Ayacucho, 1977.

— *Azul... Prosas profanas*, ed. Andrew P. Debicky y M. J. Doudoroff, Madrid, Alhambra, 1985.

— *Prosas profanas y otros poemas*, ed. Ignacio M. Zuleta, Madrid, Castalia, 1988.

— *Teatros. Prosa desconocida de Rubén Darío*, ed. Julio Saavedra Molina, Santiago, Rumbos, 1988.

— *Azul... / Cantos de vida y esperanza*, ed. Álvaro Salvador, Madrid, Espasa-Calpe, 1992.

— *Cuentos*, ed. José María Martínez, Madrid, Cátedra, 1997.

94

DOMÍNGUEZ CAPARRÓS, José, «Métrica y poética en Rubén Darío», coord. Tomás Albadalejo *et al., El Modernismo,* Valladolid, Universidad, 1990, 31-47.

DONOSO, Armando, *Rubén Darío. Obras de juventud,* Santiago, Nascimiento, 1927.

FERNÁNDEZ, Teodosio, *Rubén Darío,* Madrid, Historia 16/Quorum, 1987.

— «Rubén Darío y la gestación del lenguaje modernista», coord. Tomás Albaladejo *et al., El Modernismo,* cit., 47-59.

FOGELQUIST, Donald F., *The literary collaboration and personal correspondence of Rubén Darío and Juan Ramón Jiménez,* Coral Gables, University of Miami, 1956.

GHIRALDO, Alberto, *El archivo de Rubén Darío,* Buenos Aires, Losada, 1943.

GONZÁLEZ BLANCO, Andrés, *Los grandes maestros, Salvador Rueda y Rubén Darío,* Madrid, Pueyo, 1908.

— *Rubén Darío. Obras escogidas. Estudio preliminar,* Madrid, Hernando, 1910.

GUERRERO RUIZ, Juan, *Juan Ramón de viva voz,* Madrid, Ínsula, 1941.

GULLÓN, Ricardo, *Conversaciones con Juan Ramón Jiménez,* Madrid, Taurus, 1958.

JIMÉNEZ, Juan Ramón, *El trabajo gustoso,* Madrid, Aguilar, 1961.

— *El modernismo. Notas de un curso,* ed. Ricardo Gullón, Madrid, Aguilar, 1962.

— *Alerta,* ed. Javier Blasco, Salamanca, Universidad, 1983.

— *Mi Rubén Darío,* Moguer, Fundación Juan Ramón Jiménez, 1990.

KOHLER, Rudolph, «La actitud impresionista en los cuentos de Rubén Darío», ed. Ernesto Mejía Sánchez, *Estudios...,* cit., 503-21.

LITVAK, Lily, *España 1900,* Barcelona, Anthropos, 1990.

LLOPESA, R., «Las fuentes literarias de "La ninfa"», *Revista de Literatura,* 107, 1992, 247-55.

LÓPEZ MORILLAS, Juan, «El *Azul...* de Rubén Darío», *Revista Hispánica Moderna,* 10, 1944, 9-14.

LOVELUCK, Juan (ed.), *Diez estudios sobre Rubén Darío,* Santiago de Chile, Zig-Zag, 1967.

— «Rubén Darío y Eduardo de la Barra», ed. Aníbal Sánchez Reulet, *Homenaje a Rubén Darío (1867-1967),* Los Ángeles, Universidad de California, 1967, 15-34.

— «Una polémica en torno a *Azul...*», ed. Ernesto Mejía Sánchez, *Estudios...,* cit., 227-275.

MACHADO, Antonio, *Poesía y prosa. Obras Completas,* ed. Oreste Macrí, vol. III, Madrid, Espasa-Calpe, 1989.

MAÑU IRAGUI, Jesús, «El poeta rebelde: Rubén Darío en Chile», *Estructuralismo en cuatro tiempos,* Caracas, Equinoccio, 1974, 13-55.

MAPES, Erwin Kempton, *L'Influence française dans l'oeuvre de Rubén Darío,* París, Librairie Ancienne Honoré Champion, 1925.

MARASSO, Arturo, *Rubén Darío y su creación poética,* Buenos Aires, Universidad de la Plata, 1934.

MARTÍNEZ, José María, «Nuevas luces para las fuentes de *Azul...*», *Hispanic Review,* 64, 1996, 199-215.

— *Rubén Darío. Addenda,* Palencia, Cálamo, en prensa.

MATTALÍA, Sonia, «El canto del "aura": autonomía y mercado literario en los cuentos de *Azul...*», *Revista de Crítica Literaria Latinoamericana,* 38, 1993, 279-92.

MEJÍA SÁNCHEZ, Ernesto, «Darío y Centroamérica», *Revista Iberoamericana,* 64, 1967, 189-207.

— *Cuestiones rubendarianas,* Madrid, *Revista de Occidente,* 1970.

MONTECINOS CARO, Manuel, «Valparaíso en la obra de Rubén Darío», *Signos,* 29, 1991, 45-66.

MONTIEL ARGÜELLO, Alejandro, *Rubén Darío en Guatemala,* Guatemala, Talleres de Litografía, 1984.

NAVARRO TOMÁS, Tomás «Ritmo y armonía en los versos de Darío», *Los poetas en sus versos,* Barcelona, Ariel, 1982, 201-31.

Nouvelle Revue, París, 1886-1888.

OLIVEIRA, Otto, «*El Correo de la Tarde* (1890-1891) de Rubén Darío», *Revista Iberoamericana,* 64, 1967, 259-80.

OLIVER BELMÁS, Antonio, *Este otro Rubén Darío,* Madrid, Aguilar, 1968.

ORREGO VICUÑA, Eugenio, *Antología chilena de Rubén Darío,* Santiago, Prensas de la Universidad, 1942.

OSSA BORNE, Samuel, «La historia de "La canción del oro"», *Revista Chilena,* IX, 1917, 368-75.

PALAU DE NEMES, Graciela, *Vida y obra de Juan Ramón,* Madrid, Gredos, 2 vols., 1974.

PHILLIPS, Allen W., «Antonio Machado y Rubén Darío», eds. Ricardo Gullón y Allen W. Phillips, *Antonio Machado,* Madrid, Taurus, 1973, 171-85.

Rama, Ángel, *Rubén Darío y el Modernismo,* Caracas, Alfadil, 1985.

Repertorio Salvadoreño, San Salvador, 1889-1890.

Revue de Deux Mondes, París, 1886-1888.

Rojo, Grinor, «En el centenario de *Azul...*», *Hispamérica,* 51, 1988, 3-18.

Romero, José Luis, *Latinoamérica: las ciudades y las ideas,* Buenos Aires, Siglo XXI, 1976.

Salaun, Serge y Serrano, Carlos (eds.), *1900 en España,* Madrid, Espasa-Calpe, 1991.

Salinas, Pedro, *La poesía de Rubén Darío,* Buenos Aires, Losada, 1968.

Salomon, Noel, «América Latina y el cosmopolitismo en algunos cuentos de *Azul...*», ed. Matías Horanyi, *Actas del Simposio Internacional de Estudios Hispánicos,* Budapest, Academia de las Ciencias de Hungría, 1978, 13-37.

Salvador Jofre, Álvaro, *Rubén Darío y la moral estética,* Granada, Universidad, 1986.

Schulman, Ivan A., «Génesis del azul modernista», ed. Homero Castillo, *Estudios críticos sobre el Modernismo,* Madrid, Gredos, 1969, 168-89.

Sequeira, Diego Manuel, *Rubén Darío criollo,* Buenos Aires, Guillermo Kraft, 1945.

— *Rubén Darío criollo. En el Salvador,* Hospicio, León, 1964.

Silva Castro, Raúl, *Rubén Darío a los veinte años,* Santiago de Chile, Andrés Bello, 1966.

— «El ciclo de lo azul en Rubén Darío», ed. Homero Castillo, *Estudios...,* cit., 146-67.

Skyrme, Raymond, «Dario's *Azul...*: a note on the derivation of the title», *Romance Notes,* 10: 1, 1968, 73-76.

Soto Hall, Máximo, *Revelaciones íntimas de Rubén Darío,* Buenos Aires, Ateneo, 1925.

Sux, Alejandro, «Rubén Darío visto por Alejandro Sux», *Revista Hispánica Moderna,* 3-4, 1946, 302-320.

Toruño, Juan Felipe, «Cómo escribió Rubén Darío "La marcha triunfal"», *Letras del Ecuador,* 26-27, 1947, 7 y 16.

Torres, Edelberto, *La dramática vida de Rubén Darío,* La Habana, Arte y Literatura, 1982.

Torres Bodet, Jaime, *Rubén Darío. Abismo y cima,* México, Fondo de Cultura Económica, 1966.

97

Torres Rioseco, Arturo (ed.), *Rubén Darío. Antología poética,* Berkeley, University of California Press, 1949.

Uhrhan de Irving, Evelyn, «Rubén Darío's first days in Guatemala», *Hispania,* 46: 2, 1963, 319-322.

— «Narciso Tondreau: close friend on Rubén Darío in Chile», *Hispania,* 52: 4, 1969, 864-69.

Valera, Juan, *Cartas Americanas,* Madrid, Fuentes y Capdeville, 1889.

Vargas Vila, José María, *Rubén Darío,* Barcelona, Sopena, s. f.

Watland, Charles D., «Los primeros encuentros entre Darío y los hombres del 98», ed. Mejía Sánchez, *Estudios...,* cit., 354-63.

— *La formación literaria de Rubén Darío,* Managua, Publicaciones del Centenario, 1967.

Zavala, Iris M., *Rubén Darío bajo el signo del cisne,* Río Piedras, Universidad, 1989.

Zuleta, Ignacio, *La polémica modernista,* Bogotá, Caro y Cuervo, 1988.

Azul...

RUBÉN DARÍO

AZUL...

I. CUENTOS EN PROSA
II. EL AÑO LÍRICO

VALPARAISO
IMPRENTA Y LITOGRAFIA EXCELSIOR
14, CALLE SERRANO, 14

MDCCCLXXXVIII

Portada de la primera edición de *Azul...*, 1888.

Al Sr. D. Federico Varela

Gerón, rey de Siracusa, inmortalizado en sonoros versos griegos, tenía un huerto privilegiado por favor de los dioses, huerto de tierra ubérrima que fecundaba el gran sol. En él permitía a muchos cultivadores que llegasen a sembrar sus granos y sus plantas.

Había laureles verdes y gloriosos, cedros fragrantes, rosas encendidas, trigo de oro, sin faltar yerbas pobres que arrostraban la paciencia de Gerón.

No sé qué sembraría Teócrito, pero creo que fue un cítiso y un rosal.

Señor, permitid que junto a una de las encinas de vuestro huerto, extienda mi enredadera de campánulas.

R. D.[1]

Al Sr. Dr. D. Francisco Lainfiesta

AFECTO Y GRATITUD

R. D.[2]

---

[1] Dedicatoria de 1888. Darío se refiere seguramente a Gerón (o Hierón) de Siracusa (306-216 a. C.), cantado en los versos de Teócrito y Píndaro y que consiguió para su ciudad una paz y una prosperidad proverbiales. Sobre este personaje se había extendido ya el nicaragüense en textos inmediatamente anteriores a la publicación de *Azul...* (cfr. *OD* 164)..

[2] Dedicatoria de 1890; las ediciones posteriores no llevan dedicatorias. Las identidades de Federico Varela y de Francisco Lainfiesta así como sus relaciones con Darío y los posibles motivos de éste para dedicarles *Azul...* quedaron explicados en la «Introducción».

A D. Rubén Darío

I

Todo libro que desde América llega a mis manos excita mi interés y despierta mi curiosidad; pero ninguno hasta hoy la ha despertado tan viva como el de Ud., no bien comencé a leerle.

Confieso que al principio, a pesar de la amable dedicatoria con que Ud. me envía un ejemplar, miré el libro con indiferencia..., casi con desvío. El título *Azul...* tuvo la culpa.

Víctor Hugo dice: *L'art c'est l'azur;* pero yo ni me conformo ni me resigno con que tal dicho sea muy profundo y hermoso. Para mí tanto vale decir que el arte es lo azul como decir que es lo verde, lo amarillo o lo rojo. ¿Por qué, en este caso, lo azul (aunque en francés no sea *bleu* sino *azur,* que es más poético) ha de ser cifra, símbolo y superior predicamento que abarque lo ideal, lo etéreo, lo infinito, la serenidad del cielo sin nubes, la luz difusa, la amplitud vaga y sin límites, donde nacen, viven, brillan y se mueven los astros? Pero aunque todo esto y más surja del fondo de nuestro ser y aparezca a los ojos del espíritu, evocado por la

---

[1] En *90:* «MADRID, 22 DE OCTUBRE DE 1888.» Tanto ésta como las divergencias que siguen, entre el texto de las *Cartas americanas* (1889) y el de la edición de 1890, pueden explicarse fácilmente si Rubén tomó la crítica no del libro de Valera, sino de las páginas de *El Imparcial.*

palabra *azul*, ¿qué novedad hay en decir que el arte es todo esto? Lo mismo es decir que el arte es imitación de la naturaleza, como la definió Aristóteles: la percepción de todo lo existente y de todo lo posible, y su reaparición o representación por el hombre en signos, letras, sonidos, colores o líneas. En suma, yo, por más vueltas que le doy, no veo en eso de que *el arte es lo azul* sino una frase enfática y vacía.

Sea, no obstante, el arte azul, o del color que se quiera. Como sea bueno, el color es lo que menos importa. Lo que a mí me dio mala espina fue el ser la frase de Víctor Hugo[2], y el que usted hubiese dado por título a su libro la palabra fundamental de la frase. ¿Si será éste, me dije, uno de tantos y tantos como por todas partes, y sobre todo en Portugal y en la América española, han sido inficionados por Víctor Hugo? La manía de imitarle ha hecho verdaderos estragos, porque la atrevida juventud exagera sus defectos, y porque eso que se llama *genio,* y que hace que los defectos se perdonen y tal vez se aplaudan, no se imita cuando no se tiene. En resolución, yo sospeché que era Ud. un Víctor Huguito, y estuve más de una semana sin leer el libro de Ud.

No bien le he leído, he formado muy diferente concepto. Usted es Ud.: con gran fondo de originalidad, y de originalidad muy extraña. Si el libro, impreso en Valparaíso, en este año de 1888[3], no estuviese en muy buen castellano, lo mismo pudiera ser de un autor francés, que de un italiano, que de un turco o de un griego[4]. El libro está impregnado de espíritu cosmopolita. Hasta el nombre y apellido del autor, verdaderos o contrahechos y fingidos, hacen que el cosmopolitismo resalte más. Rubén es judaico, y persa es Darío: de suerte que, por los nombres, no parece sino que Ud. quiere ser o es de todos los países, castas y tribus.

El libro *Azul...* no es en realidad un libro; es un folleto de 132 páginas; pero tan lleno de cosas y escrito por estilo tan conciso, que da no poco en qué pensar y tiene bastante que leer. Desde luego se conoce que el autor es muy joven: que

[2] *90: dio mala espina fue la frase de Víctor Hugo*
[3] *90: este año de 1888*
[4] *90: de un turco o un griego*

no puede tener más de veinticinco años, pero que los ha aprovechado maravillosamente. Ha aprendido muchísimo, y en todo lo que sabe y expresa muestra singular talento artístico o poético[5].

Sabe con amor la antigua literatura griega; sabe de todo lo moderno europeo. Se entrevé, aunque no hace gala de ello, que tiene el concepto cabal del mundo visible y del espíritu humano, tal como este concepto ha venido a formarse por el conjunto de observaciones, experiencias, hipótesis y teorías más recientes. Y se entrevé también que todo esto ha penetrado en la mente del autor, no diré exclusivamente, pero sí principalmente, a través de libros franceses. Es más: en los perfiles, en los refinamientos, en las exquisiteces del pensar y del sentir del autor, hay tanto de francés, que yo forjé una historia a mi antojo para explicármelo. Supuse que el autor, nacido en Nicaragua, había ido a París a estudiar para médico o para ingeniero, o para otra profesión; que en París había vivido seis o siete años, con artistas, literatos, sabios y mujeres alegres de por allá; y que mucho de lo que sabe lo había aprendido de viva voz, y empíricamente, con el trato y roce de aquellas personas. Imposible me parecía que de tal manera se hubiese impregnado el autor del espíritu parisiense novísimo, sin haber vivido en París durante años.

Extraordinaria ha sido mi sorpresa cuando he sabido que Ud., según me aseguran sujetos bien informados, no ha salido de Nicaragua sino para ir a Chile, en donde reside desde hace dos años a lo más. ¿Cómo, sin el influjo del medio ambiente, ha podido Ud. asimilarse todos los elementos del espíritu francés, si bien conservando española la forma que aúna y organiza estos elementos, convirtiéndolos en sustancia propia?

Yo no creo que se ha dado jamás caso parecido con ningún español peninsular. Todos tenemos un fondo de españolismo que nadie nos arranca ni a veinticinco tirones. En el famoso abate Marchena, con haber residido tanto tiem-

---

[5] *90: talento artístico y poético.*

po en Francia, se ve el español: en Cienfuegos es postizo el sentimentalismo empalagoso a lo Rousseau, y el español está por bajo. Burgos y Reinoso son afrancesados y no franceses[6]. La cultura de Francia, buena y mala, no pasa nunca de la superficie. No es más que un barniz transparente, detrás del cual se descubre la condición española.

Ninguno de los hombres de letras de esta Península que he conocido yo, con más espíritu cosmopolita, y que más largo tiempo han residido en Francia, y que han hablado mejor el francés y otras lenguas extranjeras, me ha parecido nunca tan compenetrado del espíritu de Francia como Ud. me parece: ni Galiano, ni don Eugenio de Ochoa, ni Miguel de los Santos Álvarez[7]. En Galiano había como una mezcla de anglicismo y de filosofismo francés del siglo pasado; pero todo sobrepuesto y no combinado con el ser de su espíritu, que era castizo. Ochoa era y siguió siendo siempre archi y ultraespañol, a pesar de sus entusiasmos por las cosas de Francia. Y en Álvarez, en cuya mente bullen las ideas de nuestro siglo, y que ha vivido años en París, está arraigado el ser del hombre de Castilla, y en su prosa recuerda el lector a Cervantes y a Quevedo, y en sus versos a Garcilaso y a León, aunque, así en versos como en prosa, emita él siempre ideas más propias de nuestro siglo que de los que pasaron. Su chiste no es el *esprit* francés, sino el *humor* español de las novelas picarescas y de los autores cómicos de nuestra peculiar literatura.

---

[6] José Marchena (1768-1821): político, preceptista y heterodoxo español que vivió en Francia durante la Revolución. Nicasio Álvarez Cienfuegos (1764-1809): amigo de Meléndez Valdés y colaborador de diversos periódicos durante la ocupación francesa de España. Francisco Javier de Burgos (1778-1849): humanista, literato y político español, que ocupó varios cargos políticos en Francia. Fernando Reinoso (1732-1795): religioso español, profesor de lenguas extranjeras y miembro de varias academias.

[7] Galiano, seguramente Antonio Alcalá Galiano (1789-1865), orador y escritor romántico y colaborador asiduo en la prensa de Inglaterra y Francia, cuyos idiomas dominaba a la perfección. Eugenio de Ochoa (1815-1872) fue alumno de Alberto Lista en Madrid y pasó una larga temporada en Francia (1837-1844) en la que se mostró especialmente prolífico. Miguel de los Santos Álvarez (1817-1892), escritor romántico amigo de Zorrilla y Espronceda al que Rubén conoció en su viaje de 1892 a España.

Veo, pues, que no hay autor en castellano más francés que Ud. Y lo digo para afirmar un hecho, sin elogio y sin censura. En todo caso, más bien lo digo como elogio. Yo no quiero que los autores no tengan carácter nacional; pero yo no puedo exigir de Ud. que sea nicaragüense, porque ni hay ni puede haber aún historia literaria, escuela y tradiciones literarias en Nicaragua. Ni puedo exigir de Ud. que sea literariamente español, pues ya no lo es políticamente, y está además separado de la madre patria por el Atlántico, y más lejos, en la república donde ha nacido, de la influencia española, que en otras repúblicas hispano-americanas. Estando así disculpado el galicismo de la mente, es fuerza dar a Ud. alabanzas a manos llenas por lo perfecto y profundo de ese galicismo; porque el lenguaje persiste español, legítimo y de buena ley, y porque si no tiene Ud. carácter nacional, posee carácter individual.

En mi sentir, hay en Ud. una poderosa individualidad de escritor, ya bien marcada, y que, si Dios da a Ud. la salud que yo le deseo y larga vida, ha de desenvolverse y señalarse más con el tiempo en obras que sean gloria de las letras hispano-americanas.

Leídas las 132 páginas de *Azul...*, lo primero que se nota es que está Ud. saturado de toda la más flamante literatura francesa. Hugo, Lamartine, Musset, Baudelaire, Leconte de Lisle, Gautier, Bourget, Sully Proudhomme, Daudet, Zola, Barbey d'Aurevilly, Catulo Mendès, Rollinat, Goncourt, Flaubert y todos los demás poetas y novelistas han sido por Ud. bien estudiados y mejor comprendidos. Y Ud. no imita a ninguno: ni es Ud. romántico, ni naturalista, ni *neurótico,* ni decadente, ni simbólico, ni parnasiano. Usted lo ha revuelto todo: lo ha puesto a cocer en el alambique de su cerebro, y ha sacado de ello una rara quinta esencia.

Resulta de aquí un autor nicaragüense, que jamás salió de Nicaragua sino para ir a Chile, y que es autor tan a la moda de París y con tanto *chic* y distinción, que se adelanta a la moda y pudiera modificarla e imponerla.

En el libro hay «Cuentos en prosa» y seis composiciones en verso. En los cuentos y en las poesías, todo está cincela-

107

do, burilado, hecho para que dure, con primor y esmero, como pudiera haberlo hecho Flaubert o el parnasiano más atildado. Y, sin embargo, no se nota el esfuerzo, ni el trabajo de la lima, ni la fatiga del rebuscar; todo parece espontáneo y fácil y escrito al correr de la pluma, sin mengua de la concisión, de la precisión y de la extremada elegancia. Hasta las rarezas extravagantes y las salidas de tono[8], que a mí me chocan, pero que acaso agraden en general, están hechas adrede. Todo en el librito está meditado y criticado por el autor, sin que ésta su crítica[9] previa o simultánea de la creación perjudique al brío apasionado y a la inspiración del que crea.

Si se me preguntase qué enseña su libro de usted y de qué trata, respondería yo sin vacilar: no enseña nada, y trata de nada y de todo. Es obra de artista, obra de pasatiempo, de mera imaginación. ¿Qué enseña o de qué trata un dije, un camafeo, un esmalte, una pintura o una linda copa esculpida?

Hay, sin embargo, notable diferencia entre toda escultura[10], pintura, dije y hasta música, y cualquier objeto de arte cuyo *material* es la palabra. El mármol, el bronce y el sonido no diré yo que sutilizando mucho no puedan significar algo de por sí; pero la palabra, no sólo puede significar, sino que forzosamente significa ideas, sentimientos, creencias, doctrinas y todo el pensamiento humano. Nada más factible, a mi ver (acaso porque yo soy poco agudo)[11], que una bella estatua, un lindo dije, un cuadro primoroso, sin trascendencia o sin símbolo; pero ¿cómo escribir un cuento o unas coplas sin que deje ver el autor lo que niega, lo que afirma, lo que piensa y lo que siente? El pensamiento en todas las artes pasa con la forma desde la mente del artista a la sustancia o materia del arte; pero en el arte de la palabra, además del pensamiento que pone el artista en la forma, la

---

[8] *90: Hasta las rarezas extravagantes y salidas de tono*
[9] *90: sin que su crítica*
[10] *90: notable diferencia en toda escultura*
[11] *90: (acaso porque soy poco agudo)*

sustancia o materia del arte es pensamiento también, y pensamiento del artista. La única materia extraña al artista es el Diccionario con las reglas gramaticales que siguen las voces en su combinación; pero como ni palabras ni combinaciones de palabras pueden darse ni deben darse sin sentido[12], de aquí que materia y forma sean en poesía y en prosa creación del escritor o del poeta; sólo quedan fuera de él, digámoslo así, los signos hueros, o sea abstrayendo lo significado.

De esta suerte se explica cómo, con ser su libro de Ud. de pasatiempo, y sin propósito de enseñar nada, en él se ven patentes las tendencias y los pensamientos del autor sobre las cuestiones más trascendentales. Y justo es que confesemos que los dichos pensamientos no son ni muy edificantes ni muy consoladores.

La ciencia de experiencia y de observación ha clasificado cuanto hay, y ha hecho de ello hábil inventario. La crítica histórica, la lingüística y el estudio de las capas que forman la corteza del globo han descubierto bastante de los pasados hechos humanos que antes se ignoraban; de los astros que brillan en la extensión del éter se sabe muchísimo; el mundo de lo imperceptiblemente pequeño se nos ha revelado merced al microscopio: hemos averiguado cuántos ojos tiene tal insecto y cuántas patitas tiene tal otro: sabemos ya de qué elementos se componen los tejidos orgánicos, la sangre de los animales y el jugo de las plantas: nos hemos aprovechado de agentes que antes se sustraían al poder humano, como la electricidad; y gracias a la estadística, llevamos minuciosa cuenta de cuanto se engendra y de cuanto se devora; y si ya no se sabe, es de esperar que pronto se sepa, la cifra exacta de los panecillos, del vino y de la carne que se come y se bebe la humanidad de diario.

No es menester acudir a sabios profundos, cualquiera sabio adocenado y medianejo de nuestra edad conoce hoy, clasifica y ordena los fenómenos que hieren los sen-

---

[12] *90: pueden darse sin sentido*

tidos corporales, auxiliados estos sentidos por instrumentos poderosos que aumentan su capacidad de percepción. Además se han descubierto, a fuerza de paciencia y de agudeza, y por virtud de la dialéctica y de las matemáticas, gran número de leyes que dichos fenómenos siguen.

Natural es que el linaje humano se haya ensoberbecido con tamaños descubrimientos e invenciones; pero no sólo en torno y fuera de la esfera de lo conocido y circunscribiéndola, sino también llenándola, en lo esencial y sustancial, queda un infinito inexplorado, una densa e impenetrable oscuridad, que parece más tenebrosa por la misma contraposición de la luz con que ha bañado la ciencia la pequeña suma de cosas que conoce. Antes, ya las religiones con sus dogmas, que aceptaba la fe, ya la especulación metafísica con la gigante máquina de sus brillantes sistemas, encubrían esa inmensidad incognoscible, o la explicaban y la daban a conocer a su modo. Hoy priva el empeño de que no haya ni metafísica ni religión. El abismo de lo incognoscible queda así descubierto y abierto, y nos atrae y nos da vértigo, y nos comunica el impulso, a veces irresistible, de arrojarnos en él.

La situación, no obstante, no es incómoda para la gente sensata de cierta ilustración y fuste. Prescinden de lo trascendente y de lo sobrenatural para no calentarse la cabeza ni perder el tiempo en balde. Esta eliminación les quita[13] no pocas aprensiones y cierto miedo, aunque a veces les infunde otro miedo y sobresalto fastidiosos. ¿Cómo contener a la plebe, a los menesterosos, hambrientos e ignorantes, sin ese freno que ellos han desechado con tanto placer? Fuera de este miedo que experimentan algunos sensatos, en todo lo demás no ven sino motivo de satisfacción y parabienes.

Los insensatos, en cambio, no se aquietan con el goce del mundo, hermoseado por la industria e inventiva humanas,

---

[13] *90: Esta inclinación les quita*

ni con lo que se sabe, ni con lo que se fabrica, y anhelan averiguar y gozar más.

El conjunto de los seres, el universo todo, cuanto alcanzan a percibir la vista y el oído, ha sido, como idea, coordinado metódicamente en una anaquelería o casillero para que se comprenda mejor; pero ni este orden científico, ni el orden natural, tal como los insensatos le ven, los satisface. La molicie y el regalo de la vida moderna los han hecho muy descontentadizos. Y así, ni del mundo tal como es, ni del mundo tal como le concebimos, se forma idea muy aventajada. Se ven en todo faltas, y no se dice lo que dicen que dijo Dios: *que todo era bueno*. La gente se lanza con más frecuencia que nunca a decir que todo es malo; y en vez de atribuir la obra a un artífice inteligentísimo y supremo, la supone obra de un prurito inconsciente de fabricar cosas que hay *ab eterno* en los átomos, los cuales tampoco se saben a punto fijo lo que sean.

Los dos resultados principales de todo ello en la literatura de última moda son:

1.º Que se suprima a Dios o que no se le miente sino para insolentarse con él, ya con reniegos y maldiciones, ya con burlas y sarcasmos.

Y 2.º Que en ese infinito tenebroso e incognoscible perciba la imaginación, así como en el éter, nebulosas o semilleros de astros, fragmentos y escombros de religiones muertas, con los cuales procura formar algo como ensayo de nuevas creencias y de renovadas mitologías.

Estos dos rasgos van impresos en su librito de usted. El pesimismo, como remate de toda descripción de lo que conocemos, y la poderosa y lozana producción de seres fantásticos, evocados o sacados de las tinieblas de lo incognoscible, donde vagan las ruinas de las destrozadas creencias y supersticiones vetustas.

Ahora será bien que yo cite muestras y pruebe que hay en su libro de Ud., con notable elegancia, todo lo que afirmo; pero esto requiere segunda carta.

*

II

En la cubierta del libro que me ha enviado usted, veo que ha publicado Ud. ya o anuncia la publicación de otros varios, cuyos títulos son: *Epístolas y poemas, Rimas, Abrojos, Estudios críticos, Álbumes y abanicos, Mis conocidos* y *Dos años en Chile.* Anuncia igualmente dicha cubierta[14] que prepara Ud. una novela, cuyo solo título nos da en las narices del alma (pues si hay ojos del alma o tiene el alma ojos, bien puede tener narices) con un tufillo a pornografía. La novela se titula *La carne.*

Nada de esto, con todo, me sirve hoy para juzgar a Ud., pues yo nada de esto conozco. Tengo que contraerme al libro *Azul...*

En este libro no sé qué debo preferir: si la prosa, o los versos. Casi me inclino a ver mérito igual en ambos modos de expresión del pensamiento de Ud. En la prosa hay más riqueza de ideas; pero es más afrancesada la forma. En los versos, la forma es más castiza. Los versos de usted se parecen a los versos españoles de otros autores, y no por eso dejan de ser originales: no recuerdan a ningún poeta español, ni antiguo, ni de nuestros días.

El sentimiento de la naturaleza raya en Ud. en adoración panteística. Hay en las cuatro composiciones (*a* o más bien *en* las cuatro estaciones del año) la más gentílica exuberancia de amor sensual, y en este amor, algo de religioso. Cada composición parece un himno sagrado a Eros, himno que, a veces, en la mayor explosión de entusiasmo, el pesimismo viene a turbar con la disonancia, ya de un ay de dolor, ya de una carcajada sarcástica. Aquel sabor amargo, que brota del centro mismo de todo deleite, y que tan bien experimentó y expresó el ateo Lucrecio,

---

[14] *90: Anuncia también dicha cubierta*

medio de fonte leporum
Surgit amari aliquid, quod in ipsis floribus angat[15],

acude a menudo a interrumpir lo que Ud. llama

La música triunfante de mis rimas.

Pero, como en Ud. hay de todo, noto en los versos, además del ansia de deleite y además de la amargura de que habla Lucrecio, la sed de lo eterno, esa aspiración profunda e insaciable de las edades cristianas, que el poeta pagano quizá no hubiera comprendido.

Usted pide siempre más al hada, y...

El hada entonces me llevó hasta el velo
Que nos cubre las ansias infinitas,
La inspiración profunda
Y el alma de las liras.
Y lo rasgó. Y allí todo era aurora.

Pero aun así, no se satisface el poeta, y pide más al hada.

Tiene Ud. otra composición, la que lleva por título la palabra griega «Anagke», donde el cántico de amor acaba en un infortunio y en una blasfemia. Suprimiendo la blasfemia final, que es burla contra Dios, voy a poner aquí el cántico casi completo.

Y dijo la paloma:
Yo soy feliz. Bajo el inmenso cielo,
En el árbol en flor, junto a la poma
Llena de miel, junto al retoño suave
Y húmedo por las gotas del rocío,
Tengo mi hogar. Y vuelo,
Con mis anhelos de ave,
Del amado árbol mío
Hasta el bosque lejano,

---

[15] *De rerum natura,* libro IV, vv. 1126 y 1127: «Brota del seno mismo del deleite / tal amargor, que en medio de las flores / nos ortiga y angustia» (Saavedra y Mapes).

Cuando el himno jocundo
Del despertar de Oriente,
Sale el alba desnuda, y muestra al mundo
El pudor de la luz sobre su frente.
Mi ala es blanca y sedosa;
La luz la dora y baña
Y céfiro la peina.
Son mis pies como pétalos de rosa.
Yo soy la dulce reina
Que arrulla a su palomo en la montaña,
En el fondo del bosque pintoresco
Está el alerce en que formé mi nido;
Y tengo allí, bajo el follaje fresco,
Un polluelo sin par, recién nacido.
Soy la promesa alada,
El juramento vivo;
Soy quien lleva el recuerdo de la amada
Para el enamorado pensativo.
Yo soy la mensajera
De los tristes y ardientes soñadores,
Que va a revolotear diciendo amores
Junto a una perfumada cabellera.
Soy el lirio del viento.
Bajo el azul del hondo firmamento
Muestro de mi tesoro bello y rico
Las preseas y galas:
El arrullo en el pico,
La caricia en las alas.
Yo despierto a los pájaros parleros
Y entonan sus melódicos cantares:
Me poso en los floridos limoneros
Y derramo una lluvia de azahares.
Yo soy toda inocente, toda pura.
Yo me esponjo en las ansias del deseo,
Y me estremezco en la íntima ternura
De un roce, de un rumor, de un aleteo.
¡Oh inmenso azul! Yo amo. Porque a Flora
Das la lluvia y el sol siempre encendido:
Porque, siendo el palacio de la Aurora,

También eres el techo de mi nido.
¡Oh inmenso azul! Yo adoro
Tus celajes risueños,
Y esa niebla sutil de polvo de oro
Donde van los perfumes y los sueños.
Amo los velos tenues, vagarosos,
De las flotantes brumas,
Donde tiendo a los aires cariñosos
El sedeño abanico de mis plumas.
¡Soy feliz! Porque es mía la floresta,
Donde el misterio de los nidos se halla;
Porque el alba es mi fiesta
Y el amor mi ejercicio y mi batalla.
Feliz, porque de dulces ansias llena,
Calentar mis polluelos es mi orgullo;
Porque en las selvas vírgenes resuena
La música celeste de mi arrullo;
Porque no hay una rosa que no me ame,
Ni pájaro gentil que no me escuche,
Ni garrido cantor que no me llame!...
—¿Sí? dijo entonces un gavilán infame,
Y con furor se la metió en el buche.

Suprimo, como dije ya, los versos que siguen, y que no pasan de ocho, donde se habla de la risa que le dio a Satanás de resultas del lance y de lo pensativo que se quedó el Señor en su trono.

Entre las cuatro composiciones en las estaciones del año, todas bellas y raras, sobresale la del verano. Es un cuadro simbólico de los dos polos sobre los que rueda el eje de la vida: el amor y la lucha; el prurito de destrucción y el de reproducción. La tigre virgen en celo está magistralmente pintada, y mejor aún acaso el tigre galán y robusto que llega y la enamora.

Al caminar se vía
Su cuerpo ondear con garbo y bizarría.
Se miraban los músculos hinchados
Debajo de la piel. Y se diría
Ser aquella alimaña

Un rudo gladiador de la montaña.
Los pelos erizados
Del labio relamía. Cuando andaba,
Con su peso chafaba
La hierba verde y muelle,
Y el ruido de su aliento semejaba
El resollar de un fuelle.

Síguense la declaración de amor, el *sí* en lenguaje de tigres y los primeros halagos y caricias. Después... el amor en su plenitud, sin los poco decentes pormenores en que entran Rollinat y otros casos semejantes.

Después el misterioso
Tacto, las impulsivas
Fuerzas que arrastran con poder pasmoso,
Y ¡oh gran Pan! el idilio monstruoso
Bajo las vastas selvas primitivas.

El príncipe de Gales, que andaba de caza por allí con gran séquito de monteros y jauría de perros, viene a poner trágico fin al idilio.

El príncipe mata a la tigre de un escopetazo. El tigre se salva, y luego en su gruta tiene un extraño sueño:

Que enterraba las garras y los dientes
En vientres sonrosados
Y pechos de mujer; y que engullía
Por postres delicados
De comidas y cenas,
Como tigre goloso entre golosos,
Unas cuantas docenas
De niños tiernos, rubios y sabrosos.

No parece sino que, en sentir del poeta, tendría menos culpa el tigre, aunque fuese ser responsable, devorando mujeres y niños, que el príncipe matando tigres. El afecto del poeta se extiende casi por igual sobre tigres y sobre príncipes, a quienes un determinismo fatal mueve a matarse *recíprocamente*, como el ratón y el gato en la fábula de Álvarez.

116

Los cuentos en prosa son más singulares aún. Parecen escritos en París, y no en Nicaragua ni en Chile. Todos son brevísimos. Usted hace gala de laconismo. «La Ninfa» es quizá el que más me gusta. La cena en la quinta de la cortesana está bien descrita. El discurso del sabio prepara el ánimo del lector. Los límites, que tal vez no existan, pero que todos imaginamos, trazamos y ponemos entre lo natural y lo sobrenatural, se esfuman y desaparecen. San Antonio vio en el yermo un hipocentauro y un sátiro. Alberto Magno habla también de sátiros que hubo en su tiempo ¿Por qué ha de ser esto falso? ¿Por qué no ha de haber sátiros, faunos y ninfas? La cortesana anhela ver un sátiro vivo: el poeta, una ninfa. La aparición de la ninfa desnuda al poeta, en el parque de la quinta, a la mañana siguiente, en la umbría apartada y silenciosa, entre los blancos cisnes del estanque, está pintada con tal arte que parece verdad.

La ninfa huye y queda burlado el poeta: pero en el almuerzo, dice luego la cortesana:

—«El poeta ha visto ninfas.»

«Todos la contemplaron asombrados, y ella me miraba como una gata y se reía, se reía, como una chicuela a quien se le hiciesen cosquillas.»

«El velo de la reina Mab» es precioso. Empieza así:

«La reina Mab, en su carro hecho de una sola perla, tirado por cuatro coleópteros de petos dorados y alas de pedrería, caminando sobre un rayo de sol, se coló un día por la ventana de una buhardilla, donde estaban cuatro hombres flacos, barbudos e impertinentes, lamentándose como unos desdichados.»

Eran un pintor, un escultor, un músico y un poeta. Cada cual hace su lastimoso discurso, exponiendo aspiraciones y desengaños. Todos terminan en la desesperación.

«Entonces la reina Mab, del fondo de su carro, hecho de una sola perla, tomó un velo azul, casi impalpable, como formado de suspiros o de miradas de ángeles rubios y pensativos. Y aquel velo era el velo de los sueños, de los dulces sueños que hacen ver la vida de color de rosa. Y con él envolvió a los cuatro hombres flacos, barbudos e impertinentes. Los cuales cesaron de estar tristes, porque penetró en su

pecho[16] la esperanza, y en su cabeza el sol alegre, con el diablillo de la vanidad, que consuela en sus profundas decepciones a los pobres artistas.»

Hay en el libro otros varios cuentos, delicados y graciosos, donde se notan las mismas calidades. Todos estos cuentos parecen escritos en París.

Voy a terminar hablando de los dos más trascendentales:
«El rubí» y «La canción del oro».

El químico Fremy ha descubierto, o se jacta de haber descubierto, la manera de hacer rubíes. Uno de los gnomos roba
uno de estos rubíes artificiales del medallón que pende del
cuello de cierta cortesana, y le lleva a la extensa y profunda
caverna donde los gnomos se reúnen en conciliábulo. Las
fuerzas vivas y creadoras de la naturaleza, la infatigable in-
exhausta fecundidad del alma tierra[17] están simbolizadas en
aquellos activos y poderosos enanillos que se burlan del sabio y demuestran la falsedad de su obra. «La piedra es falsa,
dicen todos: obra de hombre o de sabio, que es peor.»

Luego cuenta el gnomo más viejo la creación del verdadero primer rubí. Es un hermoso *mito,* que redunda en alabanza de Amor y de la madre Tierra, «de cuyo vientre moreno brota la savia de los troncos robustos, y el oro y el agua
diamantina y la casta flor de lis: lo puro, lo fuerte, lo infalsificable». Y los gnomos tejen una danza frenética y cele-
bran una orgía sagrada, ensalzando a la mujer, de quien suelen enamorarse, porque es espíritu y carne: toda Amor.

«La canción del oro» sería el mejor de los cuentos de Ud.
si fuera cuento, y sería el más elocuente de todos ellos si no
se emplease[18] en él demasiado una *ficelle,* de que se usa y de
que se abusa muchísimo en el día.

En la calle de los palacios, donde todo es esplendor y
opulencia, donde se ven llegar a sus moradas, de vuelta de
festines y bailes, a las hermosas mujeres y a los hombres ricos, hay un mendigo extraño, hambriento, tiritando de frío,
mal cubierto de harapos. Este mendigo tira un mordisco a

---

[16] En *90,* por errata: *en ellos.*
[17] *Sic* en *90,* en *Cartas: de la alma de la tierra*
[18] *90: si no emplease*

un pequeño mendrugo de pan bazo: se inspira y canta la canción del oro.

Todo el sarcasmo, todo el furor, toda la codicia, todo el amor desdeñado, todos los amargos celos, toda la envidia que el oro engendra en los corazones de los hambrientos, de los menesterosos y de los descamisados y perdidos, están expresados en aquel himno en prosa.

Por esto afirmo que sería admirable «La canción del oro» si se viese menos la *ficelle:* el método o traza de la composición, que tanto siguen ahora los prosistas, los poetas y los oradores.

El método es crear algo por superposición o aglutinación, y no por organismo.

El símil es la base de este método. Sencillo es no mentar nada sin símil: todo es como algo. Luego se ha visto que salen de esta manera muchísimos *comos,* y en vez de los *comos* se han empleado los *eses* y las *esas.* Ejemplo: la tierra, esa madre fecunda de todos los vivientes; el aire, ese manto azul que envuelve el seno de la tierra, y cuyos flecos son las nubes; el cielo, ese campo sin límites por donde giran las estrellas, etc. De este modo es fácil llenar mucho papel. A veces los *eses* y las *esas* se suprimen, aunque es menos enfático y menos francés, y sólo se dice: el pájaro, flor del aire; la luna, lámpara nocturna, hostia que se eleva en el templo del espacio, etcétera.

Y, por último, para dar al discurso más animación y movimiento, se ha discurrido hacer enumeración de todo aquello que se asemeja en algo al objeto de que queremos hablar. Y terminada la enumeración, o cansado ya el autor de enumerar[19], pues no hay otra razón para que termine, dice: eso soy yo: eso es la poesía: eso es la crítica: eso es la mujer, etc. Puede también el autor, para prestar mayor variedad y complicación a su obra, decir lo que no es el objeto que describe antes de decir lo que es. Y puede decir lo que no es como quien pregunta. Fórmula: ¿Será esto, será aquello, será lo de más allá? No; no es nada de eso. Luego... la retahíla de cosas que se ocurran. Y por remate. Eso es.

---

[19] *90: cansado el autor de enumerar*

Este género de retórica es natural, y todos lo empleamos[20]. No se critica aquí el uso, sino el abuso. En el abuso hay algo parecido al juego infantil de apurar una letra. «Ha venido un barco cargado de...» Y se va diciendo (si *v. gr.* la letra es *b)* de baños, de buzos, de bolos, de berros, de bromas...

Las composiciones escritas según este método retórico tienen la ventaja de que se pueden acortar y alargar *ad libitum,* y de que se pueden leer al revés lo mismo que al derecho, sin que apenas varíe el sentido.

En mis peregrinaciones por países extranjeros, y harto lejos de aquí, conocí yo y traté a una señora muy entendida, cuyo marido era poeta; y ella había descubierto en los versos de su marido que todos se leían y hacían sentido empezando por el último verso y acabando por el primero. Querían decir algunos maldicientes que ella había hecho el descubrimiento para burlarse de los versos de la cosecha de casa; pero yo siempre tuve por seguro que ella, cegada por el amor conyugal, ponía en este sentido indestructible, léanse las composiciones como quiera que se lean, un primor raro que realzaba el mérito de ellas.

Me ha corroborado en esta opinión un reciente escrito de D. Adolfo de Castro[21], quien descubre y aplaude en algunos versos de Santa Teresa, casi como don celeste o gracia divina, esa prenda de que se lean al revés y al derecho, resultando idéntico sentido.

La verdad del caso, considerado y ponderado todo con imparcial circunspección, es que tal modo retórico es ridículo cuando se toma por muletilla, o sirve de pauta para escribir; pero si es espontáneo, está muy bien: es el lenguaje propio de la pasión.

Figurémonos a una madre, joven, linda y apasionada, con un niño rubito y gordito y sonrosado de dos años que está en sus brazos. Mientras ella le brinca y él le sonríe, ella

---

[20] *le empleamos:* en *90* y *Cartas.*
[21] Adolfo Castro y Rossi (1823-1898); prolífico autor español de tratados históricos y literarios. Algunas de sus obras fueron muy populares y se tradujeron a varios idiomas.

le dará[22] natural y sencillamente interminable lista de nombres de objetos, algunos de ellos disparatados. Le llamará ángel, diablillo, mono, gatito, chuchumeco, corazón, alma, vida, hechizo, regalo, rey, príncipe, y mil cosas más. Y todo estará bien, y nos parecerá encantador, sea el que sea el orden en que se ponga. Pues lo mismo puede ser toda composición, en prosa o verso, por el estilo, con tal de que no sea[23] buscado ni frecuente este modo de componer.

El modelo más egregio del género, el ejemplar arquetipo, es la letanía. La Virgen es puerta del cielo, estrella de la mañana, torre de David, arca de la alianza[24], casa de oro, y mil cosas más, en el orden que se nos antoje decirlas.

«La canción del oro» es así: es una letanía, sólo que es infernal en vez de ser célica. Es por el gusto de la letanía que Baudelaire compuso al demonio; pero, conviniendo ya en que «La canción del oro» es letanía, y letanía infernal, yo me complazco en sostener que es de las más poéticas, ricas y enérgicas que he leído. Aquello es un diluvio de imágenes, un desfilar tumultuoso de cuanto hay, para que encomie el oro y predique sus excelencias.

Citar algo es destruir el efecto que está en la abundancia de cosas que en desorden se citan y acuden a cantar el oro «misterioso y callado en las entrañas de la tierra, y bullicioso cuando brota a pleno sol y a toda vida; sonante como coro de tímpanos, feto de astros, residuo de luz, encarnación de éter: hecho sol, se enamora de la noche, y, al darle el último beso, riega su túnica con estrellas como con gran muchedumbre de libras esterlinas. Despreciado por Jerónimo, arrojado por Antonio, vilipendiado por Macario, humillado por Hilarión, es carne de ídolo, dios becerro, tela de que Fidias hace el traje de Minerva. De él son las cuerdas de la lira, las cabelleras de las más tiernas amadas, los granos de la espiga, y el peplo que al levantarse viste la olímpica aurora».

Me había propuesto no citar nada, y he citado algo, aunque poco. La composición es una letanía inorgánica, y, sin

---

22 *90: ella le dirá*
23 *90: con tal que no sea*
24 *Sic* en *90*, en *Cartas: Arca de la Alianza*

embargo, ni la ironía, ni el amor y el odio, ni el deseo y el desprecio simultáneos que del oro inspira al poeta en la inopia (achaque crónico y epidémico de los poetas), resaltan bien sino de la plenitud de cosas que dice del oro, y que se suprimen aquí por amor a la brevedad.

En resolución, su librito de Ud., titulado *Azul...*, nos revela en Ud. a un prosista y a un poeta de talento.

Con el *galicismo mental* de Ud. no he sido sólo indulgente, sino que hasta le he aplaudido[25] por lo perfecto. Con todo, yo aplaudiría muchísimo más, si con esa ilustración francesa que en usted hay se combinase la inglesa, la alemana, la italiana, y ¿por qué no la española también? Al cabo, el árbol de nuestra ciencia no ha envejecido tanto que aún no pueda prestar jugo, ni sus ramas son tan cortas ni están tan secas que no puedan retoñar como mugrones del otro lado del Atlántico. De todos modos, con la superior riqueza y con la mayor variedad de elementos, saldría de su cerebro de Ud. algo menos exclusivo y con más altos, puros y serenos ideales: algo más *azul* que el azul de su libro de usted: algo que tirase menos a lo *verde* y a lo *negro*. Y por cima de todo, se mostrarían más claras y más marcadas la originalidad de Ud. y su individualidad de escritor.

JUAN VALERA

---

[25] 90: *sino que le he aplaudido*

122

Prólogo de Eduardo de la Barra

L'art c'est l'azur
VÍCTOR HUGO

I

¡Qué cofre tan artístico! ¡Qué libro tan hermoso!
¿Quién me lo trajo?

¡Ah! la Musa joven de alas sonantes y corazón de fuego,
la Musa de Nicaragua, la de las selvas seculares que besa el
sol de los trópicos y arrullan dos océanos.

¡Qué hermosas páginas de deliciosa lectura, con prosa
como versos, con versos como música! ¡Qué libro! todo
luz, todo perfume, todo juventud y amor.

Es un regalo de hadas: es la obra de un poeta[1]. Pero, de
un poeta verdadero, siempre inspirado, siempre artista, sea
que suelte al aire las alas azules de sus rimas, sea que talle en
rubíes y diamantes las facetas de su prosa.

Rubén Darío es, en efecto, un poeta de exquisito temperamento artístico que aduna el vigor a la gracia; de gusto
fino y delicado, casi diría aristocrático; neurótico y por lo
mismo original; lleno de fosforescencias súbitas, de novedades y sorpresas; con la cabeza poblada de aladas fantasías[2],
quimeras y ensueños, y el corazón ávido de amor, siempre
abierto a la esperanza.

---

[1] En *88* las líneas que siguen se disponen como párrafo aparte.
[2] *90: poblada de alas, fantasías, ...*

123

Si el ala negra de la muerte antes no lo toca, si las fogosidades del numen no lo consumen o despeñan, Rubén Darío llegará a ser una gloria americana, que tal es la fuerza y ley de su estro juvenil!

En la portada de su libro, sobre la tapa de su cofre cincelado brilla la palabra «Azul...» misteriosa como es el océano, profunda como el cielo azul, soñadora como los ojos azul-cielo.

«L'art c'est l'azur», dijo el gran poeta.

Sí; pero aquel azul de las alturas que desprende un rayo de sol para dorar las espigas y las naranjas, que redondea y sazona las pomas, que madura los racimos y colora las mejillas satinadas de la niñez.

Sí, el arte es el azul, pero aquel azul de arriba que desprende un rayo de amor para encender los corazones y ennoblecer el pensamiento y engendrar las acciones grandes y generosas.

Eso es el ideal, eso el azul[3] con irradiaciones inmortales, eso lo que contiene el cofre artístico del poeta.

Y aquellas alas de mariposa azul ¿de qué nos sirven?, preguntarán los que nacieron sin alas. ¿De qué nos sirve eso que flota[4] en el vago azul de los sueños?

Contesta el poeta:

—«Pour des certains êtres sublimes, planer c'est servir.»

II

Abramos el cofre *Azul...* de Rubén para examinar sus joyas, no con la balanza y gafas del judío[5], no con las minucias analíticas del gramático, sino para contemplarlas a la amplia luz de la síntesis artística capaz de abarcar en una mirada el conjunto de la obra, y de comprender la idea y el sentimiento que inspiraron al autor.

El poeta más original y filosófico de España —Campoamor— dice: que la obra poética se ha de juzgar por la novedad del asunto, la regularidad del plan, el método con que

---

[3] *Azul* en *88.*
[4] *90: ¿De qué sirve eso que flota*
[5] *88: no con la balanza y las gafas del judío*

se le desarrolla y su finalidad trascendente. Y agrega: «a un artista no se le puede pedir más que su idea y su estilo, y, generalmente, para ser grande le basta sólo su estilo».

No pensaron así los griegos. Para ellos el mérito de la obra estriba en el *asunto*, antes que en el estilo; en la idea poética, no en su ropaje. La clámide no hace al hombre.

Eran adoradores de la bella forma; pero más de las justas proporciones, es decir, del plan y su desarrollo.

El *asunto* —que comprende el argumento y la acción—, es, sin duda, lo primero. Dada la idea, la poesía la reviste de un cuerpo, la humaniza, la hace interesante para todos los hombres, o, como dice el padre de las doloras: —la idea se convierte en *imagen*, hay enseguida que darle *carácter* humano, y después, *universalizarla*, si es posible.

Creemos, además, que la poesía debe cultivarse como medio de mejorar, deleitando el espíritu y elevándolo, y entonces, las brillantes fruslerías de los versos, las alas azules de mariposa, se convertirán en estrella que guía, en alas de águila que levantan.

La regla sería: —la ficción para hacer resaltar la verdad; el esplendor de la imaginación propia alumbrando la razón ajena y avivando la conciencia, la imagen para esculpir el pensamiento que inclina a la virtud y eleva la inteligencia.

He aquí en pocas palabras las miras de nuestra poética, y a ella ajustamos nuestro criterio. Quien quiera aceptarlas, aplíquelas, si le agrada, al libro que le presentamos. El libro saldrá airoso de la prueba.

Apuntamos estas bases de criterio para los jóvenes estudiosos que quieran comprender este libro en su valor artístico: no las aplicamos, porque no es nuestro objeto, ni el lugar de hacerlo.

III

Pero, éstas no son[6], por cierto, para los lindos ojos de las curiosas, astros errantes que recorrerán gozosos las poéticas páginas de *Azul*...

---

[6] 88: *Pero estas reglas no son*

Yo les enseñaré a juzgar de las obras de arte con el corazón, como a ellas les gusta y acomoda. ¿Queréis saber cómo, lindas curiosas? Oíd.

Si la lectura del libro —o la contemplación del lienzo y del mármol— os produce una sensación de agrado, o de alegría; si involuntariamente exclamáis: «¡qué lindo!», tened por seguro que la obra es bella y, por tanto, poética. Si no podéis abandonar el drama o la novela, y vuestros dedos de marfil y rosa vuelven y vuelven una página tras otra para que las devoren los ojos hechizados, ¡ah!, entonces el autor acertó a ser interesante, lo que es un gran mérito y un triunfo. Si el corazón os late más de prisa, si un suspiro se os escapa, si una lágrima rueda sobre el libro, si lo cerráis y os quedáis pensativa, ¡ah!, entonces, bella lectora, no os quepa duda, por allí ha pasado un alma poética derramando el nardo penetrante de su sentimiento.

La obra que deleitando consiga dar luz a la mente y palpitaciones al corazón helado, si aviva la conciencia, si mueve a las acciones nobles y generosas, si enciende el entusiasmo por lo bueno, lo bello y lo verdadero, si se indigna contra las deformidades del vicio y las injusticias sociales y hace que nos interesemos por todos los que sufren, decid que es obra elocuente y eminentemente poética.

Bajo las apariencias graciosas de la ficción suele ocultarse la fuerza de estas grandes enseñanzas, y entonces la obra llega a las altas cumbres del arte.

Aplicad, lindas lectoras, aplicad estas reglas del sentimiento a las armonías azules de Rubén Darío, y vuestro juicio será certero. Vuestros ojos, lo sé, derramarán más de una lágrima, vuestros labios gozosos dirán «¡qué lindo!, ¡qué lindo!...», y luego os quedaréis pensativas, como traspuestas, como flotando en el país encantado de los sueños azules.

IV

Dejadme hacer un poco como vosotras. Pues que se trata de un poeta y no de un filósofo, queden a un lado la escuadra y el compás del retórico. Quiero estimar por su aroma a la flor, al astro por su luz, al ave por su canto.

Venid conmigo, palomas blancas y garzas morenas; para vosotras hablo ahora.

Nada de filosofía[7], nada de finalidades trascendentes, ni de abstracciones sensibilizadas, humanizadas y universalizadas. Eso, estoy seguro, hiere vuestros tímpanos delicados hechos para la música y el amor.

Conversemos del poeta; pero sin murmurar, si es posible. Escuchadme.

Rubén Darío es de la escuela de Víctor Hugo; más[8], tiene a veces el aticismo y la riqueza ornamental de Paul de St. Victor, y la atrayente ingenuidad del italiano d'Amicis, tan llena de aire y de sol. Describe los bohemios del talento como lo haría Alphonse Daudet, y pinta la naturaleza con la unción, el colorido y frescura de los autores de *Pablo y Virginia* y de la criolla *María*.

Os sonreís pensando: ¿qué tiene de común Víctor Hugo, el relámpago y el trueno, con los idilios americanos de St. Pierre y de Isaacs, y con las escenas parisienses del autor de *Sapho*?[9].

Son, en verdad, estilos y temperamentos muy diversos, mas nuestro autor de todos ellos tiene rasgos, y no es ninguno de ellos. Ahí precisamente está su originalidad. Aquellos ingenios[10], aquellos estilos, todos aquellos colores y armonías, se aúnan y funden en la paleta del escritor centroamericano, y producen una nota nueva[11], una tinta suya, un rayo genial y distintivo que es el sello del poeta. De aquellos diferentes metales que hierven juntos en la hornalla de su cerebro, y en que él ha arrojado su propio corazón, al fin se ha formado el bronce de sus *Azules*[12].

Su originalidad incontestable está en que todo lo amalgama, lo funde y lo armoniza en un estilo suyo, nervioso, de-

---

[7] *88: Nada de filosofías*

[8] *88: mas.*

[9] La novela *Pablo y Virginia*, de Bernardin de Saint-Pierre, no se desarrolla en América, sino en la isla de Mauricio, en el océano Índico, al este de Madagascar. La titulada *Sapho* fue publicada por Alphonse Daudet en 1884.

[10] *88: Aquellos ingenios diversos*

[11] *90: producen una nota nueva, sin y.*

[12] *Sic* en *88* y en *90.*

licado, pintoresco, lleno de resplandores súbitos y de graciosas sorpresas, de giros inesperados, de imágenes seductoras, de metáforas atrevidas, de epítetos relevantes y oportunísimos y de palabras bizarras, exóticas aún, mas siempre bien sonantes.

V

Acaso se apega demasiado a la forma; pero ésa es su manera: y, luego, que él no descuida el fondo. Acaso...

¡Chit!... Acercaos más, lindas muchachas, estrechad vuestra rueda como las ninfas campestres en torno del viejo Anacreonte, y escuchadme.

¿Sabéis? ¡Su hermosa Musa tiene un defecto!

—¿Cuál? ¿Cuál?

—¡El ser demasiado hermosa!

—¡Ah!... ¡Oh!... ¡Bah!... ¡Bah!...

—Dejadme concluir: ¡y presumida!... ¿Qué diríais de la muchacha que untara de bermellón sus mejillas frescas y rozagantes? ¿Qué, de la niña que vistiera perpetuamente de baile por parecer mejor?

—Y eso, ¿a qué viene?

—Vais a ver. El poeta tiene su flaco: esmalta y enflora demasiado sus bellísimos conceptos, abusa del colorete, del polvo de oro, de las perlas irisadas, de los abejeos azules... y sin necesidad; mientras más sobrio de luces y colores, más natural es y más encantador. Siempre el estilo ático fue más estimado que el estilo rodio por los hombres de buen gusto. La elegancia no consiste en el exceso de adornos, ni en la profusión de alhajas.

Pero eso no es nada[13]. Él sabe hacer elegante su riqueza y aceptable su colorete: el peligro es para sus imitadores, que creen tener sus vuelos, porque salpican sus salsas literarias con el áureo polvo, y su estro, porque se recargan de falsa pedrería como serafines de aldea.

---

[13] *88: Pero, eso es nada!*

Sigamos murmurando, como los críticos... ¿Sabéis?...

—¿Qué más, maestro?

—El poeta tiene otro flaco... ¿Os reís?... ¡Eh! callaré...

—¡No!, ¡no! ¡Hablad, por favor!...

Darío adora a Víctor Hugo y también a Cátulo Méndez[14]. Junto al gran anciano, *leader* un día de los románticos, coloca en su afecto a la secta moderna de los simbolistas y decadentes, esos idólatras del espejo en la frase[15], de la palabra relumbrosa y de las aliteraciones bizantinas.

Víctor Hugo tenía el soplo gigantesco de Homero y de Isaías. El torbellino de su inspiración producía su pensamiento exuberante, que no podía vaciarse en los moldes estrechos de la Academia, y él, entonces, impelido por necesidad imperiosa, se creaba su propia lengua, con la audacia del genio. Para derramar su pensamiento fulgurante, tomaba cuanto hallaba a la mano[16]: sonido, color, letra, palabra, suspiro, desgarramiento, no importa qué; cuantos acentos e inflexiones toman la voz humana y la magna voz de la naturaleza entera, bosque, nube, océano; cuantas maneras de expresar puedan imaginarse; cuantas combinaciones alcancen a idearse, todo era bueno para él, todo era suyo, todo elemento de su lengua, y todo se plegaba dócilmente a su pensamiento y obedecía a su voluntad soberana.

Eso pudo Víctor Hugo, porque suyo era el verbo creador, porque él era el genio. El verbo puede crearse su propia carne, como el caracol su concha; pero la carne sola jamás creará al verbo, y como la estatua, existirá sin alma.

La luz produce los colores; los colores no encienden la luz.

Los poetas neuróticos de París, que se llaman los *decadentes,* quieren hacer como Víctor Hugo, y torturan la lengua, la sacan de quicio, la retuercen y la dan extrañas formas y giros; pero poco se curan del pensamiento. ¡No bajará para ellos el Espíritu en forma de lenguas de fuego!

---

[14] *88: Catulo Méndes.*

[15] *88: espejeo de la frase*

[16] *88: a mano*

Darío tiene bastante talento para escapar a la Sirena de la moda que lo atrae al escollo... Pero, ¡cuidado! Góngora también tenía talento...

En sus poéticas páginas, en prosa y en verso, el pensamiento relampaguea a cada paso; pues él quiere más, y las palabras, desplegadas en guerrilla, avanzan a fogonazos.

No se abandona a su talento, busca el efecto, busca el éxito en la novedad, y el relámpago se asocia al polvorazo, lo grande natural a lo pequeño artificial, Víctor Hugo a Verlaine, la *Leyenda de los siglos* a los *Poemas saturninos*[17].

He ahí el bermellón; como si el colorete en algo favoreciera las rosas de la juventud.

¡Fuera el oropel! ¡Fuera lo artificial, oh, jóvenes, y soplará un aire sano sobre las letras como sobre las flores del campo!

VI

—¡Cierto!... Mas, ¿quiénes son esos *decadentes* de que habláis? ¿Cómo es que nuestro poeta sacrifica en sus altares?

—Os lo diré. Las letras, como las flores, como las frutas, como los pueblos, suelen sufrir epidemias que las devastan y desfiguran.

Comprendo bien que el pensamiento puede ajustarse[18] a su forma y armonizar con ella. Alma bella en cuerpo bello es el ideal.

Pues bien, hay ocasiones en que el exagerado amor a la forma ha perjudicado al pensamiento y producido esas deformidades epidémicas en la literatura, que suelen encontrar fervorosos partidarios y hasta imponerse a un pueblo y a una época entera. Pasada la moda se la encuentra ridícula, y nadie comprende cómo vino ni qué ceguera la hizo aceptable.

Y si no, ahí están para probarlo aquellas fiebres que han invadido las literaturas europeas, comenzando por el *euphuismo,* introducido por John Lilly en la corte de Isabel de Inglaterra; el *marinismo,* que invade la Italia con sus *concetti;* al propio tiempo que el *gongorismo* hace estragos en

---

[17] *Verlaine, Verlain en 88 y 90; saturninos, sic en 88 y 90.*
[18] *88: el pensamiento debe ajustarse*

130

las letras castellanas, y la lengua *preciosa* en las francesas. Ni la sesuda Alemania escapó a aquellas plagas, pues el poeta Lohenstein les llevó el contagio poco después. El Hotel Rambouillet, centro culto y perfumado, creó el «estilo galante», que degeneró en el *preciosismo,* y de su *Salón azul,* donde por primera vez se unían la aristocracia de cuna y la del talento, salió también el *Adonis* de Marini, aquel terrible decadente llamado a Francia por María de Médicis[19].

Nacen estas plagas del prurito de crear nuevos dialectos poéticos, que no corresponden a nuevas ideas ni a nuevos sentimientos; nacen de sobreponer por moda lo ficticio a lo natural, lo convencional a lo verdadero, la factura del mosaico paciente a los esplendores del genio.

En Francia, tras de los románticos —emancipadores exagerados de lo convencional clásico, que reinaba desde los días de Ronsard y su pléyade— brotaron los parnasianos, simbolistas y *decadentes.* Los románticos tienen razón de ser: representan la revolución en las letras. Con el chaleco colorado en reemplazo del gorro frigio, marcharon contra la tiranía de Boileau y de Le Harpe[20], y dieron a las letras un rumbo más humano y más propio de nuestro tiempo y nuestra civilización. Pero, ¿qué buscan los *decadentes?,* ¿qué nos traen de nuevo?, ¿cuál es su razón de ser?

¿Queréis conocerlos? Os los voy a presentar.

No se sabe a punto fijo de dónde vienen, ni creo que ellos sepan mejor a dónde van; y en esto se parecen un poco a los gitanos.

---

[19] John Lilly (1554-1606) intentó reformar la literatura inglesa con el eufuismo, estilo recargado, pedantesco y amanerado. El *marinismo,* introducido por Giovanni Battista Marini (1569-1625), es la tendencia poética italiana equivalente al eufuismo inglés y a los movimientos literarios mencionados por De la Barra a continuación. Daniel Lohenstein (1635-1683), poeta alemán de versos altisonantes y de escasa belleza. *Hôtel de Rambouillet:* era el palacio de la marquesa de Rambouillet y, de 1617 a 1645, fue el centro de la intelectualidad parisina.

[20] N. Boileau (1636-1711), poeta y preceptista francés, admirador de Horacio y defensor de los cánones clasicistas. Jean François Le Harpe (1739-1813), popular dramaturgo y crítico francés, con estudios sobresalientes acerca de Racine.

¿Vienen de los hermanos Goncourt? ¿Nacieron de las *Flores del mal* de Baudelaire? ¿O acaso son imitadores bastardos de Víctor Hugo, que a falta de genio quieren parecérsele por las rarezas del lenguaje? ¿Descenderían, por ventura, estos zíngaros, de Ramsés el Grande? ¡Todo puede ser!

Sea como fuere, ello es que la escuela modernísima de los *decadentes* busca con demasiado empeño el valor musical de las palabras y descuida su valor ideológico. Sacrifica las ideas a los sonidos y se consagra, como dicen sus adeptos, a la *instrumentación poética*.

Los *decadentes* no sólo olvidan el significado recto de los vocablos, sino que los enlazan sin sometimiento a ninguna ley sintáxica[21], con tal que de ello resulte alguna belleza a su manera, la cual bien puede ser una algarabía para los no iniciados en sus gustos.

A los que así proceden los llamó *decadentes* el buen sentido público, y ellos, como pasa tantas veces, del apodo hicieron una divisa.

Los poetas neuróticos de esta secta hacen vida de noctámbulos y ocurren a los excitantes y narcóticos para enloquecer sus nervios, y así procurarse visiones y armonías y ensueños poéticos. Acuden a la ginebra y al ajenjo, al opio y a la morfina, como Poe y Musset, como los turcos y los chinos. El deseo de singularizarse es su motor, la neurosis su medio.

¡Tales son los *decadentes,* los de la instrumentación poética! ¡Divina locura! Caso curioso de la patología literaria...

En estos neuróticos debe operarse cierta inversión de los sentidos, pues que en su vocabulario especial confunden los sonidos con los colores y los sabores como pasa bajo el imperio de la sugestión hipnótica.

Comprendo que la chispa eléctrica sea luz azuleja para el ojo, crepitación para el oído, escozor para la mano, acidez para el paladar, y aun concibo que tenga olor, si se la hace caer en los nervios del olfato. Comprendo que el alma, libre del fardo de la materia, tenga una noción única, y, por tanto, más perfecta, de la chispa eléctrica, aunando las cin-

---

[21] *Sic* en *88* y *90.*

co nociones elementales diversas que los sentidos le proporcionan, tal como de la fusión de los colores del espectro resulta el rayo de luz. Comprendo que las sensaciones recibidas por los sentidos tengan grandes analogías y estrechas relaciones entre sí, desde que todas no son más que modos de movimiento, y sólo se diferencian en la rapidez de las vibraciones. Pero lo que no comprendo es que hombres despiertos y metidos en el estuche de su cuerpo vivo, me digan: que el clarín suena rojo, que llega a herir su tímpano el aroma azul de las violetas, que ven con el paladar y que oyen por la nariz!... ¡Y menos comprendo todavía, ni admito, la necesidad de amoldar la lengua a tan extravagante discordia de los sentidos, a nombre de la divina *instrumentación!*

Y no creáis, mis señoras, que exagero. Los *decadentes* no son desprevenidos y tienen su Código[22]. Han ya reducido a preceptos las incoherencias de sus sueños morfinizados en el *Tratado del Verbo*[23].

Establécese allí que cada letra tiene un color, cada color corresponde a un instrumento músico y cada instrumento simboliza una pasión o un modo de ser. Así, por ejemplo:

La A es negra, lo negro es el órgano, el órgano expresa la duda, la monotonía y la simpleza *(sic)*[24].

La E es blanca, lo blanco es el harpa; el harpa es la serenidad, etc., etc.

De las combinaciones de letras, según ellos, nacen los diversos matices del sonido, del color y del sentimiento. He aquí, pues, la cábala judía aplicada a las bellas letras.

Como el niño que juega inconsciente al borde del precipicio, así estos poetas decadentes sonríen junto al abismo, en aquella triste penumbra vaga que separa la razón de la demencia.

Las aliteraciones, las combinaciones de letras y sonidos que ellos miran como nuevas, en su parte racional eran conocidas por el viejo Homero y usadas por Virgilio. Las ar-

---

[22] *Sic* en *88* y *90*.
[23] René Ghil (1862-1892) publicó su *Traité du verbe* en 1885; hubo una segunda edición en 1887 (París, Alcan Levy).
[24] La precisión es de Eduardo de la Barra y aparece en *88* y en *90*.

monías que ellos buscan con tan raro ahínco, otros las encontraron ya sin salir de lo razonable, y es lo que los retóricos, desde Aristóteles hasta hoy, comprenden en la armonía de los sonidos musicales, la armonía imitativa y la armonía que establece el acuerdo entre la idea y las palabras con que se le da expresión.

No hay, pues, tal novedad.

VII

¿Es Rubén Darío *decadente?*
Él lo cree así; yo lo niego.

Él lo cree, porque poetiza la nueva escuela; porque siente las atracciones de la forma, como todas las imaginaciones tropicales; porque tiene fiebre de originalidad.

Yo lo niego, porque no le encuentro las extravagancias características de la escuela decadente, por más que tenga las inclinaciones. Lo niego, porque él no ensarta palabras para aparentar ideas, sino que tiene el divino numen que lo salva de las atracciones del abismo, como las alas al águila.

¡Ay de los incautos que pretendan seguirlo!

La poética decadente de Darío es al *Tratado del Verbo* lo que el hombre al mono. Ella está consignada en un hermoso estudio que consagró a Cátulo Méndez[25], donde él mismo se pinta de cuerpo entero y descubre los procedimientos que emplea.

Dice allí, en son de reproche, que «Julio Janín[26] consideraba un absurdo, una locura, pretender pintar el color de un sonido, el perfume de un astro, algo como aprisionar el alma de las cosas».

Otros encuentran que «hay un exceso de arte, un abandono del fondo, del verbo, por la envoltura opulenta...» (¡Oíd!)... «¡Ah! y esos desbordamientos de oro, esas frases

---

[25] *88:* Catulo *Méndes.* Se refiere al artículo de Darío «Catulo Méndez *[sic].* Parnasianos y decadentes», aparecido en *La Libertad Electoral de Santiago* el 7 de abril de 1888.

[26] Jules Janin (1804-1874) era redactor de *Le Figaro* y crítico de arte en el *Journal des Débats.*

kaleidoscópicas, esas combinaciones armoniosas en periodos rítmicos, ese abarcar un pensamiento en engastes luminosos, todo eso es sencillamente admirable!»

Sí, admirable, mientras el gusto sano lo vivifique, mientras el grande arte de la palabra no degenere en neuróticas
orquestaciones!

Darío va en busca «de lo bello, del encaje, del polvo áureo»; quiere juntar la grandeza a los esplendores de la idea
en el cerco burilado de una buena combinación de letras...
quiere «poner luz y color en un engaste, aprisionar el secreto de la música en la trampa de plata de la retórica, hacer rosas artificiales que huelan a primavera...». Y todo eso hace,
en efecto.

De él diremos, como él de Cátulo Méndez, que es un
poeta de exquisito temperamento artístico, delicadísimo y
bizarro; que escribe en prosa y casi rima; admirable fraseo-
dor que esmalta y enflora sus cuentos, y que para distinguir-
se tiene el sello de su estilo, de su manera de escribir como
burilando en oro, como en seda, como en luz.

Va más lejos aún, y elogia en Méndez «el instinto que tiene de encontrar el valor hermoso de una consonante que
martillea sonoramente a una vocal, y su gusto por la raíz
griega, por la base exótica, siempre que sea vibrante, expresiva, melodiosa».

Cátulo Méndez como Gautier, su suegro, es un parnasiano, pero con ribetes de simbolista decadente.

Darío es un poeta *sui generis,* con más facetas que el Ko-
hi-noor de la India, y con más nervios y caprichos que Sara
Bernhardt[27].

Su admiración por los primores y rarezas de la frase, su
inclinación y gusto por los pequeños secretos del colorido
de las palabras y armonías literales, han hecho, sin duda,
que él se crea *decadente.*

---

[27] *Ko-hi-noor:* famoso brillante perteneciente a la Corona de Inglaterra.
Sarah Bernhardt: actriz dramática francesa (1844-1923) de prestigio internacional y famosa también por sus extravagancias. Actuó en los teatros
chilenos durante el otoño de 1886.

No lo es, dijimos, porque no tiene las extravagancias de la escuela. Sus mismas sorpresas, novedades, rarezas de forma, son tan delicadas, tan hijas del talento, que se las perdonarían hasta los más empecinados hablistas. Suele haber raíces exóticas en su vocabulario, suelen deslizarse algunos graciosos galicismos; pero es correcto, y si anda siempre a caza de novedades, jamás olvida el buen sentido, ni pierde el instinto de la rica lengua de Castilla al amoldar las palabras a su orquestación poética. No así en las cláusulas de su florido lenguaje: ellas tienen más el corte francés moderno, brusco, breve, nervioso, que el desarrollo grave, amplio, majestuoso, de la frase castellana.

Sus *bizarrerías,* como él suele decir, hijas legítimas son de una organización nerviosa, de la sangre juvenil, y sobre todo, de la viveza y esmalte de estas imaginaciones maduradas en los climas ardientes.

Sin embargo, no se puede desconocer su tendencia a los decadentes. Veo que tiene un pie sobre ese plano inclinado; si eso se hace de moda, temeré que la moda lo empuje y precipite.

¡Ah! ¡la Moda!... Conocéis sus caprichos locos y su imperio. Por culpa de ella, ahí tenéis a nuestro lírico enflautado en su larga levita y en el tubo lustroso de su sombrero, en vez de llevar flotando a la espalda el blanco albornoz de los beduinos, de holgados pliegues, airoso y elegante. El Yemen lo creería su hijo; el camello lo reconocería; tañería la guzla mora adornada con flores de granado, y las mujeres de ojos negros arrojarían jazmines a sus plantas.

¡Quiera Alah que no caiga en el abismo!

Lo que es por hoy, este bellísimo libro *Azul...,* con arabescos como los de la Alhambra, proclama la estirpe de su autor, y prueba que no es él un *decadente.*

Si él lo dice, ¡no se lo creáis! ¡Pura bizarrería! ¡Pura orquestación poética!

Vale más que eso. —Él es él, el poeta de Nicaragua, el que baña su frente en un nimbo de oro cuando sueña sus *azules,* y conserva con las hadas cuando modula sus rimas y canciones.

Ecce homo!...

VIII

—¡Veamos la obra!

Allá en el fondo del Ática, cuando del viejo coro religioso de las fiestas dionisíacas comenzaba a desprenderse la tragedia, cuando Esquilo meditaba su *Prometeo,* el pueblo murmuraba en torno del altar del dios, un poco olvidado:
—¡Nada por Dionisio! ¡Nada para Dionisio!...

Como el pueblo ateniense, dirá acaso mi buen amigo Rubén, al ver que dejo correr la pluma charladora por donde menos pensaba, y para nada me ocupo de su nuevo libro.

Ciertamente, darlo a conocer era mi intención al sentarme a escribir este prólogo; pero me acontece como a un buen amigo mío, improvisador sin fin ni fondo, que se sentó a escribir una décima y ¡le salió comedia!... Mas, pues tengo aún dos cuartillas blancas sobre la mesa, hagamos algo por Dionisio para que el pueblo no murmure.

Recorramos la reducida pero rica galería de sus lienzos y acuarelas, de sus mosaicos y camafeos, de sus bronces y filigranas.

Venid, bellas ninfas, adoradoras del arte; venid y admirad conmigo sobre el *Azul...* joyante de esta prosa, el divino centelleo del «Año lírico», lira de brillantes sobre mullido cojín de raso azul. —¡Entrad!

IX

¿Queréis ver y palpar lo que el viejo autor de las doloras llama la universalidad de una idea?

Aquí tenéis estos tres cuadros —una pequeña trilogía—: «El rey burgués», «El velo de la reina Mab», «La canción del oro». Miradlos bien.

¿Veis? —El protagonista es el Poeta, siempre el Poeta, solo, desconocido, abandonado, hambriento, casi un mendigo, y sin embargo, como Colón, lleva un mundo en la cabeza. El burgués hecho rey, dueño del oro y del mando, ve al poeta y lo coloca más abajo que sus lacayos, allá, entre sus pájaros, ¡donde dará vuelta sin cesar al manubrio de un organillo!... Es noche de crudo invierno; la sala del festín arde como un ascua de oro; por sus ventanas salen bocanadas de luz y explosiones de alegría; ¡ahí se goza y se ríe, ahí se aplauden locamente las hinchadas necedades de un retórico!... Y afuera, ¡oh sarcasmo!, la nieve, el hambre, la desesperación... el Poeta que muere a la luz de las estrellas melancólicas.

¿Habéis comprendido? Ese poeta, ese genio que pasa desconocido al lado de los grandes de su tiempo, que vive sufriendo y muere de pena y de frío, tiene muchos nombres, se llama Homero, Camoens, Tasso, Shakespeare, Miguel Cervantes[28]... ¡Comparad estas frentes humildes tocadas por el dedo de Dios con las altivas testas coronadas por manos del hombre o del capricho!...

Ahí tenéis la eterna historia del oro *burgués* aplastando al talento, y del estro encadenado a la miseria; ahí tenéis la *universalización* de la idea expresada poéticamente.

Este viejo cuento, narrado con gracia nueva y encantadora, es una tela que merece marco de oro. ¿No es verdad, hermosa lectora? Pero, ¡qué diantre!... ¡Os quedáis pensativa! ¿Vuestra frente delicada se dobla al peso de graves pensamientos?... ¡Ah! es que eso nace del fondo mismo del cuadro, que el autor, por una amarga ironía ha llamado *cuento alegre*.

Campoamor quiere que la idea poética se haga imagen para que la veamos, y enseguida se humanice para que la sintamos. La imagen es el cuento mismo, y no me tengáis por viejo murmurador si os agrego que aquí esa humanización es... ¡nuestro poeta en persona! ¡Chit!... Sólo para vosotras... Imaginadlo enjaulado en el pandemonium de la Aduana de Valparaíso, tratando de fardos, contando barricas; ¡alineando números en negras columnas! ¡Imposible! ¡Y hay, sin embargo, que dar vuelta al manubrio!... ¡Ah! creedme, yo lo comprendo... pero, al menos, él, lleno de juventud, lleva en el pecho la esperanza...!

---

[28] *Sic* en *88* y *90*, sin *de*.

¡La esperanza! sí, ésa es la ninfa ilusión que él vio en su «Cuento parisiense», tan sabroso, tan graciosamente bello como la ninfa misma que allí veis, ésa que surge del cristal tembloroso de las aguas con una sonrisa picaresca. Pero no divaguemos.

Volvamos a nuestro Poeta muerto de pena y de frío: vamos a verlo resucitar en el cielo de la fantasía.

¿Conocéis a la diminuta reina Mab, aquella que Shakespeare pasea por el país de los sueños y de los enamorados, donde vagan Romeo y Julieta? Ella —el hada gentil que baja por un rayo de sol, en su pequeño carro hecho de una sola perla y tirado por cuatro coleópteros empenachados, de bruñidos capacetes y transparentes alas—, ella, ella será la que emancipe al Poeta. Al menos, conseguirá siquiera adormecerlo, engañará su dolor, lo hará olvidar sus penas. ¿Sabéis cómo? Mirad el lienzo; allí la veis, compasiva y tierna envuelve al Poeta en su velo azul, casi impalpable, y tan tenue como la sombra de una ilusión. Ese velo encantado trae consigo los dulces sueños, y hace ver la vida de color de rosa[29]. ¿Comprendéis ahora?

Dante borró la esperanza y creó el infierno. «Lasciate ogni speranza!...»[30]. Arrojad la divina esperanza sobre la noche, y tendréis el día.

Eso hizo la reina Mab.

Desgraciadamente, ese velo delicado se rompe y se evapora al soplo brutal de la realidad, fría, y dura y tremenda.

La hora de los desengaños no tarda. —El harapiento con trazas de mendigo, el peregrino, el poeta, despierta bruscamente al sentir que le escupe al rostro el desprecio de los palacios, llenos de lacayos galoneados, y el crujir insolente de la seda meretricia.

Y aquella especie de mendigo se sonríe y se yergue[31]. Sobre su frente dantesca se amontonan las sombras como las nubes en torno de la montaña, y brillan sus ojos con los re-

---

[29] *88: la vida color de rosa*
[30] Frase con la que Dante decoró la entrada del infierno en la *Divina Comedia*.
[31] *88: Y aquella especie de mendigo sonríe y se yergue*

lámpagos de la indignación, y su lengua, como la de Juvenal, estalla al fin en rayos vengadores! Ésa es la sátira acerada contra las corrupciones de la riqueza, ésa la «Canción del Oro», mezcla de gemido, ditirambo y carcajada, que el poeta da al viento de la noche, y que en ecos quejumbrosos prolongan las tinieblas sobrecogidas.

Mas, por desgracia, estas voces vengadoras no llegan al oído sordo de los poderosos, ni a su corazón, más duro que el bronce, más duro que la bóveda del Banco, y a prueba de generosas compasiones.

¿Qué se hizo el poeta? ¡Ya no está la reina Mab!... El velo azul no existe... la «Canción del Oro» fue dispersada al viento del olvido... ¿Acaso no habrá algún epílogo para nuestra trilogía? Recorramos la galería... ¡Ah!... ¡Ah!... ¡sí lo hay!... El poeta se ha hecho bohemio, y hoy vive en la vieja Lutecia, en ese París que aspira a ser el cerebro del mundo porque es su corazón. Ahí está. Le reconozco a pesar de su metamorfosis.

Del país de las hadas hemos pasado, pues, a la prosa de la vida, y nos hallamos en el café Plombier, en plena bohemia, bock en mano[32] y la pipa en la boca... Allí se agitan revueltos, grupos de estudiantes y artistas, de perdidos y pensadores, cabezas fosforescentes donde hay algo, frentes juveniles que buscan afanosas el viejo laurel verde.

Allí está aquel Garcín, querido entre todos, triste, soñador, buen bebedor de ajenjo, bravo improvisador, y, como bohemio, un Bayardo sin miedo ni tacha. Ya lo veis, ha cambiado de traje y de escenario, pero es el mismo poeta anónimo a quien el rey burgués dejó morirse de hambre, el artista a quien Mab envolvió en su velo, el mendigo que lanzó a los aires como una saeta de fuego, su estridente «Canción del Oro».

La bohemia lo llama el *Pájaro Azul*. Él hace madrigales y coge violetas silvestres para Niní, su linda vecina.

Mas el idilio candoroso y dulce es bruscamente interrumpido por la muerte de Niní.

Garcín sonríe tristemente, se despide de sus amigos

---

[32] *bock:* jarra de cerveza.

como en broma, pero con palabras misteriosas, y enseguida pone fin al idilio saltándose los sesos.

Así, pues, el epílogo de esta lucha trágica del genio con el destino, remata con el suicidio[33], heroica cobardía, sublime necedad! El oro y la ceguera humana lo combaten, la esperanza lo consuela, el amor lo levanta, pero, al fin, como el epicuriano Lucrecio, corta las amarras de la negra barca y se engolfa meditabundo en el piélago de la eternidad.

Aguardad, que hay algo aún más sombrío y más humano en esta galería *d'élite;* algo digno del lápiz de Goya. Se diría que es un episodio caído de la cartera de Víctor Hugo, algo como una página de los *Miserables* o de los *Trabajadores del Mar,* suavizada por la pluma de d'Amicis.

—Mostradnos, pues, el pequeño prodigio.

—Ahí lo tenéis. Se intitula «El Fardo». ¿No es verdad que esa tela hace estremecer el alma? Es hermosamente sombría; tiene los sacudimientos de la tragedia y llena los ojos de lágrimas silenciosas.

Baja la tarde; a orillas del mar azul y pérfido, un viejo jornalero inválido cuenta la triste suerte de su hijo, uno de los hércules anónimos de nuestras playas. Él era el sustento del pobre rancho; él trabajaba sin descanso al sol y al viento, a veces con el agua a la cintura, para llevar un mendrugo a su madre anciana, y para algo más... para enriquecer a los ricos. Él se reía de la muerte y desafiaba el peligro, mas un día la muerte lo cogió en su trampa horrible y lo aplastó. —¿Cómo? —Un fardo pesadísimo se balanceaba pendiente del brazo colosal de un pescante que lo alzaba sobre el abismo. De repente cruje la madera, las cadenas rechinan, estallan las gruesas cuerdas con estrépito, y aquella masa brutal cae y aplasta al hombre del trabajo como a un vil gusano!... Sombría imagen del pueblo, víctima del fardo ajeno, y sufriendo siempre en silencio!

¿Lloráis?... Pasemos a otra cosa...

Aire de primavera; olor a rosas; cuadro de amor, señoritas!...

---

[33] *88: remata en el suicidio*

El pintor lo llama «Palomas blancas y garzas morenas»... Yo le daría otro nombre...

—¿Cuál? ¿Cuál?... ¡Veamos!

—«Claro de luna y rayo de sol».

Nada más fresco ni más delicado, nada más humano ni más divinamente escrito.

Ese par de acuarelas entrelazadas en un medallón, y que se completan y armonizan; ese poema del primer amor sentido por un niño y expresado por un hombre, por sí solo bastaría a formar una reputación literaria.

¡Qué!... muchacha coqueta, ¡conque te tapas los ojos para no ver y atisbar a hurtadillas por entre los dedos!...

¡Eh! dejad a los clérigos del *Estandarte* la gloria de tejer fajas púdicas para la Venus de Milo, y buscad desvíos místicos para las sanas palpitaciones de la madre naturaleza!...[34].

Lo bello, lo verdadero y lo bueno, son las tres hipóstasis de la santa trinidad del arte, tres colores distintos producidos por un solo rayo de luz divina. Lo bello tiene que ser verdadero; no puede dejar de ser bueno.

¿Creeríais hacer buena obra condenando la verdad de esta belleza? ¡Condenad entonces la naturaleza misma!

El cuadro del primer beso forma artísticamente la transición natural de los «Cuentos» al «Año lírico», de la prosa elegante y cadenciosa a los versos de la divina estirpe.

Pero, un momento más; echad aún un vistazo sobre estas otras pinturas. Aquí está la niña clorótica que se muere sin saber de qué, arrebatada por un hada benéfica al *palacio del Sol*, donde encuentra sus colores perdidos y recobra la alegría.

Ved más allá aquellos pequeños gnomos fornidos, de luengas barbas grises, con el hacha al cinto y caperuzas encarnadas. Mundo fantástico, mundo alemán de Cobolt y Níquel[35], de gnomos que conocen el secreto de las montañas y saben en qué entraña de la tierra está escondido el tesoro de los Nibelungos. Agitado y revuelto hierve ese sub-

---

[34] *El Estandarte:* cfr. nota VI de Darío.

[35] Un *kobold*, en alemán, es un representante de una de las varias clases de *Erdgeister,* o espíritus de la tierra. *Nickel*, en el mismo idioma, significa *Wassergeist* o espíritus del agua (Saavedra y Mapes).

mundo de los pigmeos, porque el hombre, en su audacia creciente, ha osado sacar de sus crisoles el zafiro y los rubíes, que ellos custodian noche y día en sus yacimientos seculares. ¿Queréis saber la leyenda del rojo rubí, de ese brillante como el ojo sanguinolento de una divinidad infernal? —Escuchad al viejo gnomo; él os la va a contar...

*

Nos provocan al pasar estas dos *panoplias,* como han dado nuestros pintores en llamar a las colecciones de esbozos y bocetos que encuadran en un mismo marco, o en algún tablero acuartelado, a la manera de los viejos escudos de armas.

Ésta es «El Álbum porteño»; la otra, el «Santiaguino».

Aquí tenéis a Ricardo: en busca de impresiones y panoramas sube a los cerros de este Valle del Paraíso, que no es paraíso ni es valle[36]. Sigue una vía tortuosa de casas trepantes, escalonadas del pie del cerro a la cumbre, graciosas, alegres, pintorescas, unas como blancos palomares entre la verdura, otras como castillos aéreos asomados al abismo.

Mientras más se sube, como pasa en la vida, mayores horizontes se abarcan, más crece el cielo y más el mar. Y en las calles ascendentes del Cerro Alegre y en la estéril soledad del Camino de Cintura, Ricardo ve, medita, y escribe después, lo que pocos ven, menos meditan y ninguno ha escrito.

Veamos lo que él ha visto.

En el jardín de esa casita inglesa, ahí tenéis a Mary cogiendo flores de la mañana, rubia, aérea y fresca... creación delicadísima hecha de una feliz pincelada y digna de tentar a un Fortuny. Luego, al lado de esa acuarela sonrosada y lila, un paisaje chileno a lo Rugendas[37], representando al

---

[36] «De la Barra se deja llevar, parece, por la etimología popular que explica el origen del nombre de nuestro puerto por el hecho de haberle parecido al fundador un edén el paraje de la fundación. En verdad, Juan de Saavedra, capitán de Almagro, no hizo más que darle el nombre de su caserío natal: Valparaíso, cerca de Sevilla, en España» (Saavedra y Mapes).

[37] Juan Mauricio Rugendas, pintor alemán (1802-1858) que de 1831 a 1846 vivió en diversos países de América, Chile entre ellos. Son famosos sus cuadros de La Alameda y otros inspirados por escenas campestres chilenas.

huaso de nuestros campos y su buey; gordo éste, resignado, paciente y rumiando filosóficamente su pasto y su destino. Más allá, al rojizo resplandor de la fragua, los cíclopes de delantal de cuero, que forjan el hierro incandescente al compás de sus martillos. —¡Ah! acá tenéis «La Virgen la paloma». Creación murillesca, con su niño en los brazos. El bambino agita las manecitas y las piernas rollizas, y muestra en sus movimientos «querer asir la blanca paloma, bajo la cúpula inmensa del cielo azul...». Ahí tenéis, en el rincón, en el último término, esa cabeza que asoma a medio bosquejar; bajo sus sienes artísticas se siente palpitar el pensamiento, y se ve algo como el aleteo de millares de mariposas prontas a derramarse por los aires. Es un autorretrato: está ahí al fin como una firma.

Recorramos ahora el «Álbum Santiagués»; mas no creáis, extraviados por el nombre, que el artista fue en romería a Santiago de Compostela en busca de sus cuadros. No, nada de eso; se trata de nuestras vistas santiaguinas, de nuestra alameda de Santiago de Chile, con su sin par cordillera de pórfidos abigarrados y de nieve, blanca a la mañana, rosicler a la tarde, con sus árboles, sus palacios, sus fuentes y sus estatuas; con sus filas interminables de lujosos carruajes charolados; con sus paseantes ajustados al último corte parisiense, y su exhibición dominguera de lindas mujeres ávidas de mirar y de ser miradas. Tras de esta vista de conjunto, aquel segundo cartón del *panneau* nos introduce al misterioso retrete de una dama santiaguina. Delante de su tocador ensaya un traje Pompadour a la manera de las marquesitas empolvadas de Watteau, y ensaya al mismo tiempo las armas de su gracia conquistadora. Va al baile de fantasía... Estará irresistible...

Aquí tenéis una *naturaleza muerta;* allá un estudio al carbón, una dama misteriosa con el manto a los ojos, orando en la penumbra del templo; más allá un risueño paisaje de la Quinta Normal[38], con sauce confidente, y a su amparo una feliz pareja —¡acaso una cita!—, y luego, un capricho

---

[38] Parque de Santiago.

de luz, un rayo de luna que resbala sobre la frente pálida del soñador incorregible y va a perderse en la bruma nocturna.

Tal es el *Azul...* a vuelo de pájaro.

X

Estoy cansado; sentémonos un momento.

¿Cuál creéis que es la prenda más sobresaliente del autor de estos cuentos?

—¡Su inspiración!...

—¡Su fantasía!...

—¡Su originalidad!...

—¡Su elegancia!...

—¡Eh! me refiero a otra cosa.

Rubén Darío tiene el don de la armonía bajo todas sus formas. Ya es la armonía imitativa, que nace, como sabéis, de la acertada combinación de las palabras, cual aquella «agua glauca y oscura que chapoteaba musicalmente bajo el viejo muelle» y «el raso y el moaré que con su roce ríen»... Cito de memoria, por no darme el trabajo de la elección donde a cada paso brotan espontáneas las preciosas onomatopeyas.

Fuera de la armonía imitativa hay aquí en grado supremo, aquella otra, que convierte la lengua en una flauta suave y sonora; y hay la gran armonía, la más artística de todas, la que consiste en el perfecto acuerdo entre la idea y su expresión, de manera que parezcan ambas nacidas a la par y la una para la otra.

Agregad a estas tres faces de la armonía las melodías del lenguaje sometido a la ley del metro y del ritmo, y sabréis en qué nuestro poeta es maestro como pocos. El don de la armonía es uno de los secretos que tiene para encantarnos.

XI

En «El Año lírico» hay pocas pero escogidas composiciones.

Nada más delicado que su canto de Primavera; nada más espléndido que su «Estival».

En la «Primaveral», suelto y gracioso romance que huele a rosas, es notable la armonía entre el tema desarrollado y las imágenes, figuras, tropos, epítetos y combinaciones de sonidos que se emplean. Corre por toda la composición un aire fresco y embalsamado de primavera y juventud, que alegra el alma y templa los nervios, como si realmente nos halláramos en la estación florida de los primeros amores.

Pocas, muy pocas composiciones del género ha producido la musa juvenil de América que a ésta se igualen.

Yo, apenas si retocaría un solo verso para dar mejor colocación a los acentos, y diría:

> Dame que aprieten mis manos
> las tuyas de rosa y seda,
> y ríe y muestren tus labios
> *su húmeda púrpura fresca.*

Así, este octosílabo dactílico llevaría sus acentos, como es debido, en las sílabas 1ª, 4ª y 7ª.

Tras de los toques de aroma y color campestres, propios de la savia que sube, y las yemas que revientan, y los botones que se abren, y del amor que germina en nidos y corazones; tras del dulce reclamo a la amada, propio del mes de flores y de un alma de poeta, viene aquel final espléndido de perfil griego, que hace rematar tan elegante composición en una anacreóntica perfecta.

¡Oh, y la «Estival»! ¡Qué nervio y qué estro! ¡Qué admirable talento pictórico!... No trepido en afirmar que éste es uno de los más bellos trozos descriptivos del Parnaso Castellano.

El estío está simbolizado en los amores de dos tigres de Bengala. La real hembra aparece sola en escena «con su lustrosa piel manchada a trechos». Una sensación extraña la agita...

> Salta de los repechos
> de un ribazo, al tupido
> carrizal de un bambú; luego, a la roca
> que se yergue a la entrada de su gruta.

146

Allí lanza un rugido,
se agita como loca
y eriza de placer su piel hirsuta.

La fiera virgen ama.
Es el mes del ardor. Parece el suelo
rescoldo; y en el cielo
el sol inmensa llama.
....
Siéntense vahos de horno,
y la selva africana
en alas del bochorno
lanza, bajo el sereno
cielo, un soplo de sí. La tigre ufana
respira a pulmón lleno,
y al verse hermosa, altiva, soberana,
le late el corazón, se le hincha el seno.

Ésta es la introducción, éste el medio ambiente encendido en que la escena va a tener lugar.

Las coqueterías felinas de aquella fiera que ensaya las
uñas de marfil en la roca, que se lame y repule, que agita
nerviosa el inquieto felpudo rabo, que husmea, busca, va...
y exhala como un suspiro salvaje, no son por cierto perdidas.
Sus efluvios vuelan, y luego,

un rugido callado
escuchó. Con presteza
volvió la vista de uno y otro lado.
Y chispeó su ojo verde y dilatado
cuando miró de un tigre la cabeza
surgir sobre la cima de un collado.
El tigre se acercaba.

                              Era muy bello.
Gigantesca la talla, el pelo fino,
apretado el hijar, robusto el cuello.
....
Al caminar se vía

su cuerpo ondear con garbo y bizarría.
Se miraban los músculos hinchados
debajo de la piel. Y se diría,
ser aquella alimaña
un rudo gladiador de la montaña.

....

Pero a este paso tendría que citarlo todo. Leedlo, leedlo,
y encontraréis razón a mi entusiasmo. La pintura del tigre
a la manera de Leconte de Lisle[39], como lo es el encuentro de las dos fieras[40], y la llegada inesperada del príncipe de
Gales que va de caza. Detiénese al ver aquellas fieras temi-
bles que se acarician sin sentir lo que pasa a su lado; avanza, apunta, hace fuego y al estruendo

El tigre sale huyendo
Y la hembra queda, el vientre desgarrado.
¡Oh! va a morir... pero antes, débil, yerta,
chorreando sangre por la herida abierta,
con ojo dolorido
miró a aquel cazador; lanzó un gemido
como un ¡ay! de mujer... y cayó muerta.

Aquí cierra naturalmente el cuadro, y siempre nos parecerá pegadizo el trozo final.

Por la propiedad quisiéramos que la escena pasara en la
India, cuna de tigres bengaleses, y soto de caza de los príncipes de Inglaterra, y no en la selva africana, elegida por
error. Por la misma razón suprimiríamos aquel kanguro,
que salta huyendo por el ramaje *oscuro*, llevado a tierra de tigres reales por la sola atracción del consonante.

Pero, éstos son lunares fáciles de remediar, y en nada
amenguan el mérito de la obra.

Los cantos que Darío consagra al Otoño y al Invierno están cuajados de bellezas como nuestro cielo austral de estrellas. Renuncio a contarlas.

---

[39] *88* y *90: l'Isle.*
[40] *90: las fieras*

El «Pensamiento» de Armand Silvestre es a las otras composiciones lo que la hoja a los pétalos, y «Anagke»[41] es la oda más delicada y bella a la Paloma que pueda darse, deslucida por un final desgraciado, que debe suprimirse sin vacilar.

Si el autor quiere después del canto de felicidad completar su idea, si quiere pintarnos la desgracia acechando al que sonríe, si quiere encarnar en el gavilán devorando a la paloma la imagen de la *fatalidad* (que es lo que *anagke* significa), maneje de otra manera su conclusión.

A él no le es lícito dejar de ser artista, ni un solo momento.

«Anagke» comienza así:

Y dijo la paloma:
Yo soy feliz. Bajo el inmenso cielo,
en el árbol en flor, junto a la poma
llena de miel, junto al retoño suave
y húmedo por las gotas del rocío,
tengo mi hogar...
....
¡Soy feliz! porque mía es la floresta,
donde el misterio de los nidos se halla;
porque el alba es mi fiesta
y el amor mi ejercicio y mi batalla.
Feliz, porque, de dulces ansias llena,
calentar mis polluelos es mi orgullo;
porque en las selvas vírgenes resuena
la música celeste de mi arrullo.
Porque no hay una rosa que no me ame,
ni pájaro gentil que no me escuche,
ni garrido cantor que no me llame.
—¿Sí? dijo entonce un gavilán infame[42].
Y con furor se la metió en el buche.

---

[41] *88: Anatkh.* Más adelante, De la Barra escribe «*Anatké*». Sin embargo, ninguna de estas formas representa correctamente los sonidos de la palabra griega. Lo correcto sería «Ananke» o «Anagke». Lo más significativo, en cualquier caso, es que Darío haya cambiado la variante de Eduardo de la Barra por la que Valera escribió en sus cartas.

[42] *entonce:* mantengo este arcaísmo por aparecer tanto en *88* como en *90*.

Éste último es un verso plebeyo que desdice de los demás, tan donosos y bien nacidos. Al menos, me hace mal efecto. Pero, lo que sí debo confesar que encuentro inadmisible bajo todo punto de vista, es el siguiente desgraciadísimo final, que puede y debe suprimirse, por innecesario a la obra, por antiartístico y por blasfemo.

Sí; notadlo bien, señoritas, yo, libre-pensador, yo, a quien sin conocer llaman *ateo* las buenas monjas de *Dos Corazones*, no acepto estas intemperancias dañinas al arte.

Continúa el poeta:

> Entonces el buen Dios allá en su trono,
> (mientras Satán, para distraer su encono
> aplaudía a aquel pájaro zahareño)
> se puso a meditar. Arrugó el ceño,
> y pensó, al recordar sus vastos planes[43],
> y recorrer sus puntos y sus comas,
> que cuando creó palomas[44]
> no debía haber creado gavilanes[45].

A propósito de esto, ¿me permitís, amigas mías, una última digresión antes de despedirnos? —¡Sea!

Habéis de saber que don Alfonso el Sabio, rey muy dado a la astronomía, como que escribió las *Tablas Alfonsíes* que de los astros tratan, ofuscado por los errores a que lo indujo el sistema de Tolomeo, culpaba al Creador de los desórdenes e incongruencias que creía encontrar en el mecanismo del universo. La crítica que el buen rey creía hacer al Autor de los cielos, en realidad la hacía a Tolomeo, a quien él seguía, como los árabes sus maestros[46]. Así, quienes lo culpan del aparente desorden moral e injusticias de esta baja tierra, lo que en realidad condenan es su propia, falsa concepción de las cosas.

No sabemos explicarnos por qué el halcón devora a la pa-

---

[43] Por error de copia en el prólogo de De la Barra se lee, en *88* y *90*, *recorrer sus vastos planes*.

[44] Otro error de copia en *88* y *90*, donde se lee *crió palomas*.

[45] Error de copia en *88* y *90*, donde se lee *criado gavilanes*

[46] *Sic* en *88*, en *90: ... seguía, como a los árabes sus maestros.*

loma, y nuestra ignorancia se retuerce contra el Creador del cielo y de la tierra, origen de la justicia y fuente de todo bien.

Admiremos la obra, amemos a su Autor. Sin eso no hay arte. Lo bello, lo verdadero, lo bueno, brotan del seno de la naturaleza, como la luz, el calor y la vida brotan del sol. *L'art c'est l'azur.*

¿Sois poetas? ¿Amáis el arte? —Dónde hallaréis mejor modelo ni mejor maestro que en esa santa, y buena y sabia naturaleza, siempre bella, siempre riente, siempre productora, siempre virgen y madre, de cuyo seno nace el arte griego, como Venus de las espumas, como Minerva del cerebro de Jove?

Buscad en la naturaleza el secreto de la poesía. Ella os dará los elementos inertes y los elementos vivos de los afectos. Ella es cielo, aire y tierra; ella es hombre y mujer, luz y amor, ciencia y virtud, color y armonía... escala misteriosa que remata en Dios.

Por favor, lindas lectoras, suprimid ese desgraciado final. Si el autor no lo hace, suprimidlo por él, en prueba de cariño y de agradecimiento por el goce estético que os habrá producido la lectura de tan lindo libro; por los ensueños que os habrá producido la contemplación del precioso cofre artístico que lleva grabado en la tapa, como un misterio, la palabra AZUL... y guarda dentro las joyas regias del «Año lírico».

Y decidme ahora, corazones sensibles, capaces de sentir las nobles emociones del arte, ¿no es verdad que el autor de este pequeño libro es un gran poeta?

La envidia se pondrá pálida: Nicaragua se encogerá de hombros, que nadie es profeta en su tierra; pero el porvenir triunfante se encargará de coronarlo.

Vosotras que me creéis, porque sabéis sentir y presentir, saludad al poeta a su paso, como las vírgenes Sulamitas a David el cantor[47], y no temáis engañaros, que él lleva consigo las tres palabras de pase para el templo de la inmortalidad:

Eros-Lumen-Numen

E. DE LA BARRA
C. E. de la Real Academia Española

---

[47] *Sulamitas:* mujeres de Jerusalén.

Cuentos en prosa

El Rey Burgués[1]

CUENTO ALEGRE

¡Amigo! El cielo está opaco, el aire frío, el día triste. Un cuento alegre... así como para distraer las brumosas y grises melancolías, helo aquí:

*

Había en una ciudad inmensa y brillante un rey muy poderoso, que tenía trajes caprichosos y ricos, esclavas desnudas, blancas y negras, caballos de largas crines, armas flamantísimas, galgos rápidos y monteros con cuernos de bronce, que llenaban el viento con sus fanfarrias. ¿Era un rey poeta? No, amigo mío: era el Rey Burgués.

*

---

[1] Titulado solamente «Un cuento alegre», se publicó por primera vez en *La Época*, el 4 de noviembre de 1887. Llevaba además una dedicatoria «A Alcibíades Roldán», escritor y abogado chileno, y también profesor universitario y ministro de Estado.

En conversación con Armando Donoso, Rubén desveló la identidad del rey del cuento: «Le preguntamos muchas cosas de su juventud y, al recordarle algunos de sus *Abrojos,* afilados cono saetas, le indicamos nombres de personas a quienes creíamos iban dirigidos. De pronto cayó de nuestros labios el nombre del director de *La Época,* don Eduardo MacClure, y Rubén tuvo tres o cuatro palabras amables y algunos acerados reproches.

—¿*El Rey Burgués?,* le dijimos, y él nos comprendió inmediatamente.

—Sí; *El Rey Burgués,* nos respondió. Todas mis pobrezas, todas mis angustias y explicaciones de entonces están en él» (Donoso 66).

155

Era muy aficionado a las artes el soberano, y favorecía con gran largueza a sus músicos, a sus hacedores de ditirambos, pintores, escultores, boticarios, barberos y maestros de esgrima.

Cuando iba a la floresta, junto al corzo o jabalí herido y sangriento, hacía improvisar a sus profesores de retórica canciones alusivas; los criados llenaban las copas del vino de oro que hierve, y las mujeres batían palmas con movimientos rítmicos y gallardos. Era un rey sol, en su Babilonia llena de músicas, de carcajadas y de ruido de festín. Cuando se hastiaba de la ciudad bullente, iba de caza atronando el bosque con sus tropeles; y hacía salir de sus nidos a las aves asustadas, y el vocerío repercutía en lo más escondido de las cavernas. Los perros de patas elásticas iban rompiendo la maleza en la carrera, y los cazadores inclinados sobre el pescuezo de los caballos, hacían ondear los mantos purpúreos y llevaban las caras encendidas y las cabelleras al viento.

*

El rey tenía un palacio soberbio donde había acumulado riquezas y objetos de arte maravillosos. Llegaba a él por entre grupos de lilas y extensos estanques, siendo saludado por los cisnes de cuellos blancos, antes que por los lacayos estirados. Buen gusto. Subía por una escalera llena de columnas de alabastro y de esmaragdina[2], que tenía a los lados leones de mármol, como los de los tronos salomónicos. Refinamiento. A más de los cisnes, tenía una vasta pajarera, como amante de la armonía, del arrullo, del trino; y cerca de ella iba a ensanchar su espíritu, leyendo novelas de M. Ohnet[3], o bellos libros sobre cuestiones gramaticales, o

---

[2] Galicismo impropiamente adaptado por Rubén. La palabra francesa *smaragdin* es un adjetivo; *samaragdite* es el sustantivo, y designa a una piedra semipreciosa del color de la esmeralda.

[3] George Ohnet (1848-1918), dramaturgo y novelista francés con un éxito desproporcionado a su calidad en las dos últimas décadas del pasado siglo, en las que vio traducidas sus obras a varios idiomas. Anatole France

críticas hermosillescas[4]. Eso sí: defensor acérrimo de la corrección académica en letras, y del modo lamido en artes[5]; alma sublime amante de la lija y de la ortografía.

*

¡Japonerías! ¡Chinerías! por lujo y nada más[6]. Bien podía darse el placer de un salón digno del gusto de un Goncourt y de los millones de un Creso: quimeras de bronce con las fauces abiertas y las colas enroscadas, en grupos fantásticos y maravillosos; lacas de Kioto con incrustaciones de hojas y ramas de una flora monstruosa, y animales de una fauna desconocida; mariposas de raros abanicos junto a las paredes; peces y gallos de colores; máscaras de gestos infernales y con ojos como si fuesen vivos; partesanas de hojas antiquísimas y empuñaduras con dragones devorando flores de loto[7]; y en conchas de huevo, túnicas de seda amarilla, como tejidas con hilos de araña, sembradas de garzas rojas y de verdes matas de arroz; y tibores[8], porcelanas de mu-

---

y Jules Lemaître le reprocharon su mediocridad narrativa repetidamente, y Darío, por su parte, le dedicó una crítica teatral cuando la compañía de Sarah Bernhardt representó en Santiago *Le maître de forges*. El trabajo de Darío apareció en *La Época* el 23 de octubre de 1886 y ya contenía ciertos reparos hacia el autor francés.

[4] Alusión a José Gómez Hermosilla (1771-1837), autor de *Principios de Gramática general* (Madrid, Imprenta Nacional, 1841) y *Juicio crítico de los principales poetas españoles de la última era (Obra póstuma)* (París, Garnier, 1855). Los juicios literarios de sus libros llaman la atención por su obviedad, su obsesión taxonómica, su rígida delimitación de los géneros y sus escrupulosos criterios gramaticales. En carta chilena, sin fecha, Rubén comentaba a N. Tondreau: «Ese arte, ese procedimiento que yo adoro, es visto con ojos turbios por los poetas de cierta especie, devotos de San Hermosilla, amigos de los ovillejos de circunstancias, y hacedores de alejandrinos a lo Mármol» (Ghiraldo 341).

[5] *La Época: del modo quiteño en artes*. La escuela quiteña de pintura recibe este nombre porque sus primeros maestros vivieron en Quito (Ecuador). Su época de mayor esplendor comprende desde el periodo colonial hasta la Independencia.

[6] *88: por moda y nada más*

[7] *Partesana:* arma ofensiva, a modo de alabarda, con el hierro muy grande, ancho y cortante por ambos lados.

[8] *Tibor:* vaso grande de arcilla, de origen chino o japonés.

chos siglos, de aquéllas en que hay guerreros tártaros con una piel que les cubre hasta los riñones, y que llevan arcos estirados y manojos de flechas.

Por lo demás, había el salón griego, lleno de mármoles: diosas, musas, ninfas y sátiros; el salón de los tiempos galantes, con cuadros del gran Watteau y de Chardin[9]; dos, tres, cuatro, ¿cuántos salones?

Y Mecenas se paseaba por todos, con la cara inundada de cierta majestad, el vientre feliz y la corona en la cabeza, como un rey de naipe.

*

Un día le llevaron una rara especie de hombre ante su trono, donde se hallaba rodeado de cortesanos, de retóricos y de maestros de equitación y de baile.

—¿Qué es eso? —preguntó.

—Señor, es un poeta.

El rey tenía cisnes en el estanque, canarios, gorriones, senzontes en la pajarera[10]: un poeta era algo nuevo y extraño. —Dejadle aquí.

Y el poeta:

—Señor, no he comido.

Y el rey:

—Habla y comerás.

Comenzó:

*

—Señor, ha tiempo que yo canto el verbo del porvenir. He tendido mis alas al huracán, he nacido en el tiempo de

---

[9] Antoine Watteau (1641-1721), pintor francés representante típico del Rococó. En sus cuadros son frecuentes los motivos cortesanos y versallescos y los paisajes estilizados y artificiales. Los hermanos Goncourt elogiaron su pintura en repetidas ocasiones. Jean-Baptiste Simeon Chardin (1699-1779), pintor francés famoso por sus naturalezas muertas y sus escenas de la vida íntima de su tiempo. Los Goncourt se ocuparon también de él en su *Chardin* (1864).

[10] *Cenzontle* o *sinsonte:* pájaro americano semejante al mirlo, de plumaje pardo y de canto variado y melodioso.

la aurora: busco la raza escogida que debe esperar con el himno en la boca y la lira en la mano, la salida del gran sol. He abandonado la inspiración de la ciudad malsana, la alcoba llena de perfumes, la musa de carne que llena el alma de pequeñez y el rostro de polvos de arroz. He roto el arpa adulona de las cuerdas débiles, contra las copas de Bohemia y las jarras donde espumea el vino que embriaga sin dar fortaleza; he arrojado el manto que me hacía parecer histrión, o mujer, y he vestido de modo salvaje y espléndido: mi harapo es de púrpura. He ido a la selva, donde he quedado vigoroso y ahíto de leche fecunda y licor de nueva vida; y en la ribera del mar áspero, sacudiendo la cabeza bajo la fuerte y negra tempestad, como un ángel soberbio, o como un semidiós olímpico, he ensayado el yambo dando al olvido el madrigal[11].

He acariciado a la gran naturaleza, y he buscado, al calor del ideal, el verso que está en el astro en el fondo del cielo, y el que está en la perla en lo profundo del océano. ¡He querido ser pujante! Porque viene el tiempo de las grandes revoluciones, con un Mesías todo luz, todo agitación y potencia, y es preciso recibir su espíritu con el poema que sea arco triunfal, de estrofas de acero, de estrofas de oro, de estrofas de amor.

Señor, el arte no está en los fríos envoltorios de mármol, ni en los cuadros lamidos, ni en el excelente señor Ohnet! ¡Señor!, el arte no viste pantalones, ni habla en burgués, ni pone los puntos en todas la íes. Él es augusto, tiene mantos de oro, o de llamas, o anda desnudo, y amasa la greda[12] con fiebre, y pinta con luz, y es opulento, y da golpes de ala como las águilas, o zarpazos como los leones. Señor, entre un Apolo y un ganso, preferid el Apolo, aunque el uno sea de tierra cocida y el otro de marfil.

---

[11] Según Saavedra y Mapes (*OE* 225), Rubén no se estaría refiriendo al *yambo* como pie métrico, sino como poema de índole satírica. Dicha palabra conserva este significado en italiano *(giambi)* y en francés *(iambe)* pero no en español.

[12] *Greda:* arcilla azulada que se utiliza para desengrasar paños y quitar manchas.

¡Oh, la Poesía![13].

¡Y bien! Los ritmos se prostituyen, se cantan los lunares de las mujeres, y se fabrican jarabes poéticos. Además, señor, el zapatero critica mis endecasílabos, y el señor profesor de farmacia pone puntos y comas a mi inspiración. Señor, ¡y vos lo autorizáis todo esto!... El ideal, el ideal...

El rey interrumpió:

—Ya habéis oído. ¿Qué hacer?

Y un filósofo al uso:

—Si lo permitís, señor, puede ganarse la comida con una caja de música; podemos colocarle en el jardín, cerca de los cisnes, para cuando os paseéis.

—Sí —dijo el rey, y dirigiéndose al poeta—: Daréis vueltas a un manubrio. Cerraréis la boca. Haréis sonar una caja de música que toca valses, cuadrillas y galopas[14], como no prefiráis moriros de hambre. Pieza de música por pedazo de pan. Nada de jerigonzas ni de ideales. Id.

Y desde aquel día pudo verse a la orilla del estanque de los cisnes, al poeta hambriento que daba vueltas al manubrio: tiriririn, tiriririn... ¡avergonzado a las miradas del gran sol! ¿Pasaba el rey por las cercanías? ¡Tiriririn, tiriririn...! ¿Había que rellenar el estómago? ¡Tiriririn! Todo entre la burla de los pájaros libres que llegaban a beber rocío en las lilas floridas; entre el zumbido de las abejas, que le picaban el rostro y le llenaban los ojos de lágrimas[15]... ¡lágrimas amargas que rodaban por sus mejillas y que caían a la tierra negra!

Y llegó el invierno, y el pobre sintió frío en el cuerpo y en el alma. Y su cerebro estaba como petrificado, y los grandes himnos estaban en el olvido, y el poeta de la montaña coronada de águilas, no era sino un pobre diablo que daba vueltas al manubrio, ¡tiriririn!

Y cuando cayó la nieve se olvidaron de él, el rey y sus va-

---

[13] *Sic* en *88*, en *90: ¡Oh, la poesía!*

[14] *Cuadrilla:* baile de sala, también llamado rigodón y en el que participan cuatro parejas. *Galopa:* música del galop, danza de origen húngaro.

[15] *88: de lágrimas, tiriririn...*

sallos; a los pájaros se les abrigó, y a él se le dejó al aire glacial que le mordía las carnes y le azotaba el rostro[16].

Y una noche en que caía de lo alto la lluvia blanca de plumillas cristalizadas, en el palacio había festín, y la luz de las arañas reía alegre sobre los mármoles, sobre el oro y sobre las túnicas de los mandarines de las viejas porcelanas. Y se aplaudían hasta la locura los brindis del señor profesor de retórica, cuajados de dáctilos, de anapestos y de pirriquios, mientras en las copas cristalinas hervía el champaña con su burbujeo luminoso y fugaz. Noche de invierno, noche de fiesta! Y el infeliz cubierto de nieve, cerca del estanque, daba vueltas al manubrio para calentarse[17], tembloroso y aterido, insultado por el cierzo, bajo la blancura implacable y helada, en la noche sombría, haciendo resonar entre los árboles sin hojas la música loca de las galopas y cuadrillas; y se quedó muerto[18]..., pensando en que nacería el sol del día venidero, y con él el ideal[19]... y en que el arte no vestiría pantalones sino manto de llamas, o de oro... Hasta que al día siguiente lo hallaron el rey y sus cortesanos, al pobre diablo de poeta, como gorrión que mata el hielo, con una sonrisa amarga en los labios, y todavía con la mano en el manubrio.

*

¡Oh, mi amigo!, el cielo está opaco, el aire frío, el día triste. Flotan brumosas y grises melancolías...

Pero ¡cuánto calienta el alma una frase, un apretón de manos a tiempo! ¡Hasta la vista!

---

[16] *88: el rostro, tiririrín*
[17] *88: para calentarse, tiririrín, tiririrín!*
[18] *88: muerto, tiririrín...*
[19] *ideal, tiririrín...*

El sátiro sordo[1]

CUENTO GRIEGO

Habitaba cerca del Olimpo un sátiro, y era el viejo rey de su selva. Los dioses le habían dicho: «goza, el bosque es tuyo; sé un feliz bribón, persigue ninfas y suena tu flauta». El sátiro se divertía.

*

Un día que el padre Apolo estaba tañendo la divina lira, el sátiro salió de sus dominios y fue osado a subir el sacro monte y sorprender al dios crinado. Éste le castigó tornándole sordo como una roca. En balde en las espesuras de la selva llena de pájaros, se derramaban los trinos y emergían los arrullos. El sátiro no oía nada. Filomela llegaba a cantarle sobre su cabeza enmarañada y coronada de pámpanos, canciones que hacían detenerse los arroyos y enrojecerse las rosas pálidas. Él permanecía impasible, o lanzaba sus carcajadas salvajes y saltaba lascivo y alegre cuando percibía por el ramaje lleno de brechas, alguna cadera blanca y rotunda que acariciaba el sol con su luz rubia. Todos los animales le rodeaban como a un amo a quien se obedece.

---

[1] Se publicó por primera vez en *La Libertad Electoral*, el 15 de octubre de 1888, cuando la primera edición de *Azul...* estaba ya en la calle. Antes de ser recogido en la edición de 1890, y colocado inmediatamente después de «El Rey Burgués», apareció en *La Unión*, el periódico salvadoreño dirigido por Darío, el día 18 de noviembre de 1889.

A su vista, para distraerle, danzaban coros de bacantes encendidas en su fiebre loca, y acompañaban la harmonía, cerca de él, faunos adolescentes, como hermosos efebos, que le acariciaban reverentemente con su sonrisa, y aunque no escuchaba ninguna voz, ni el ruido de los crótalos, gozaba de distintas maneras. Así pasaba la vida este rey barbudo que tenía patas de cabro[2].

*

Era sátiro caprichoso.

Tenía dos consejeros áulicos[3]: una alondra y un asno. La primera perdió su prestigio cuando el sátiro se volvió sordo. Antes, si cansado de su lascivia soplaba su flauta dulcemente, la alondra le acompañaba[4].

Después en su gran bosque, donde no oía ni la voz del olímpico trueno, el paciente animal de las largas orejas le servía para cabalgar, en tanto que la alondra, en los apogeos del alba, se le iba de las manos, cantando camino de los cielos.

La selva era enorme. De ella tocaba a la alondra la cumbre, al asno el pasto. La alondra era saludada por los primeros rayos de la aurora; bebía rocío en los retoños; despertaba al roble diciéndole: «viejo roble, despiértate». Se deleitaba con un beso del sol: era amada por el lucero de la mañana. Y el hondo azul, tan grande, sabía que ella, tan chica, existía bajo su inmensidad. El asno (aunque entonces no había conversado con Kant) era experto en filosofía, según el decir común[5]. El sátiro que le veía ramonear en la pastura, moviendo las orejas con aire grave, tenía alta idea de tal pensador. En aquellos días el asno no tenía como hoy tan larga fama. Moviendo sus mandíbulas, no se habría

---

[2] Tal vez Rubén escribió o quiso escribir *cabra*, pero ya que la palabra *cabro* existe en español, ya que su significado encaja en el texto y, además, su matiz arcaizante no desentona del resto del léxico de *Azul...*, he preferido mantenerlo como aparece en *90*. En *05* se sustituye por *cabra*.

[3] *Áulicos*: palaciegos, cortesanos.

[4] En *90*, por error: *le acompaña*

[5] Cfr. nota X de Darío, pág. 311, *infra*.

imaginado que escribiesen en su loa Daniel Heinsius en latín, Passerat, Bufón y el gran Hugo, en francés, Posada y mi amigo el doctor Valderrama en español[6].

Él, pacienzudo, si le picaban las moscas, las espantaba con el rabo, daba coces de cuando en cuando y lanzaba bajo la bóveda del bosque el acorde extraño de su garganta. Y era mimado allí. Al dormir su siesta sobre la tierra negra y amable, le daban su olor las yerbas y las flores. Y los grandes árboles inclinaban sus follajes para hacerle sombra.

Por aquellos días, Orfeo, poeta, espantado de la miseria de los hombres, pensó huir a los bosques, donde los troncos y las piedras le comprenderían y escucharían con éxtasis, y donde él pondría temblor de harmonía y fuego de amor y de vida al sonar de su instrumento.

Cuando Orfeo tañía su lira había sonrisa en el rostro apolíneo. Démeter sentía gozo. Las palmeras derramaban su polen, las semillas reventaban, los leones movían blandamente su crin. Una vez voló un clavel de su tallo hecho mariposa roja, y una estrella descendió fascinada y se tornó flor de lis.

¿Qué selva mejor que la del sátiro, a quien él encantaría, donde sería tenido como un semidiós; selva toda alegría y danza, belleza y lujuria; donde ninfas y bacantes eran siempre acariciadas y siempre vírgenes; donde había uvas y rosas

---

[6] Daniel Heinsius (1580-1665): latinista holandés, discípulo de J. Escalígero y autor de *Laus asini* (Leyden, 1723). Jean Passerat: poeta francés (1534-1602), profesor de retórica y literatura latinas. Buffon: seguramente J. L. Leclerc, conde de Buffon (1707-1788); científico y naturalista francés cuya *Historie naturelle générale et particulière* contiene una *Histoire des animaux quadrupèdes*. Existen traducciones de sus obras completas al español en 1841 y en 1848. Darío conoce algunas de estas noticias por haberlas leído en el trabajo de Manuel Lozano titulado *El asno ilustrado o la apología del Asno* (Madrid, Imprenta Nacional, 1837), y en el *Diccionario filosófico* de Voltaire que el autor de *El asno ilustrado* cita continuamente (Marasso 345). Posada es, seguramente, Joaquín Pablo Posada (1825-1880), colombiano, a quien Rubén menciona en su artículo «La literatura en Centro América» (1888). Por último, el chileno Adolfo Valderrama (1834-1902), fue médico y amigo del poeta, y aparece citado con frecuencia en diversos escritos de estos años.

y ruido de sistros, y donde el rey caprípede bailaba delante de sus faunos beodo y haciendo gestos como Sileno?

*

Fue con su corona de laurel, su lira, su frente de poeta orgulloso, erguida y radiante.

Llegó hasta donde estaba el sátiro velludo y montaraz, y para pedirle hospitalidad, cantó. Cantó del gran Jove, de Eros y de Afrodita, de los centauros gallardos y de las bacantes ardientes: cantó la copa de Dionisio, y el tirso que hiere el aire alegre, y a Pan, Emperador de las montañas, Soberano de los bosques, dios-sátiro que también sabía cantar[7]. Cantó de las intimidades del aire y de la tierra, gran madre. Así explicó la melodía de un arpa eolia, el susurro de una arboleda, el ruido ronco de un caracol y las notas harmónicas que brotan de una siringa. Cantó del verso, que baja del cielo y place a los dioses, del que acompaña el bárbitos en la oda y el tímpano en el peán[8]. Cantó los senos de nieve tibia y las copas de oro labrado, y el buche del pájaro y la gloria del sol.

Y desde el principio del cántico brilló la luz con más fulgores. Los enormes troncos se conmovieron, y hubo rosas que se deshojaron y lirios que se inclinaron lánguidamente como en un dulce desmayo. Porque Orfeo hacía gemir los leones y llorar los guijarros con la música de su lira rítmica. Las bacantes más furiosas habían callado y le oían como en un sueño. Una náyade virgen a quien nunca ni una sola mirada del sátiro había profanado, se acercó tímida al cantor y le dijo temblando en voz baja: «yo te amo». Filomela había volado a posarse en la lira como la paloma anacreóntica[9].

---

[7] En *La Libertad Electoral*, después de *sabía cantar*, se leía lo siguiente: *Dijo de los misterios de la savia y de los arcanos del efluvio; del céfiro y de la ráfaga, del cogollo y del tronco* (Saavedra y Mapes).

[8] *Bárbitos:* nombre griego de un instrumento de cuerda semejante al laúd. *Tímpano:* instrumento musical compuesto de varias tiras desiguales de vidrio, colocadas de mayor a menor.

[9] Cfr. nota XI de Darío *(infra*, pág. 311). Los versos de la oda IX de Anacreonte, que Darío pudo conocer a través de la versión española de Federico Baráibar (*Poetas líricos griegos*, 1884), dicen así: *Y al fin sobre su lira / me poso y me adormezco.*

No había más eco que la voz de Orfeo. Naturaleza sentía el himno. Venus, que pasaba por las cercanías, preguntó de lejos con su divina voz: «¿Está aquí acaso Apolo?»

Y en toda aquella inmensidad de maravillosa armonía, el único que no oía nada era el sátiro sordo.

Cuando el poeta concluyó, dijo a éste: —¿Os place mi canto? Si es así, me quedaré con vos en la selva.

El sátiro dirigió una mirada a sus dos consejeros. Era preciso que ellos resolviesen lo que no podía comprender él. Aquella mirada pedía una opinión.

*

—Señor —dijo la alondra, esforzándose en producir la voz más fuerte de su buche—, quédese quien así ha cantado con nosotros. He aquí que su lira es bella y potente. Te ha ofrecido la grandeza y la luz rara que hoy has visto en tu selva. Te ha dado su harmonía. Señor, yo sé de estas cosas. Cuando viene el alba desnuda y se despierta el mundo, yo me remonto a los profundos cielos y vierto desde la altura las perlas invisibles de mis trinos, y entre las claridades matutinas mi melodía inunda el aire, y es el regocijo del espacio. Pues yo te digo que Orfeo ha cantado bien, y es un elegido de los dioses. Su música embriagó el bosque entero. Las águilas[10] se han acercado a revolar sobre nuestras cabezas, los arbustos floridos han agitado suavemente sus incensarios misteriosos, las abejas han dejado sus celdillas para venir a escuchar. En cuanto a mí, ¡oh señor!, si yo estuviese en lugar tuyo le daría mi guirnalda de pámpanos y mi tirso. Existen dos potencias, la real y la ideal. Lo que Hércules haría con sus muñecas, Orfeo lo hace con su inspiración. El dios robusto despedazaría de un puñetazo al mismo Athos[11]. Orfeo les amansaría con la eficacia de su voz triunfante, a Nemea su léon y a Erimanto su jabalí[12]. De los

---

[10] *Los ángeles* en *90:* pero *Las águilas* en *05.*

[11] *Athos:* monte de Macedonia.

[12] El león de Nemea y el jabalí de Erimanto fueron los dos fabulosos animales que Hércules mató en sus trabajos primero y tercero.

hombres unos han nacido para forjar los metales, otros para arrancar del suelo fértil las espigas del trigal, otros para combatir en las sangrientas guerras, y otros para enseñar, glorificar y cantar. Si soy tu copero y te doy vino, goza tu paladar; si te ofrezco un himno, goza tu alma.

*

Mientras cantaba la alondra, Orfeo le acompañaba con su instrumento, y un vasto y dominante soplo lírico se escapaba del bosque verde y fragrante. El sátiro sordo comenzaba a impacientarse. ¿Quién era aquel extraño visitante? ¿Por qué ante él había cesado la danza loca y voluptuosa? ¿Qué decían sus dos consejeros?

¡Ah!, la alondra había cantado, ¡pero el sátiro no oía! Por fin, dirigió su vista al asno.

¿Faltaba su opinión? Pues bien, ante la selva enorme y sonora, bajo el azul sagrado, el asno movió la cabeza de un lado a otro, grave, terco, silencioso, como el sabio que medita.

Entonces, con su pie hendido, hirió el sátiro el suelo, arrugó su frente con enojo, y sin darse cuenta de nada, exclamó, señalando a Orfeo la salida de la selva:

—¡No!...

Al vecino Olimpo llegó el eco y resonó allá, donde los dioses estaban de broma, un coro de carcajadas formidables que después se llamaron homéricas.

Orfeo salió triste de la selva del sátiro sordo y casi dispuesto a ahorcarse del primer laurel que hallase en su camino.

No se ahorcó, pero se casó con Eurídice.

La Ninfa[1]

CUENTO PARISIENSE

En el castillo que últimamente acaba de adquirir Lesbia, esta actriz caprichosa y endiablada que tanto ha dado que decir al mundo por sus extravagancias, nos hallábamos a la mesa hasta seis amigos. Presidía nuestra Aspasia[2], quien a la sazón se entretenía en chupar como niña golosa, un terrón de azúcar húmedo, blanco entre las yemas sonrosadas. Era la hora del chartreuse. Se veía en los cristales de la mesa como una disolución de piedras preciosas, y la luz de los candelabros se descomponía en las copas medio vacías, donde quedaba algo de la púrpura del borgoña, del oro hirviente del champaña, de las líquidas esmeraldas de la menta.

Se hablaba con el entusiasmo de artistas de buena pasta, tras una buena comida. Éramos todos artistas, quien más, quien menos, y aún había un sabio obeso que ostentaba en la albura de una pechera inmaculada, el gran nudo de una corbata monstruosa.

---

[1] *La Época*, Santiago, 25 de noviembre de 1887. Samuel Ossa Borne asegura que «El cuento parisiense "La Ninfa" fue compuesto en diez días de encierro y de mosto, con un ejemplar de la *Eneida* (traducción de Caro), perteneciente a Pedro León Medina, en la pensión que éste había conseguido para Rubén en la calle de Nataniel» («La historia...» 374).

[2] Aspasia de Mileto (ca. 480 a. C. - 429 a. C.), cortesana griega de hermosura y talento extraordinarios. Amante de Pericles, su casa fue a menudo centro de reunión del círculo cultural que, en Atenas, reunía, entre otros, a Fidias, Alcibíades, Sócrates, Jenofonte y al mismo Pericles.

Alguien dijo: —¡Ah, sí, Fremiet! —Y de Fremiet se pasó a sus animales, a su cincel maestro, a dos perros de bronce que, cerca de nosotros, uno buscaba la pista de la pieza, y otro, como mirando al cazador, alzaba el pescuezo y arbolaba la delgadez de su cola tiesa y erecta[3]. ¿Quién habló de Mirón? El sabio, que recitó en griego el epigrama de Anacreonte: «Pastor, lleva a pastar más lejos tu boyada, no sea que creyendo que respira la vaca de Mirón, la quieras llevar contigo»[4].

Lesbia acabó de chupar su azúcar, y con una carcajada argentina:

—¡Bah! Para mí los sátiros. Yo quisiera dar vida a mis bronces, y si esto fuera posible, mi amante sería uno de esos velludos semidioses. Os advierto que más que a los sátiros adoro a los centauros; y que me dejaría robar por uno de esos monstruos robustos, sólo por oír las quejas del engañado, que tocaría su flauta lleno de tristeza.

El sabio interrumpió:

—¡Bien! Los sátiros y los faunos, los hipocentauros y las sirenas, han existido, como las salamandras y el ave Fénix.

Todos reímos, pero entre el coro de carcajadas, se oía irresistible, encantadora, la de Lesbia, cuyo rostro encendido, de mujer hermosa, estaba como resplandeciente de placer.

*

—Sí —continuó el sabio—, ¿con qué derecho negamos los modernos hechos que afirman los antiguos? El

---

[3] Cfr. nota XII de Darío (infra, págs. 311-12). E. Fremiet (1824-1910), escultor y académico francés de tendencia realista que se encontraba en su apogeo en los años de Azul... Estaba especializado en motivos zoológicos, y existía sobre él un estudio ilustrado que Darío pudo consultar (Marasso 347).

[4] El escultor griego, autor del famoso Discóbolo, esculpió también Ladas y una vaca, obra a la que se refiere el epigrama de Anacreonte y de la que Plinio se ocupó en su Historia natural. Ya que los versos que reproduce Rubén no son la copia exacta de la versión que realizó Federico Baráibar (Poetas líricos griegos; epigrama XV), hay que pensar en otra fuente distinta o, sencillamente, en una adaptación del texto de Baráibar. No debe olvidarse tampoco que ya en Nicaragua, antes de su viaje a Chile, Rubén había conocido y adaptado al poeta griego (Mejía Sánchez, Cuestiones 61).

169

perro gigantesco que vio Alejandro, alto como un hombre, es tan real como la araña Kraken, que vive en el fondo de los mares[5]. San Antonio Abad, de edad de noventa años, fue en busca del viejo ermitaño Pablo, que vivía en una cueva. Lesbia, no te rías. Iba el santo por el yermo, apoyado en su báculo, sin saber dónde encontrar a quien buscaba. A mucho andar, ¿sabéis quién le dio las señas del camino que debía seguir? Un centauro, medio hombre y medio caballo —dice un autor[6]— hablaba como enojado; huyó tan velozmente, que presto le perdió de vista el santo; así iba galopando el monstruo, cabellos al aire y vientre a tierra.

En ese mismo viaje, San Antonio vio un sátiro «hombrecillo de extraña figura, estaba junto a un arroyuelo, tenía las narices corvas, frente áspera y arrugada, y la última parte de su contrahecho cuerpo remataba con pies de cabra».

—Ni más ni menos —dijo Lesbia—, M. de Cocureau, futuro miembro del Instituto!

Siguió el sabio:

—Afirma San Jerónimo que en tiempo de Constantino Magno se condujo a Alejandría un sátiro vivo, siendo conservado su cuerpo cuando murió.

Además, viole el emperador en Antioquía.

Lesbia había vuelto a llenar su copa de menta, y humedecía la lengua en el licor verde como lo haría un animal felino.

—Dice Alberto Magno, que en su tiempo cogieron a dos

---

[5] *Kraken:* en el folclore nórdico, monstruo marino que merodea por las costas de Noruega.

[6] Rubén se refiere a Juan Eusebio Nieremberg (1595-1658), erudito jesuita, profesor de Historia Natural en el Colegio Imperial de Felipe IV y autor de *Curiosa filosofía y tesoro de las maravillas de la Naturaleza* (Madrid, Imprenta del Reino, 1630). A su libro IV («De la verdad de los monstruos fabulosos») pertenecen casi todos los datos que cita Darío. Rubén pudo leerlo en la Biblioteca Nacional de Chile, en Santiago, que conservaba dos ediciones, un poco más tardías, de las obras del P. Nieremberg (Saavedra y Mapes). También se sirvió, como en «El sátiro sordo», de *El asno ilustrado o la apología del asno* de J. Pérez Necochea (Madrid, Imprenta Nacional, 1837).

sátiros en los montes de Sajonia. Enrico Zormano[7] asegura que en tierras de Tartaria había hombres con un solo pie, y un solo brazo en el pecho. Vincencio[8] vio en su época un monstruo que trajeron al rey de Francia; tenía cabeza de perro[9]; (Lesbia reía) los muslos, brazos y manos tan sin vello como los nuestros (Lesbia se agitaba como una chicuela a quien hiciesen cosquillas); comía carne cocida y bebía vino con todas ganas.

—¡Colombine! —gritó Lesbia. Y llegó Colombine, una falderilla que parecía un copo de algodón. Tomóla su ama, y entre las explosiones de risa de todos:

—Toma, el monstruo que tenía tu cara!

Y le dio un beso en la boca, mientras el animal se estremecía e inflamaba las naricitas como lleno de voluptuosidad.

—Y Filegón Traliano —concluyó el sabio elegantemente— afirma la existencia de dos clases de hipocentauros: una de ellas como elefantes[10]. Además...

—Basta de sabiduría —dijo Lesbia. Y acabó de beber menta[11].

----

[7] En la obra de Nieremberg (capítulos XIV y XV, libro IV) se le llama Enrico Zornmamo y Enrico Kornmanno. También existe un tal Enrique Kornmann, alemán del siglo XVII, que escribió sobre temas parecidos. Si de la misma persona se tratase, el nombre que le da Darío sería una errata tomada de Nieremberg.

[8] Vincencio Burgundio es el nombre completo que aparece en la obra de Nieremberg. Fue un religioso y científico francés nacido hacia 1190 y muerto en 1264.

[9] Sobre este mismo asunto y con el mismo tono erudito volvió Darío en sus crónicas de «La Semana», para *El Heraldo* de Valparaíso. En su colaboración del 11 de febrero de 1888, que parece haber escrito teniendo delante su propio cuento, puede leerse lo siguiente: «Desde Filetas Coo, que era tan delgado que se puso planchas de plomo en los pies para que no se lo llevase el aire, hasta los hombres con pies de cabra que dice Alberto Magno que cogieron en Sajonia, larga es la lista de monstruos conocidos. En Tartaria, según Enrico Zormano, había hombres con solo un pie y un brazo que les salía del pecho. San Antonio vio hombres casi sátiros, y Vincencio conoció a un sujeto que tenía cabeza de perro» (*OD* 113).

[10] *88: una de ellas come elefantes.* De Filegón Tragliano (Flegón Traliano en el capítulo X de Nieremberg), se dice que fue un autor griego a quien el emperador Adriano habría libertado de su esclavitud.

[11] *88: beber la menta*

171

Yo estaba feliz. No había despegado mis labios. —¡Oh!
—exclamé—, para mí, ¡las ninfas! Yo desearía contemplar
esas desnudeces de los bosques y de las fuentes, aunque
como Acteón, fuese despedazado por los perros[12]. Pero las
ninfas no existen.

Concluyó aquel concierto alegre, con una gran fuga de risas, y de personas.

Y ¡qué! —me dijo Lesbia, quemándome con sus ojos de
faunesa y con voz callada como para que sólo yo la oye-
ra—, las ninfas existen, tú las verás!

*

Era un día primaveral. Yo vagaba por el parque del castillo, con el aire de un soñador empedernido. Los gorriones chillaban sobre las lilas nuevas, y atacaban a los esca-
rabajos que se defendían de los picotazos con sus corazas
de esmeralda, con sus petos de oro y acero. En las rosas el
carmín, el bermellón, la onda penetrante de perfumes dulces; más allá las violetas, en grandes grupos, con su color
apacible y su olor a virgen. Después los altos árboles, los
ramajes tupidos llenos de mil abejeos, las estatuas en la penumbra, los discóbolos de bronce, los gladiadores muscu-
losos en sus soberbias posturas gímnicas, las glorietas per-
fumadas cubiertas de enredaderas, los pórticos, bellas imitaciones jónicas, cariátides todas blancas y lascivas, y
vigorosos telamones del orden atlántico, con anchas espaldas y muslos gigantescos. Vagaba por el laberinto de tales
encantos cuando oí un ruido, allá en lo oscuro de la arboleda, en el estanque donde hay cisnes blancos como cin-
celados en alabastro, y otros que tienen la mitad del cuello del color del ébano, como una pierna alba con media
negra.

---

[12] *Acteón:* cazador mitológico, nieto de Apolo. Murió devorado por sus
propios perros después de que la diosa Artemis, como castigo por haberla
sorprendido desnuda cuando se bañaba con su séquito, lo transformase en
ciervo.

Llegué más cerca. ¿Soñaba? ¡Oh, Numa! Yo sentí lo que tú, cuando viste en su gruta por primera vez a Egeria[13].

Estaba en el centro del estanque, entre la inquietud de los cisnes espantados, una ninfa, una verdadera ninfa, que hundía su carne de rosa en el agua cristalina. La cadera a flor de espuma parecía a veces como dorada por la luz opaca que alcanzaba a llegar por las brechas de las hojas. ¡Ah!, yo vi lirios, rosas, nieve, oro; vi un ideal con vida y forma, y oí entre el burbujeo sonoro de la linfa herida, como una brisa burlesca y armoniosa, que me encendía la sangre.

De pronto huyó la visión, surgió la ninfa del estanque, semejante a Citerea en su onda, y recogiendo sus cabellos que goteaban brillantes, corrió por los rosales, tras las lilas y violetas, más allá de los tupidos arbolares, hasta ocultarse a mi vista, hasta perderse[14], ¡ay!, por un recodo; y quedé yo, poeta lírico, fauno burlado, viendo a las grandes aves alabastrinas como mofándose de mí, tendiéndome sus largos cuellos en cuyo extremo brillaba bruñida el ágata de sus picos.

*

Después, almorzábamos juntos aquellos amigos de la noche pasada; entre todos, triunfante, con su pechera y su gran corbata oscura, el sabio obeso, futuro miembro del Instituto.

Y de repente, mientras todos charlaban de la última obra de Fremiet en el salón, exclamó Lesbia con su alegre voz parisiense:

—¡Té!, como dice Tartarín: ¡el poeta ha visto ninfas!...

La contemplaron todos asombrados, y ella me miraba, me miraba como una gata, y se reía, como una chiquilla a quien se le hiciesen cosquillas[15].

---

[13] Según la leyenda, Numa Pompilio (715-672 a. C.), sucesor de Rómulo como mandatario de Roma, se reunía con la ninfa Egeria en el bosque de Aricia, cerca de la ciudad; ella —que no se dejaba ver por nadie más— le aconsejaba acerca de las leyes de gobierno.

[14] *90: más allá de los tupidos arbolares, hasta perderse...*

[15] *88: y se reía, se reía, como una chicuela a quien se le hiciesen cosquillas.*

El fardo[1]

Allá lejos, en la línea como trazada con un lápiz azul, que separa las aguas y los cielos, se iba hundiendo el sol, con sus polvos de oro y sus torbellinos de chispas purpuradas, como un gran disco de hierro candente. Ya el muelle fiscal iba quedando en quietud; los guardas pasaban de un punto a otro, las gorras metidas hasta las cejas, dando aquí y allá sus vistazos. Inmóvil el enorme brazo de los pescantes, los jornaleros se encaminaban a las casas. El agua murmuraba debajo del muelle, y el húmedo viento salado que sopla de mar afuera a la hora en que la noche sube, mantenía las lanchas cercanas en un continuo cabeceo.

*

---

[1] Publicado por primera vez en *La Revista de Artes y Letras* de Santiago, en su salida del 15 de abril de 1887 (vol. IX, págs. 113-19). Llevaba una dedicatoria a Luis Orrego Luco, compañero de Darío en *La Época,* que fue suprimida ya desde la primera edición de *Azul...* Además de la dedicatoria presentaba la siguiente introducción, dirigida también a su amigo: «Has murmurado, Luis, de la prosa de la aduana, y has hecho mal. ¡Si vieras cuántas cosas se miran, además de las aes en triángulo y de los enigmas de las pólizas!

»Yo pensaba como tú, al frente de tan claras arideces, y mira lo que he encontrado ayer, al salir del galpón de avalúos, a los dos días de mi empleo.»

Si la última afirmación de Rubén es cierta y se tiene en cuenta que su nombramiento oficial como «guarda inspector» de la Aduana de Valparaíso ocurrió el 29 de marzo de 1887, la fecha de redacción del cuento debe situarse en los primeros días de abril de ese mismo año.

Todos los lancheros se habían ido ya; solamente el viejo tío Lucas, que por la mañana se estropeara un pie al subir una barrica a un carretón, y que, aunque cojín cojeando, había trabajado todo el día, estaba sentado en una piedra, y, con la pipa en la boca, veía triste el mar.

—Eh, tío Lucas, ¿se descansa?

—Sí, pues, patroncito.

Y empezó la charla, esa charla agradable y suelta que me place entablar con los bravos hombres toscos que viven la vida del trabajo fortificante, la que da la buena salud y la fuerza del músculo, y se nutre con el grano del poroto[2] y la sangre hirviente de la viña.

Yo veía con cariño a aquel rudo viejo, y le oía con interés sus relaciones, así, todas cortadas, todas como de hombre basto, pero de pecho ingenuo. ¡Ah, conque fue militar! ¡Conque de mozo fue soldado de Bulnes![3] ¡Conque todavía tuvo resistencias para ir con su rifle hasta Miraflores![4] Y es casado, y tuvo un hijo, y...

Y aquí el tío Lucas:

—Sí, patrón, ¡hace dos años que se me murió!

Aquellos ojos, chicos y relumbrantes bajo las cejas grises y peludas, se humedecieron entonces.

—¿Que cómo se me murió?[5] En el oficio, por darnos de comer a todos; a mi mujer, a los chiquitos y a mí, patrón, que entonces me hallaba enfermo.

Y todo me lo refirió, al comenzar aquella noche, mientras las olas se cubrían de brumas y la ciudad encendía sus luces; él, en la piedra que le servía de asiento, después de apagar su negra pipa y de colocársela en la oreja, y de estirar

---

[2] *Poroto:* alubia, frijol.

[3] Manuel Bulnes, militar y político chileno (1799-1866), que llegó a ocupar Lima en 1838, durante la guerra contra Perú y Bolivia. Fue presidente de Chile de 1814 a 1851.

[4] La batalla de Miraflores se dio en 1881, durante la Guerra del Pacífico entre Chile y la coalición peruano-boliviana (1879-1883). Toma el nombre del elegante barrio limeño donde tuvo lugar y sirvió para abrir las puertas de Lima al ejército chileno.

[5] *Sic* en *88;* en *90:* —*¿Que cómo se murió?*

y cruzar sus piernas flacas y musculosas, cubiertas por los sucios pantalones arremangados hasta el tobillo.

*

El muchacho era muy honrado y muy de trabajo. Se quiso ponerlo a la escuela desde grandecito; ¡pero los miserables no deben aprender a leer cuando se llora de hambre en el cuartucho!

El tío Lucas era casado, tenía muchos hijos.

Su mujer llevaba la maldición del vientre de las pobres: la fecundidad. Había, pues, mucha boca abierta que pedía pan, mucho chico sucio que se revolcaba en la basura, mucho cuerpo magro que temblaba de frío; era preciso ir a llevar qué comer, a buscar harapos, y para eso, quedar sin alientos y trabajar como un buey. Cuando el hijo creció ayudó al padre. Un vecino, el herrero, quiso enseñarle su industria, pero como entonces era tan débil, casi una armazón de huesos, y en el fuelle tenía que echar el bofe, se puso enfermo y volvió al conventillo[6]. ¡Ah, estuvo muy enfermo! Pero no murió. ¡No murió! Y eso que vivían en uno de esos hacinamientos humanos, entre cuatro paredes destartaladas, viejas, feas, en la callejuela inmunda de las mujeres perdidas, hedionda a todas horas, alumbrada de noche por escasos faroles, y donde resuenan en perpetua llamada a las zambras de echacorvería[7], las arpas y los acordeones, y el ruido de los marineros que llegan al burdel, desesperados con la castidad de las largas travesías, a emborracharse como cubas y a gritar y patalear como condenados. ¡Sí!, entre la podredumbre, al estrépito de las fiestas tunantescas, el chico vivió, y pronto estuvo sano y en pie.

Luego, llegaron después sus quince años.

*

El tío Lucas había logrado, tras mil privaciones, comprar una canoa. Se hizo pescador.

---

[6] *Conventillo:* en Chile, grupo de casas de gente pobre.
[7] *Zambras de echacorvería:* alborotos o jaleos de alcahuetas y prostitutas.

Al venir el alba, iba con su mocetón al agua, llevando los enseres de la pesca. El uno remaba, el otro ponía en los anzuelos la carnada. Volvían a la costa con buena esperanza de vender lo hallado, entre la brisa fría y las opacidades de la neblina, cantando en baja voz alguna «triste»[8] y enhiesto el remo triunfante que chorreaba espuma.

Si había buena venta, otra salida por la tarde.

Una de invierno había temporal. Padre e hijo, en la pequeña embarcación, sufrían en el mar la locura de la ola y del viento. Difícil era llegar a tierra. Pesca y todo se fue al agua, y se pensó en librar el pellejo. Luchaban como desesperados por ganar la playa. Cerca de ella estaban; pero una racha maldita les empujó contra una roca, y la canoa se hizo astillas. Ellos salieron sólo magullados, gracias a Dios!, como decía el tío Lucas al narrarlo. Después, ya son ambos lancheros.

*

¡Sí!, lancheros; sobre las grandes embarcaciones chatas y negras; colgándose de la cadena que rechina pendiente como una sierpe de hierro del macizo pescante que semeja una horca; remando de pie y a compás; yendo con la lancha del muelle al vapor y del vapor al muelle; gritando: ¡hiiooeep! cuando se empujan los pesados bultos para engancharlos en la uña potente que los levanta balanceándolos como un péndulo, ¡sí!, lancheros; el viejo y el muchacho, el padre y el hijo; ambos a horcajadas sobre un cajón, ambos forcejeando, ambos ganando su jornal, para ellos y para sus queridas sanguijuelas del conventillo.

Íbanse todos los días al trabajo, vestidos de viejo, fajadas las cinturas con sendas bandas coloradas, y haciendo sonar a una sus zapatos groseros y pesados que se quitaban al comenzar la tarea, tirándolos en un rincón de la lancha. Empezaba el trajín, el cargar y descargar[9]. El padre era cuidado-

---

[8] *Triste:* cfr. nota XIV de Darío *(infra,* pág. 312).
[9] *88: el cargar y el descargar*

so: —¡Muchacho, que te rompes la cabeza! ¡Que te coge la mano el chicote![10]. Que vas a perder una canilla. Y enseñaba, adiestraba, dirigía al hijo, con su modo, con sus bruscas palabras de roto viejo[11] y de padre encariñado.

*

Hasta que un día el tío Lucas no pudo moverse de la cama, porque el reumatismo le hinchaba las coyunturas y le taladraba los huesos.

¡Oh! Y había que comprar medicinas y alimentos; eso sí.

—Hijo, al trabajo, a buscar plata; hoy es sábado.

Y se fue el hijo, solo, casi corriendo, sin desayunarse, a la faena diaria.

Era un bello día de luz clara, de sol de oro. En el muelle rodaban los carros sobre sus rieles, crujían las poleas, chocaban las cadenas. Era la gran confusión del trabajo que da vértigo, el son del hierro; traqueteos por doquiera, y el viento pasando por el bosque de árboles y jarcias de los navíos en grupo.

Debajo de uno de los pescantes del muelle estaba el hijo del tío Lucas con otros lancheros, descargando a toda prisa. Había que vaciar la lancha repleta de fardos. De tiempo en tiempo bajaba la larga cadena que remata en un garfio, sonando como una matraca al correr con la roldana; los mozos amarraban los bultos con una cuerda doblada en dos, los enganchaban en el garfio, y entonces éstos subían a la manera de un pez en un anzuelo, o del plomo de una sonda, ya quietos, ya agitándose de un lado para otro, como un badajo, en el vacío.

La carga estaba amontonada. La ola movía pausadamente de cuando en cuando la embarcación colmada de fardos. Éstos formaban una a modo de pirámide en el centro. Había uno muy pesado, muy pesado. Era el más grande de todos, ancho, gordo y oloroso a brea. Venía en el fondo de la lancha. Un hombre de pie sobre él, era pequeña figura para el grueso zócalo.

---

[10] *Chicote:* extremo o remate de una cuerda.
[11] A partir de la edición de 1905: *de obrero viejo. Roto* es también, en Chile, cualquier miembro de la capa social más baja. Cfr. nota XX de Darío *(infra,* pág. 216).

Era algo como todos los prosaísmos de la importación, envueltos en lona y fajados con correas de hierro. Sobre sus costados, en medio de líneas y de triángulos, había letras que miraban como ojos. —Letras en «diamante» —decía el tío Lucas. Sus cintas de hierro estaban apretadas con clavos cabezudos y ásperos; y en las entrañas tendría el monstruo, cuando menos, linones y percales[12].

*

Sólo él faltaba.

—¡Se va el bruto! —dijo uno de los lancheros.

—¡El barrigón! —agregó otro.

Y el hijo del tío Lucas, que estaba ansioso de acabar pronto, se alistaba para ir a cobrar y desayunarse, anudándose un pañuelo de cuadros al pescuezo.

Bajó la cadena danzando en el aire. Se amarró un gran lazo al fardo, se probó si estaba bien seguro, y se gritó: ¡Iza! mientras la cadena tiraba de la masa chirriando y levantándola en vilo.

Los lancheros, de pie, miraban subir el enorme peso, y se preparaban para ir a tierra, cuando se vio una cosa horrible. El fardo, el grueso fardo, se zafó del lazo, como de un collar holgado saca un perro la cabeza; y cayó sobre el hijo del tío Lucas, que entre el filo de la lancha y el gran bulto, quedó con los riñones rotos, el espinazo desencajado y echando sangre negra por la boca.

Aquel día no hubo pan ni medicinas en casa del tío Lucas, sino el muchacho destrozado al que se abrazaba llorando el reumático, entre la gritería de la mujer y de los chicos, cuando llevaban el cadáver a Playa-Ancha[13].

*

---

[12] *Linón:* tela de hilo ligera, clara y fuertemente engomada.

[13] Cfr. nota XV de Darío *(infra,* pág. 312).

Me despedí del viejo lanchero, y a pasos elásticos dejé el muelle, tomando el camino de la casa, y haciendo filosofía con toda la cachaza de un poeta, en tanto que una brisa glacial que venía de mar afuera pellizcaba tenazmente las narices y las orejas.

El velo de la reina Mab[1]

La reina Mab, en su carro hecho de una sola perla, tirado por cuatro coleópteros de petos dorados y alas de pedrería, caminando sobre un rayo de sol, se coló por la ventana de una buhardilla donde estaban cuatro hombres flacos, barbudos e impertinentes, lamentándose como unos desdichados.

Por aquel tiempo, las hadas habían repartido sus dones a los mortales. A unos habían dado las varitas misteriosas que llenan de oro las pesadas cajas del comercio; a otros unas espigas maravillosas que al desgranarlas colmaban las trojes de riqueza; a otros unos cristales que hacían ver en el riñón de la madre tierra, oro y piedras preciosas; a quienes cabelleras espesas y músculos de Goliat, y mazas enormes para machacar el hierro encendido; y a quienes talones fuertes y piernas ágiles para montar en las rápidas caballerías que se beben el viento y que tienden las crines en la carrera.

Los cuatro hombres se quejaban. Al uno le había tocado en suerte una cantera, al otro el iris, al otro el ritmo, al otro el cielo azul.

*

La reina Mab oyó sus palabras. Decía el primero: —¡Y bien! ¡Heme aquí en la gran lucha de mis sueños de már-

---

[1] Primera aparición en *La Época*, el 2 de octubre de 1887. Acerca de las fuentes de este cuento, cfr. nota XVI de Darío *(infra,* págs. 312-13) y también mi artículo «Nuevas luces...».

mol! Yo he arrancado el bloque y tengo el cincel. Todos tenéis, unos el oro, otros la armonía, otros la luz; yo pienso en la blanca y divina Venus que muestra su desnudez bajo el plafond color de cielo[2]. Yo quiero dar a la masa la línea y la hermosura plástica; y que circule por las venas de la estatua una sangre incolora como la de los dioses. Yo tengo el espíritu de Grecia en el cerebro, y amo los desnudos en que la ninfa huye y el fauno tiende los brazos. ¡Oh, Fidias! Tú eres para mí soberbio y augusto como un semidiós, en el recinto de la eterna belleza, rey ante un ejército de hermosuras que a tus ojos arrojan el magnífico *chitón*[3], mostrando la esplendidez de la forma, en sus cuerpos de rosa y nieve.

Tú golpeas, hieres y domas el mármol, y suena el golpe armónico como un verso, y te adula la cigarra, amante del sol, oculta entre los pámpanos de la viña virgen. Para ti son los Apolos rubios y luminosos, las Minervas severas y soberanas. Tú, como un mago, conviertes la roca en simulacro y el colmillo del elefante en copa del festín. Y al ver tu grandeza siento el martirio de mi pequeñez. Porque pasaron los tiempos gloriosos. Porque tiemblo ante las miradas de hoy. Porque contemplo el ideal inmenso y las fuerzas exhaustas. Porque a medida que cincelo el bloque me ataraza el desaliento.

*

Y decía el otro: —Lo que es hoy romperé mis pinceles. ¿Para qué quiero el iris y esta gran paleta del campo florido, si a la postre mi cuadro no será admitido en el salón? ¿Qué abordaré? He recorrido todas las escuelas, todas las inspiraciones artísticas. He pintado el torso de Diana y el rostro de la Madona. He pedido a las campiñas sus colores, sus matices; he adulado a la luz como a una amada, y la he abrazado como a una querida. He sido adorador del desnudo, con sus magnificencias, con los tonos de sus carnaciones y con

---

[2] En *La Época,* después de *color de cielo: Yo quiero petrificar el himno que me estremece el alma.*

[3] *Sic* en *88* y *90; jitón o chitón:* túnica griega.

sus fugaces medias tintas. He trazado en mis lienzos los nimbos de los santos y las alas de los querubines. ¡Ah, pero siempre el terrible desencanto!, ¡el porvenir! ¡Vender una Cleopatra en dos pesetas para poder almorzar!

¡Y yo, que podría, en el estremecimiento de mi inspiración, trazar el gran cuadro que tengo aquí dentro...!

*

Y decía el otro: —Perdida mi alma en la gran ilusión de mis sinfonías, temo todas las decepciones. Yo escucho todas las harmonías, desde la lira de Terpandro[4] hasta las fantasías orquestales de Wagner. Mis ideales, brillan en medio de mis audacias de inspirado. Yo tengo la percepción del filósofo que oyó la música de los astros. Todos los ruidos pueden aprisionarse, todos los ecos son susceptibles de combinaciones. Todo cabe en la línea de mis escalas cromáticas.

La luz vibrante es himno, y la melodía de la selva halla un eco en mi corazón. Desde el ruido de la tempestad hasta el canto del pájaro, todo se confunde y enlaza en la infinita cadencia. Entre tanto, no diviso sino la muchedumbre que befa y la celda del manicomio.

*

Y el último: —Todos bebemos del agua clara de la fuente de Jonia. Pero el ideal flota en el azul; y para que los espíritus gocen de su luz suprema, es preciso que asciendan. Yo tengo el verso que es de miel y el que es de oro, y el que es de hierro candente. Yo soy el ánfora del celeste perfume: tengo el amor. Paloma, estrella, nido, lirio, vosotros conocéis mi morada. Para los vuelos inconmensurables tengo alas de águila que parten a golpes mágicos el huracán. Y para hallar consonantes, los busco en dos bocas que se juntan; y estalla el beso, y escribo la estrofa, y entonces, si veis

---

[4] *Terpandro:* músico griego del siglo VII a. C. Se le atribuyen la fundación de la música helénica y la sustitución de la lira de cuatro cuerdas por la de siete.

mi alma, conoceréis a mi Musa. Amo las epopeyas porque de ellas brota el soplo heroico que agita las banderas que ondean sobre las lanzas y los penachos que tiemblan sobre los cascos; los cantos líricos, porque hablan de las diosas y de los amores; y las églogas, porque son olorosas a verbena y a tomillo[5], y al sano[6] aliento del buey coronado de rosas. Yo escribiría algo inmortal; mas me abruma un porvenir de miseria y de hambre...

*

Entonces la reina Mab, del fondo de su carro hecho de una sola perla, tomó un velo azul, casi impalpable, como formado de suspiros, o de miradas de ángeles rubios y pensativos. Y aquel velo era el velo de los sueños, de los dulces sueños que hacen ver la vida de color de rosa. Y con él envolvió a los cuatro hombres flacos, barbudos e impertinentes. Los cuales cesaron de estar tristes, porque penetró en su pecho la esperanza, y en su cabeza el sol alegre, con el diablillo de la vanidad, que consuela en sus profundas decepciones a los pobres artistas.

Y desde entonces, en las buhardillas de los brillantes infelices, donde flota el sueño azul, se piensa en el porvenir como en la aurora, y se oyen risas que quitan la tristeza, y se bailan extrañas farandolas[7] alrededor de un blanco Apolo, de un lindo paisaje, de un violín viejo, de un amarillento manuscrito.

---

[5] *Verbena:* planta herbácea de hojas ásperas y flores de varios colores.

[6] Aunque no aparece hasta la edición de 1907, algunos editores optan por *santo* en lugar de *sano,* en función del contexto.

[7] Del francés *farandole,* danza provenzal.

La canción del oro[1]

Aquel día, un harapiento, por las trazas un mendigo, tal vez un peregrino, quizás un poeta, llegó, bajo la sombra de los altos álamos, a la gran calle de los palacios, donde hay desafíos de soberbia entre el ónix y el pórfido, el ágata y el mármol; en donde las altas columnas, los hermosos frisos, las cúpulas doradas, reciben la caricia pálida del sol moribundo.

Había tras los vidrios de las ventanas, en los vastos edificios de la riqueza, rostros de mujeres gallardas y de niños encantadores. Tras las rejas se adivinaban extensos jardines, grandes verdores salpicados de rosas y ramas que se balanceaban acompasada y blandamente como bajo la ley de un ritmo. Y allá en los grandes salones, debía de estar el tapiz

[1] Se publicó por primera vez en la *Revista de Artes y Letras*, de Santiago, el 15 de febrero de 1888, tres semanas antes de que el poeta, en carta a Narciso Tondreau, confesase su devoción por Jean Richepin y sus *Chansons des gueux* (Ghiraldo 342). De todos modos, los recursos técnicos que Darío emplea aquí recuerdan mucho más a los que Richepin utilizó en su poema "Terrienne", de *La mer* (1886), poema que, por otro lado, dejó también su huella en los párrafos finales de "El rubí" (cfr. Jean Richepin, *La mer*, París, Dreyfous, 1890, 142-144). Años más tarde Darío aseguraría haber concebido esta composición en la santiagueña Avenida de las Delicias (Soto Hall 74). Por otra parte, Samuel Ossa Borne —sin aclarar realmente el origen inmediato del cuento— recuerda cómo y cuándo leyó por primera vez el manuscrito, recibido de manos de Darío, y resume: «Según queda referido, la "Canción de Oro" *[sic]* fue escrita en unas pocas horas de un día, puede decirse sin exagerar que al correr de la pluma» («La historia...» 374).

En la *Revista de Artes y Letras* y, más tarde, en *La República*, de San José de Costa Rica (13-I-89), apareció dedicado a Pedro Barros, asiduo de los círculos literarios chilenos.

purpurado y lleno de oro, la blanca estatua, el bronce chino, el tibor cubierto de campos azules y arrozales tupidos, la gran cortina recogida como una falda, ornada de flores opulentas, donde el ocre oriental hace vibrar la luz en la seda que resplandece. Luego las lunas venecianas, los palisandros[2] y los cedros, los nácares y los ébanos, y el piano negro y abierto, que ríe mostrando sus teclas como una linda dentadura; y las arañas cristalinas, donde alzan las velas profusas la aristocracia de su blanca cera. ¡Oh, y más allá! Más allá el cuadro valioso dorado por el tiempo, el retrato que firma Durand o Bonnat[3], y las preciosas acuarelas en que el tono rosado parece que emerge de un cielo puro y envuelve en una onda dulce desde el lejano horizonte hasta la yerba trémula y humilde. Y más allá...

*

(Muere la tarde.
Llega a las puertas del palacio un break[A] flamante y charolado, negro y rojo. Baja una pareja y entra con tal soberbia en la mansión, que el mendigo piensa: decididamente, el aguilucho y su hembra van al nido. El tronco, ruidoso y azogado, a un golpe de fusta[5] arrastra el carruaje haciendo relampaguear las piedras. Noche.)

*

Entonces, en aquel cerebro de loco, que ocultaba un sombrero raído, brotó como el germen de una idea que pasó al pecho, y fue opresión, y llegó a la boca hecho himno que le encendía la lengua y hacía entrechocar los dien-

---

[2] *Palisandro:* madera del guayabo; se emplea para fabricar muebles de lujo.

[3] Charles Durand o Carolus Duran (1838-1917), pintor francés admirador de Velázquez. Sus retratos familiares se elogiaban y describían repetidamente en las crónicas de la *Nouvelle Revue*. Rubén coincidiría con él en septiembre de 1899, en Madrid, con motivo de la inauguración de la sala Velázquez del Museo del Prado. Joseph-Leon Bonnat (1833-1922), retratista francés y profesor de la École de Beaux Arts en París.

[4] *05: carruaje*

[5] *05: golpe de látigo*

tes. Fue la visión de todos los mendigos, de todos los desamparados, de todos los miserables, de todos los suicidas, de todos los borrachos, del harapo y de la llaga, de todos los que viven, ¡Dios mío!, en perpetua noche, tanteando la sombra, cayendo al abismo, por no tener un mendrugo para llenar el estómago. Y después la turba feliz, el lecho blando, la trufa y el áureo vino que hierve, el raso y el moiré[6] que con su roce ríen; el novio rubio y la novia morena cubierta de pedrería y blonda; y el gran reloj que la suerte tiene para medir la vida de los felices opulentos, que en vez de granos de arena, deja caer escudos de oro.

*

Aquella especie de poeta sonrió; pero su faz tenía aire dantesco. Sacó de su bolsillo un pan moreno, comió, y dio al viento su himno. Nada más cruel que aquel canto tras el mordisco.

*

¡Cantemos el oro!

Cantemos el oro, rey del mundo, que lleva dicha y luz por donde va, como los fragmentos de un sol despedazado.

Cantemos el oro, que nace del vientre fecundo de la madre tierra; inmenso tesoro, leche rubia de esa ubre gigantesca.

Cantemos el oro, río caudaloso, fuente de la vida, que hace jóvenes y bellos a los que se bañan en sus corrientes maravillosas, y envejece a aquellos que no gozan de sus raudales.

Cantemos el oro, porque de él se hacen las tiaras de los pontífices, las coronas de los reyes y los cetros imperiales; y porque se derrama por los mantos como un fuego sólido, e inunda las capas de los arzobispos, y refulge en los altares y sostiene al Dios eterno en las custodias radiantes.

---

[6] *Moiré:* palabra francesa, de empleo corriente entonces, que equivale a *muaré* o *moaré* en castellano: tela fuerte de seda tejida de manera que forma aguas.

Cantemos el oro, porque podemos ser unos perdidos, y él nos pone mamparas para cubrir las locuras abyectas de la taberna y las vergüenzas de las alcobas adúlteras.

Cantemos el oro, porque al saltar del cuño lleva en su disco el perfil soberbio de los césares; y va a repletar las cajas de sus vastos templos, los bancos, y mueve las máquinas, y da la vida, y hace engordar los tocinos privilegiados.

Cantemos el oro, porque él da los palacios y los carruajes, los vestidos a la moda, y los frescos senos de las mujeres garridas; y las genuflexiones de espinazos aduladores y las muecas de los labios eternamente sonrientes.

Cantemos el oro, padre del pan.

Cantemos el oro, porque es, en las orejas de las lindas damas, sostenedor del rocío del diamante, al extremo de tan sonrosado y bello caracol; porque en los pechos siente el latido de los corazones, y en las manos a veces es símbolo de amor y de santa promesa.

Cantemos el oro, porque tapa las bocas que nos insultan; detiene las manos que nos amenazan, y pone vendas a los pillos que nos sirven.

Cantemos el oro, porque su voz es música encantada[7]; porque es heroico y luce en las corazas de los héroes homéricos, y en las sandalias de las diosas y en los coturnos trágicos y en las manzanas del jardín de las Hespérides[8].

Cantemos el oro, porque de él son las cuerdas de las grandes liras, la cabellera de las más tiernas amadas, los granos de la espiga y el peplo que al levantarse viste la olímpica aurora.

Cantemos el oro, premio y gloria del trabajador y pasto del bandido.

Cantemos el oro, que cruza por el carnaval del mundo, disfrazado de papel, de plata, de cobre y hasta de plomo.

Cantemos el oro, amarillo como la muerte.

Cantemos el oro, calificado de vil por los hambrientos;

---

[7] *88: su voz es una música encantada*

[8] *Hespérides:* ninfas de voz melodiosa encargadas de custodiar un jardín consagrado a Hera y cuyos manzanos producían frutos de oro.

hermano del carbón, oro negro que incuba el diamante; rey de la mina, donde el hombre lucha y la roca se desgarra; poderoso en el poniente, donde se tiñe de sangre; carne de ídolo, tela de que Fidias hace el traje de Minerva.

Cantemos el oro, en el arnés del caballo, en el carro de guerra, en el puño de la espada, en el lauro que ciñe cabezas luminosas, en la copa del festín dionisíaco, en el alfiler que hiere el seno de la esclava[9], en el rayo del astro y en el champaña que burbujea como una disolución de topacios hirvientes.

Cantemos el oro, porque nos hace gentiles, educados y pulcros.

Cantemos el oro, porque es la piedra de toque de toda amistad.

Cantemos el oro, purificado por el fuego, como el hombre por el sufrimiento; mordido por la lima, como el hombre por la envidia; golpeado por el martillo, como el hombre por la necesidad; realzado por el estuche de seda, como el hombre por el palacio de mármol.

Cantemos el oro, esclavo, despreciado por Gerónimo, arrojado por Antonio, vilipendiado por Macario, humillado por Hilarión, maldecido por Pablo el Ermitaño, quien tenía por alcázar una cueva bronca y por amigos las estrellas de la noche, los pájaros del alba y las fieras hirsutas y salvajes del yermo[10].

Cantemos el oro, dios becerro, tuétano de roca, misterioso y callado en su entraña, y bullicioso cuando brota a pleno sol y a toda vida, sonante como un coro de tímpanos; feto de astros, residuo de luz, encarnación de éter.

Cantemos el oro, hecho sol, enamorado de la noche,

[9] Alusión al castigo que las damas romanas infligían a las esclavas encargadas de su tocado; las herían con alfileres en los brazos o en el pecho cuando cometían algún error (Marasso).

[10] Gerónimo: San Jerónimo (ca. 340-420), natural de Dalmacia, anacoreta en tierras de Palestina y autor de la *Vulgata*. Antonio: San Antonio Abad (251-356), griego de nacimiento y eremita en Egipto, después de haber vendido todos sus bienes; también se le menciona en «La ninfa». Macario fue uno de los discípulos que le asistió al final de su vida. Hilarión (290-372), abad, confesor y seguidor igualmente de San Antonio; Palestina fue también el escenario de su vida ascética. Pablo el Ermitaño vivió en el siglo III y también desarrolló su vida de anacoreta en Egipto.

cuya camisa de crespón riega de estrellas brillantes, después del último beso, como una gran muchedumbre de libras esterlinas.

¡Eh, miserables, beodos, pobres de solemnidad, prostitutas, mendigos, vagos, rateros, bandidos, pordioseros, peregrinos, y vosotros los desterrados, y vosotros los holgazanes, y sobre todo, vosotros, oh poetas!

Unámonos a los felices, a los poderosos, a los banqueros, a los semidioses de la tierra!

Cantemos el oro.

*

Y el eco se llevó aquel himno, mezcla de gemido, ditirambo y carcajada; y como ya la noche oscura y fría había entrado, el eco resonaba en las tinieblas.

Pasó una vieja y pidió limosna.

Y aquella especie de harapiento, por las trazas un mendigo, tal vez un peregrino, quizás un poeta, le dio su último mendrugo de pan petrificado, y se marchó por la terrible sombra, rezongando entre dientes.

El rubí[1]

—¡Ah! ¡Conque es cierto! ¡Conque ese sabio parisiense ha logrado sacar del fondo de sus retortas, de sus matraces, la púrpura cristalina de que están incrustados los muros de mi palacio! Y al decir esto el pequeño gnomo iba y venía, de un lugar a otro, a cortos saltos, por la honda cueva que les servía de morada; y hacía temblar su larga barba y el cascabel de su gorro azul y puntiagudo.

En efecto, un amigo del centenario Chevreul —cuasi Althotas—, el químico Fremy, acababa de descubrir la manera de hacer rubíes y zafiros[2].

Agitado, conmovido, el gnomo —que era sabidor[3] y de genio harto vivaz— seguía monologando.

¡Ah, sabios de la Edad Media![4]. ¡Ah, Alberto el Grande,

---

[1] En su primera aparición (*La Libertad Electoral*, Santiago, el 9 de junio de 1888) está dedicado «A Armand Silvestre, en pago de una frase bondadosa». Tal envío parece implicar la existencia de correspondencia entre ambos poetas. Es muy posible que Rubén hiciese llegar a Armand Silvestre su «Pensamiento de otoño» (publicado en *La Época* el 15 de febrero de 1887) y que éste le contestase con la carta que Rubén pensaba incluir en la primera edición de *Azul...*

[2] Michel Eugene Chevreul (1786-1889), científico francés que investigó la química de la grasa y los aceites, y los problemas de la coloración. Edmond Fremy (1814-1894), también francés, trabajó, como Chevreul, en el laboratorio de Gay-Lussac y fue el primero que sintetizó los rubíes. Althotas es el viejo alquimista de la novela de Alejandro Dumas *Joseph Balsamo* que pertenece a la serie de *Memories d'un médecin*.

[3] Forma arcaica de *sabedor*.

[4] *88 y 90: edad media*

Averroes, Raimundo Lulio! Vosotros no pudisteis ver brillar el gran sol de la piedra filosofal, y he aquí que sin estudiar las fórmulas aristotélicas, sin saber cábala y nigromancia, llega un hombre del siglo decimonono a formar a la luz del día lo que nosotros fabricamos en nuestros subterráneos! ¡Pues el conjuro!, fusión por veinte días de una mezcla de sílice y de aluminato de plomo; coloración con bicromato de potasa o con óxido de cobalto. Palabras en verdad que parecen lengua diabólica.

Risa.

Luego se detuvo.

*

El cuerpo del delito estaba allí[5], en el centro de la gruta, sobre una gran roca de oro; un pequeño rubí, redondo, un tanto reluciente, como un grano de granada al sol.

El gnomo tocó un cuerno, el que llevaba a su cintura, y el eco resonó por las vastas concavidades. Al rato, un bullicio, un tropel, una algazara. Todos los gnomos habían llegado.

Era la cueva ancha, y había en ella una claridad extraña y blanca. Era la claridad de los carbúnclos[6] que en el techo de piedra centellaban, incrustados, hundidos, apiñados en focos múltiples; una dulce luz lo iluminaba todo.

A aquellos resplandores, podía verse la maravillosa mansión en todo su esplendor. En los muros, sobre pedazos de plata y oro, entre venas de lapislázuli, formaban caprichosos dibujos, como los arabescos de una mezquita, gran muchedumbre de piedras preciosas. Los diamantes, blancos y limpios como gotas de agua, emergían los iris de sus cristalizaciones; cerca de calcedonias colgantes en estalactitas, las esmeraldas esparcían sus resplandores verdes y los zafiros, en amontonamientos raros, en ramilletes que pendían del cuarzo, semejaban grandes flores azules y temblorosas.

---

[5] 88: ahí
[6] *Carbunclo* o *carbúnculo:* nombre para los granates rojos y en especial para el rubí.

Los topacios dorados, las amatistas, circundaban en franjas el recinto; y en el pavimento, cuajado de ópalos, sobre la pulida crisofasia[7] y el ágata, brotaba de trecho en trecho un hilo de agua, que caía con una dulzura musical, a gotas armónicas, como las de una flauta metálica soplada muy levemente.

Puck se había entrometido en el asunto, ¡el pícaro Puck![8]. Él había llevado el cuerpo del delito, el rubí falsificado, el que estaba ahí, sobre la roca de oro, como una profanación entre el centelleo de todo aquel encanto.

Cuando los gnomos estuvieron juntos, unos con sus martillos y cortas hachas en las manos, otros de gala, con caperuzas flamantes y encarnadas, llenas de pedrería, todos curiosos, Puck dijo así:

—Me habéis pedido que os trajese una muestra de la nueva falsificación humana, y he satisfecho esos deseos.

Los gnomos, sentados a la turca, se tiraban de los bigotes, daban las gracias a Puck, con una pausada inclinación de cabeza, y los más cercanos a él examinaban con gesto de asombro las lindas alas, semejantes a las de un hipsipilo[9].

Continuó:

—¡Oh, Tierra! ¡Oh, Mujer! Desde el tiempo en que veía a Titania no he sido sino un esclavo de la una[10], un adorador casi místico de la otra.

Y luego, como si hablase en el placer de un sueño:

—¡Esos rubíes! En la gran ciudad de París, volando invisible, los vi por todas partes. Brillaban en los collares de las cortesanas, en las condecoraciones exóticas de los *rastaquers*[11], en los anillos de los príncipes italianos y en los brazaletes de las primadonas.

---

[7] *Sic* en *88* y *90*. La palabra no se recoge en el Diccionario de la R.A.E. La más cercana a ella es *crisoprasa*, ágata verde.

[8] Cfr. nota XVII de Darío *(infra*, págs. 314-15).

[9] *Hipsipila:* mariposa de grandes alas, y, también, esposa de Jasón, el principal de los argonautas.

[10] *Titania:* reina de los duendes en *El sueño de una noche de verano*, donde también aparece Puck.

[11] *Rastacuero:* vividor, advenedizo; personaje de apariencia ostentosa pero de recursos desconocidos. Aparece en cursiva tanto en *88* como en *90*.

Y con pícara sonrisa siempre:

—Yo me colé hasta cierto gabinete rosado muy en boga... Había una hermosa mujer dormida. Del cuello le arranqué un medallón y del medallón el rubí. Ahí lo tenéis.

Todos soltaron la carcajada. ¡Qué cascabeleo!

—¡Eh, amigo Puck!

Y dieron su opinión después, acerca de aquella piedra falsa, obra de hombre, o de sabio, que es peor!

—¡Vidrio!

—¡Maleficio!

—¡Ponzoña y cábala!

—¡Química!

—¡Pretender imitar un fragmento del iris!

—¡El tesoro rubicundo de lo hondo del globo!

—¡Hecho de rayos del poniente solidificados!

El gnomo más viejo, andando con sus piernas torcidas[12], su gran barba nevada, su aspecto de patriarca hecho pasa, su cara llena de arrugas:

—¡Señores! —dijo—, ¡que no sabéis lo que habláis!

Todos escucharon.

—Yo, yo que soy el más viejo de vosotros, puesto que apenas sirvo ya para martillar las facetas de los diamantes; yo, que he visto formarse estos hondos alcázares; que he cincelado los huesos de la tierra, que he amasado el oro, que he dado un día un puñetazo a un muro de piedra, y caí a un lago donde violé a una ninfa; yo, el viejo, os referiré de cómo se hizo el rubí.

Oíd.

*

Puck sonreía curioso. Todos los gnomos rodearon al anciano cuyas canas palidecían a los resplandores de la pedrería, y cuyas manos extendían su movible sombra en los muros, cubiertos de piedras preciosas, como un lienzo lleno de miel donde se arrojasen granos de arroz.

---

[12] En *La Libertad Electoral: El gnomo más viejo —casi inmortal— andando con sus piernas torcidas.*

194

—Un día, nosotros, los escuadrones que tenemos a nuestro cargo las minas de diamantes, tuvimos una huelga que conmovió toda la tierra, y salimos en fuga por los cráteres de los volcanes.

El mundo estaba alegre, todo era vigor y juventud; y las rosas, y las hojas verdes y frescas, y los pájaros en cuyos buches entra el grano y brota el gorjeo, y el campo todo, saludaban al sol y a la primavera fragrante.

Estaba el monte armónico y florido, lleno de trinos y de abejas; era una grande y santa nupcia la que celebraba la luz, y en el árbol la savia ardía profundamente, y en el animal todo era estremecimiento o balido o cántico, y en el gnomo había risa y placer.

Yo había salido por un cráter apagado. Ante mis ojos había un campo extenso. De un salto me puse sobre un gran árbol, una encina añeja. Luego bajé al tronco, y me hallé cerca de un arroyo, un río pequeño y claro donde las aguas charlaban diciéndose bromas cristalinas. Yo tenía sed. Quise beber ahí... Ahora, oíd mejor.

Brazos, espaldas, senos desnudos, azucenas, rosas, panecillos de marfil coronados de cerezas; ecos de risas áureas, festivas; y allá, entre las espumas, entre las linfas rotas, bajo las verdes ramas...

—¿Ninfas?

—No, mujeres.

*

—Yo sabía cuál era mi gruta. Con dar una patada en el suelo, abría la arena negra y llegaba a mi dominio. Vosotros, pobrecillos, gnomos jóvenes, tenéis mucho que aprender!

Bajo los retoños de unos helechos nuevos me escurrí, sobre unas piedras deslavadas por la corriente espumosa, y parlante; y a ella, a la hermosa, a la mujer, la agarré de la cintura, con este brazo antes tan musculoso; gritó, golpeé el suelo; descendimos. Arriba quedó el asombro, abajo el gnomo soberbio y vencedor.

Un día yo martillaba un trozo de diamante inmenso, que brillaba como un astro y que al golpe de mi maza se hacía pedazos.

El pavimento de mi taller se asemejaba a los restos de un sol hecho trizas. La mujer amada descansaba a un lado, rosa de carne entre maceteros de zafir, emperatriz del oro, en un lecho de cristal de roca, toda desnuda y espléndida como una diosa.

Pero en el fondo de mis dominios, mi reina, mi querida, mi bella, me engañaba. Cuando el hombre ama de veras, su pasión lo penetra todo, y es capaz de traspasar la tierra.

Ella amaba a un hombre, y desde su prisión le enviaba sus suspiros. Éstos pasaban los poros de la corteza terrestre y llegaban a él; y él, amándola también, besaba las rosas de cierto jardín; y ella, la enamorada, tenía —yo lo notaba— convulsiones súbitas en que estiraba sus labios rosados y frescos como pétalos de centifolia. ¿Cómo ambos así se sentían? Con ser quien soy, no lo sé.

*

Había acabado yo mi trabajo, un gran montón de diamantes hechos en un día; la tierra abría sus grietas de granito como labios con sed, esperando el brillante despedazamiento del rico cristal. Al fin de la faena, cansado, di un martillazo que rompió una roca y me dormí.

Desperté al rato al oír algo como un gemido.

De su lecho, de su mansión más luminosa y rica que las de todas las reinas de Oriente, había volado fugitiva, desesperada, la amada mía, la mujer robada. ¡Ay! y queriendo huir por el agujero abierto por mi maza de granito, desnuda y bella, destrozó su cuerpo blanco y suave como de azahar y mármol y rosa, en los filos de los diamantes rotos. Heridos sus costados, chorreaba la sangre; los quejidos eran conmovedores hasta las lágrimas. ¡Oh, dolor!

Yo desperté, la tomé en mis brazos, le di mis besos[13] más ardientes; mas la sangre corría inundando el recinto, y la gran masa diamantina se teñía de grana.

---

[13] *88 y 90: la di mis besos*

Me pareció que sentía, al darle un beso[14], un perfume salido de aquella boca encendida: el alma; el cuerpo quedó inerte.

Cuando el gran patriarca nuestro, el centenario semidiós de las entrañas terrestres, pasó por allí, encontró aquella muchedumbre de diamantes rojos...

*

Pausa.

—¿Habéis comprendido?

Los gnomos muy graves se levantaron.

Examinaron más de cerca la piedra falsa, hechura del sabio.

—¡Mirad, no tiene facetas!

—¡Brilla pálidamente!

—¡Impostura!

—¡Es redonda como la coraza de un escarabajo!

Y en ronda, uno por aquí, otro por allá, fueron a arrancar de los muros pedazos de arabesco, rubíes grandes como una naranja, rojos y chispeantes como un diamante hecho sangre; y decían: —He aquí lo nuestro, ¡oh madre Tierra![15].

—Aquello era una orgía de brillo y de color[16].

Y lanzaban al aire las gigantescas piedras luminosas y reían.

De pronto, con toda la dignidad de un gnomo:

—¡Y bien!, el desprecio.

Se comprendieron todos. Tomaron el rubí falso, lo despedazaron y arrojaron los fragmentos —con desdén terrible— a un hoyo que abajo daba a una antiquísima selva carbonizada.

Después, sobre sus rubíes, sobre sus ópalos, entre aquellas paredes resplandecientes, empezaron a bailar asidos de las manos una farandola loca y sonora.

---

[14] *88 y 90: al darla un beso*
[15] *88: ¡He aquí! He aquí lo nuestro, oh madre Tierra!*
[16] *88: Aquélla era una orgía de brillo y de color.*

¡Y celebraban con risas, el verse grandes en la sombra!

*

Ya Puck volaba afuera, en el abejeo del alba recién nacida, camino de una pradera en flor. Y murmuraba —¡siempre con su sonrisa sonrosada!— Tierra... Mujer...

Porque tú, ¡oh madre Tierra!, eres grande, fecunda, de seno inextinguible y sacro; y de tu vientre moreno brota la savia de los troncos robustos, y el oro y el agua diamantina, y las casta flor de lis. Lo puro, lo fuerte, lo infalsificable! Y tú, ¡Mujer!, eres —espíritu y carne— toda amor[17].

---

[17] En *88* estos dos últimos párrafos forman uno solo.

El palacio del sol[1]

A vosotras, madres de las muchachas anémicas, va esta historia, la historia de Berta, la niña de los ojos color de aceituna, fresca como una rama de durazno en flor, luminosa como un alba, gentil como la princesa de un cuento azul.

Ya veréis, sanas y respetables señoras, que hay algo mejor que el arsénico y el fierro, para encender la púrpura de las lindas mejillas virginales; y que es preciso abrir la puerta de su jaula a vuestras avecitas encantadoras, sobre todo cuando llega el tiempo de la primavera y hay ardor en las venas y en las savias, y mil átomos de sol abejean en los jardines, como un enjambre de oro sobre las rosas entreabiertas.

*

Cumplidos sus quince años, Berta empezó a entristecer, en tanto que sus ojos llameantes se rodeaban de ojeras melancólicas. —Berta, te he comprado dos muñecas... —No las quiero, mamá... —He hecho traer los *Nocturnos*[2]... —Me

---

[1] En *La Época* (15 de mayo de 1888) aparece dedicado «A Carlos A. Eguiluz», a quien se refiere Darío al recordar los amigos de Pedro Balmaceda, en *A de Gilbert:* «Eran de su confianza Carlos Eguiluz, antiguo secretario de su padre, joven de buen criterio, carácter amable, muy versado en la literatura francesa y que, en los escasos momentos que su ocupación le dejaba libre, iba a la conocida pieza de su amigo a tener descanso y charla» (*OC* II, 175).

[2] *Nocturno:* pieza musical para piano, de melodía dulce y ritmo lánguido.

199

duelen los dedos, mamá... —Entonces... —Estoy triste, mamá... —Pues que se llame al doctor.

Y llegaron las antiparras de aros de carey, los guantes negros, la calva ilustre y el cruzado levitón.

Ello era natural. El desarrollo, la edad... síntomas claros, falta de apetito, algo como una opresión en el pecho, tristeza, punzadas a veces en las sienes, palpitación... Ya sabéis; dad a vuestra niña glóbulos de ácido arsenioso[3], luego duchas. El tratamiento...[4].

Y empezó a curar su melancolía, con glóbulos y duchas, al comenzar la primavera, Berta, la niña de los ojos color de aceituna, que llegó a estar fresca como una rama de durazno en flor, luminosa como un alba, gentil como la princesa de un cuento azul.

*

A pesar de todo, las ojeras persistieron, la tristeza continuó, y Berta, pálida como un precioso marfil, llegó un día a las puertas de la muerte. Todos lloraban por ella en el palacio, y la sana y sentimental mamá hubo de pensar en las palmas blancas del ataúd de las doncellas. Hasta que una mañana la lánguida anémica bajó al jardín, sola, y siempre con su vaga atonía melancólica, a la hora en que el alba ríe. Suspirando erraba sin rumbo, aquí, allá; y las flores estaban tristes de verla. Se apoyó en el zócalo de un fauno soberbio y bizarro, cincelado por Plaza[5], que, húmedos de rocío sus cabellos de mármol, bañaba en luz su torso espléndido y desnudo. Vio un lirio que erguía al azul la pureza de su cáliz blanco, y estiró la mano para cogerlo. No bien había... —Sí, un cuento de hadas, señoras mías, pero ya veréis sus aplicaciones en una querida realidad—, no bien había tocado el cáliz de la flor, cuando de él surgió de súbito un hada[6], en su carro áureo y diminuto, vestida de hilos bri-

---

[3] 88: dad a vuestra niña glóbulos de arseniato de hierro
[4] 88: El tratamiento!...
[5] Plaza: cfr. nota XVIII de Darío (infra, pág. 315).
[6] una hada en 88 y 90.

llantísimos e impalpables, con su aderezo de rocío, su diadema de perlas y su varita de plata.

¿Creéis que Berta se amedró? Nada de eso. Batió palmas alegre, se reanimó como por encanto, y dijo al hada: —¿Tú eres la que me quiere tanto en sueños? —Sube —respondió el hada. Y como si Berta se hubiese empequeñecido, de tal modo cupo en la concha del carro de oro, que hubiera estado holgada sobre el ala corva de un cisne a flor de agua. Y las flores, el fauno orgulloso, la luz del día, vieron cómo en el carro del hada iba por el viento, plácida y sonriendo al sol, Berta, la niña de los ojos color aceituna, fresca como una rama de durazno en flor, luminosa como un alba, gentil como la princesa de un cuento azul.

*

Cuando Berta, ya alto el divino cochero, subió a los salones por las gradas del jardín que imitaban esmaragdina, todos, la mamá, la prima, los criados, pusieron la boca en forma de O. Venía ella saltando como un pájaro, con el rostro lleno de vida y de púrpura, el seno hermoso y henchido, recibiendo las caricias de una crencha castaña, libre y al desgaire, los brazos desnudos hasta el codo, medio mostrando la malla de sus casi imperceptibles venas azules, los labios entreabiertos por una sonrisa[7], como para emitir una canción.

Todos exclamaron: —¡Aleluya! ¡Gloria! ¡Hosanna al rey de los Esculapios! ¡Fama eterna a los glóbulos de ácido arsenioso y a las duchas triunfales! Y mientras Berta corrió a su retrete a vestir sus más ricos brocados, se enviaron presentes al viejo de las antiparras de aros de carey, de los guantes negros, de la calva ilustre y del cruzado levitón. Y ahora, oíd vosotras, madres de las muchachas anémicas, cómo hay algo mejor que el arsénico y el fierro, para eso de encender la púrpura de las lindas mejillas virginales. Y sabréis cómo no, no fueron los glóbulos, no, no fueron las duchas, no,

---

[7] *90: por la sonrisa*

no fue el farmacéutico, quien devolvió salud y vida a Berta, la niña de los ojos color de aceituna, alegre y fresca como una rama de durazno en flor, luminosa como un alba, gentil como la princesa de un cuento azul.

*

Así que se vio en el carro del hada, le preguntó[8]: —¿Y a dónde me llevas? —Al palacio del sol. Y desde luego sintió la niña que sus manos se tornaban ardientes, y que su corazoncito le saltaba como henchido de sangre impetuosa. —Oye —siguió el hada—. Yo soy la buena hada de los sueños de las niñas adolescentes: yo soy la que curo a las cloróticas con sólo llevarlas en mi carro de oro al palacio del sol, a donde vas tú. Mira, chiquita, cuida de no beber tanto el néctar de la danza, y de no desvanecerte en las primeras rápidas alegrías. Ya llegamos. Pronto volverás a tu morada. Un minuto en el palacio del sol deja en los cuerpos y en las almas años de fuego, niña mía.

En verdad, estaban en un lindo palacio encantado, donde parecía sentirse el sol en el ambiente. ¡Oh, qué luz!, ¡qué incendios! Sintió Berta que se le llenaban los pulmones de aire de campo y de mar, y las venas de fuego; sintió en el cerebro esparcimientos de armonía, y como que el alma se le ensanchaba, y como que se ponía más elástica y tersa su delicada carne de mujer. Luego vio, vio sueños reales, y oyó, oyó músicas embriagantes. En vastas galerías deslumbradoras, llenas de claridades y de aromas, de sederías y de mármoles, vio un torbellino de parejas, arrebatadas por las ondas invisibles y dominantes de un vals. Vio que otras tantas anémicas como ella llegaban pálidas y entristecidas, respiraban aquel aire, y luego se arrojaban en brazos de jóvenes vigorosos y esbeltos, cuyos bozos[9] de oro y finos cabellos brillaban a la luz; y danzaban, y danzaban con ellos, en una ardiente estrechez, oyendo requiebros misteriosos que iban al

---

[8] *88 y 90: la preguntó*

[9] *Bozo:* vello que apunta a los jóvenes sobre el labio superior, antes de nacer la barba. Por extensión, bigote.

alma, respirando de tanto en tanto como hálitos impregnados de vainilla, de haba de Tonka[10], de violeta, de canela, hasta que con fiebre, jadeantes, rendidas, como palomas fatigadas de un largo vuelo, caían sobre cojines de seda, los senos palpitantes, las gargantas sonrosadas, y así, soñando, soñando en cosas embriagadoras... —¡Y ella también! cayó al remolino, al maelstrón[11] atrayente, y bailó, giró, pasó, entre los espasmos de un placer agitado; y recordaba entonces que no debía de embriagarse tanto con el vino de la danza, aunque no cesaba de mirar al hermoso compañero, con sus grandes ojos de mirada primaveral. Y él la arrastraba por las vastas galerías, ciñendo su talle, y hablándola al oído, en la lengua amorosa y rítmica de los vocablos apacibles, de las frases irisadas y olorosas, de los periodos cristalinos y orientales.

Y entonces ella sintió que su cuerpo y su alma se llenaban de sol, de efluvios poderosos y de vida. ¡No, no esperéis más!

*

El hada la volvió al jardín de su palacio, al jardín donde cortaba flores envuelta en una oleada de perfumes, que subía místicamente a las ramas trémulas, para flotar como el alma errante de los cálices muertos.

Así fue Berta a vestir sus más ricos brocados, para honra de los glóbulos y duchas triunfales, llevando rosas en las faldas y en las mejillas[12].

*

¡Madres de las muchachas anémicas!, os felicito por la victoria de los arseniatos e hipofosfitos del señor doctor. Pero en verdad os digo: es preciso, en provecho de las lin-

---

[10] *Haba de Tonka:* haba tonca, semilla de la sarapia, árbol de la América meridional; se utiliza para aromatizar el rapé.

[11] *Sic* en *88* y *90.* Adaptación del término inglés *maelstron* (remolino, vorágine).

[12] Este segundo párrafo sólo aparece en *88.*

das mejillas virginales, abrir la puerta de su jaula a vuestras avecitas encantadoras, sobre todo en el tiempo de la primavera, cuando hay ardor en las venas y en las savias, y mil átomos de sol abejean en los jardines como un enjambre de oro sobre las rosas entreabiertas. Para vuestras cloróticas, el sol en los cuerpos y en las almas. Sí, al palacio del sol, de donde vuelven las niñas como Berta, la de los ojos color de aceituna, frescas como una rama de durazno en flor, luminosas como un alba, gentiles como la princesa de un cuento azul.

El pájaro azul[1]

París es teatro divertido y terrible. Entre los concurrentes al café Plombier, buenos y decididos muchachos —pintores, escultores, escritores, poetas, sí, ¡todos buscando el viejo laurel verde!—, ninguno más querido que aquel pobre Garcín, triste casi siempre, buen bebedor de ajenjo, soñador que nunca se emborrachaba, y, como bohemio intachable, bravo improvisador.

En el cuartucho destartalado de nuestras alegres reuniones guardaba el yeso de las paredes, entre los esbozos y rasgos de futuros Clays[2], versos, estrofas enteras escritas en la letra echada y gruesa de nuestro *pájaro azul*.

El *pájaro azul* era el pobre Garcín. No sabéis por qué se llamaba así. Nosotros le bautizamos con ese nombre.

---

[1] En *La Época*, el 7 de diciembre de 1886. Creo que la siguiente cita asegura el influjo de Henry Mürger (1822-1861) en el cuento. Apareció un mes antes que éste, concretamente el 3 de noviembre de 1886, en las páginas de *La Época* y bajo el encabezamiento «Apuntes y párrafos». «Uno de los libros que mayor impresión ha dejado en nuestro ánimo es la *Vida de Bohemia*... Es indudable que la obra maestra de Mürger es esa pequeña novela donde se ve con todos sus tintes y amargos detalles la existencia de esos seres nobles y llenos de ingenio, que en el centro de París, gran mar humano, bogan al azar, con ansias de llegar a una costa feliz. Ellos son suficientemente buenos no apelando al crimen para vivir, y suficientemente sensatos para no echarse por la calle del vicio. Pobres, trabajan y huelgan a su manera. Aman y son pícaros o ingenuos según el estado de ánimo y de su bolsillo» (*OD*, 64-65). Cfr., también, mi artículo «Nuevas luces...».

[2] Jan Carel Clay (1817-1890), artista belga sobresaliente en la pintura de marinas. En *05* y siguientes: Delacroix.

Ello no fue un simple capricho. Aquel excelente mucha-cho tenía el vino triste[3]. Cuando le preguntábamos por qué, cuando todos reíamos como insensatos o como chicuelos, él arrugaba el ceño y miraba fijamente el cielo raso, nos respondía con cierta amargura:

—Camaradas: habéis de saber que tengo un pájaro azul en el cerebro, por consiguiente...

*

Sucedía también que gustaba de ir a las campiñas nuevas, al entrar la primavera. El aire del bosque hacía bien a sus pulmones, según nos decía el poeta.

De sus excursiones solía traer ramos de violetas y gruesos cuadernillos de madrigales, escritos al ruido de las hojas y bajo el ancho cielo sin nubes. Las violetas eran para Niní[4], su vecina, una muchacha fresca y rosada que tenía los ojos muy azules.

Los versos eran para nosotros. Nosotros los leíamos y los aplaudíamos. Todos teníamos una alabanza para Garcín. Era un ingenio que debía brillar. El tiempo vendría. ¡Oh, el pájaro azul volaría muy alto! ¡Bravo!, ¡bien! ¡Eh, mozo, más ajenjo!

*

Principios de Garcín:

De las flores, las lindas campánulas.

Entre las piedras preciosas, el zafiro. De las inmensidades, el cielo y el amor; es decir, las pupilas de Niní.

Y repetía el poeta: Creo que siempre es preferible la neurosis a la imbecilidad[5].

*

---

[3] En este momento deben tenerse en cuenta los siguientes versos de su «Prólogo» a *Abrojos:* «Sin donaire, porque el chiste / no me buscó, ni yo a él; / ya tú bien sabes, Manuel, / *que yo tengo el vino triste*» (*PC* 456).

[4] *88: Nini.*

[5] En *05: a la estupidez*

A veces Garcín estaba más triste que de costumbre.

Andaba por los boulevares; veía pasar indiferentes los lujosos carruajes, los elegantes, las hermosas mujeres. Frente al escaparate de un joyero sonreía; pero cuando pasaba cerca de un almacén de libros, se llegaba a las vidrieras, husmeaba, y al ver las lujosas ediciones, se declaraba decididamente envidioso, arrugaba la frente[6]; para desahogarse, volvía el rostro hacia el cielo y suspiraba. Corría al café en busca de nosotros, conmovido, exaltado, casi llorando, pedía su vaso de ajenjo, y nos decía:

—Sí, dentro de la jaula de mi cerebro está preso un pájaro azul que quiere su libertad...

*

Hubo algunos que llegaron a creer en un descalabro de razón.

Un alienista a quien se le dio noticia de lo que pasaba, calificó el caso como una monomanía especial. Sus estudios patológicos no dejaban lugar a duda.

Decididamente, el desgraciado Garcín estaba loco.

Un día recibió de su padre, un viejo provinciano de Normandía, comerciante en trapos, una carta que decía lo siguiente, poco más o menos:

«Sé tus locuras en París. Mientras permanezcas de ese modo, no tendrás de mí un solo *sou*. Ven a llevar los libros de mi almacén, y cuando hayas quemado, gandul, tus manuscritos de tonterías, tendrás mi dinero.»

Esta carta se leyó en el Café Plombier.

—¿Y te irás?

—¿No te irás?

—¿Aceptas?

—¿Desdeñas?

¡Bravo Garcín! Rompió la carta y saltando el trapo a la

---

[6] *La Época: arrugaba la frente y se le humedecían los ojos. De noche, para desahogarse...*

vena[7], improvisó unas cuantas estrofas, que acababan, si mal no recuerdo:

> sí, seré siempre un gandul,
> lo cual aplaudo y celebro,
> mientras sea mi cerebro
> jaula del pájaro azul!

Desde entonces Garcín cambió de carácter. Se volvió charlador, se dio un baño de alegría, compró levita nueva y comenzó un poema en tercetos titulado, pues es claro: *El pájaro azul*.

Cada noche se leía en nuestra tertulia algo nuevo de la obra. Aquello era excelente, sublime, disparatado.

Allí había un cielo muy hermoso, una campiña muy fresca, países brotados como por la magia del pincel de Corot[8], rostros de niños asomados entre flores, los ojos de Niní húmedos y grandes; y por añadidura, el buen Dios que envía volando, volando, sobre todo aquello, un pájaro azul que, sin saber cómo ni cuándo, anida dentro del cerebro del poeta, en donde queda aprisionado. Cuando el pájaro canta, se hacen versos alegres y rosados. Cuando el pájaro quiere volar y abre las alas y se da contra las paredes del cráneo, se alzan los ojos al cielo, se arruga la frente y se bebe ajenjo con poca agua, fumando además, por remate, un cigarrillo de papel.

He ahí el poema.

*

---

[7] *88: soltando el trapo a la vena.* Ninguna de las dos expresiones se utiliza en Chile. Ignoro si se emplean en Nicaragua. La más cercana a ellas es *soltar el trapo*, cuyo significado *(romper a llorar)* encaja sólo forzadamente en el cuento. Saavedra y Mapes prefieren la variante de 1888, cuyo significado vendría a ser algo así como *empezar con ímpetu a escribir o recitar algún poema.* La sustitución de «vena» por «ventana», que comienza con la edición de 1905, no parece solucionar la incertidumbre.

[8] Jean-Baptiste Camille Corot (1796-1875), paisajista francés cuyas técnicas y motivos anticipan los del Impresionismo.

Una noche llegó Garcín riendo mucho y, sin embargo, muy triste.

La bella vecina había sido conducida al cementerio.

—¡Una noticia!, ¡una noticia! Canto último de mi poema. Niní ha muerto. Viene la primavera y Niní se va. Ahorro de violetas para la campiña. Ahora falta el epílogo del poema. Los editores no se dignan siquiera leer mis versos. Vosotros muy pronto tendréis que dispersaros. Ley del tiempo. El epílogo debe de titularse así: *De cómo el pájaro azul alza el vuelo al cielo azul.*

*

¡Plena primavera! Los árboles florecidos, las nubes rosadas en el alba y pálidas por la tarde; ¡el aire suave que mueve las hojas y hace aletear las cintas de los sombreros de paja con especial ruido! Garcín no ha ido al campo.

Hele ahí, viene con traje nuevo, a nuestro amado café Plombier, pálido, con una sonrisa triste.

—Amigos míos, ¡un abrazo! Abrazadme todos, así, fuerte, decidme adiós, con todo el corazón, con todo el alma... El pájaro azul vuela...

Y el pobre Garcín lloró, nos estrechó, nos apretó las manos con todas sus fuerzas y se fue.

Todos dijimos: Garcín, el hijo pródigo, busca a su padre, el viejo normando. Musas, adiós; adiós, Gracias. ¡Nuestro poeta se decide a medir trapos! ¡Eh! ¡Una copa por Garcín!

Pálidos, asustados, entristecidos, al día siguiente, todos los parroquianos del Café Plombier, que metíamos tanta bulla en aquel cuartucho destartalado, nos hallábamos en la habitación de Garcín. Él estaba en su lecho, sobre las sábanas ensangrentadas, con el cráneo roto de un balazo. Sobre la almohada había fragmentos de masa cerebral. ¡Qué horrible!

Cuando repuestos de la impresión[9], pudimos llorar ante el cadáver de nuestro amigo[10], encontramos que tenía con-

---

[9] *88: la primera impresión*
[10] *La Época: nuestro desgraciado amigo*

sigo el famoso poema. En la última página había escritas estas palabras: *Hoy, en plena primavera, dejo abierta la puerta de la jaula al pobre pájaro azul.*

*

¡Ay, Garcín!, ¡cuántos llevan en el cerebro tu misma enfermedad!

Palomas blancas
y garzas morenas[1]

Mi prima Inés era rubia como una alemana[2]. Fuimos criados juntos, desde muy niños, en casa de la buena abuelita que nos amaba mucho y nos hacía vernos como hermanos, vigilándonos cuidadosamente, viendo que no riñésemos. ¡Adorable, la viejecita, con sus trajes a grandes flores, y sus cabellos crespos y recogidos, como una vieja marquesa de Boucher![3].

*

[1] *La Libertad Electoral*, 23 de junio de 1888. La nota sobre la publicación de *Azul...* que dos meses más tarde se recogió en *La Tribuna* y que, seguramente, tenía su paternidad en Narciso Tondreau, informaba también del lugar de redacción del cuento: «Los cuentos y composiciones poéticas publicadas en el libro del señor Darío, habían visto la luz en varios diarios y revistas de la capital, con excepción de «Palomas blancas y garzas morenas», escrito últimamente en Valparaíso» (Silva Castro, *Rubén Darío* 257).

[2] Esta prima del poeta es la misma persona que aparece en su *Autobiografía*, cuando éste recuerda sus años de León: «A tal sazón llegó a vivir con nosotros, y a criarse junto conmigo, una lejana prima, rubia, bastante bella, de quien he hablado en mi cuento "Palomas blancas y garzas morenas". Ella fue quien despertara en mí los primeros deseos sensuales. Por cierto que, muchos años después, madre y posiblemente abuela, me hizo cargos: "¿Por qué has dado a entender que llegamos a cosas de amor, si eso no es verdad?" "¡Ay! —le contesté—, ¡es cierto! Eso no es verdad, ¡y lo siento! ¿No hubiera sido mejor que fuera verdad y que ambos nos hubiéramos encontrado en el mejor de los despertamientos, en la más ardiente de las adolescencias y en la primavera del más encendido de los trópicos?"» (*OC* I, 25-26).

[3] François Boucher (1703-1770), pintor y grabador cuyo estilo, como el de Watteau, se considera paradigma del Rococó. Fue amigo de Mme. de

Inés era un poco mayor que yo. No obstante, yo aprendí a leer antes que ella; y comprendía —lo recuerdo muy bien— lo que ella recitaba de memoria, maquinalmente, en una pastorela, donde bailaba y cantaba delante del niño Jesús, la hermosa María y el señor San José; todo con el gozo de las sencillas personas mayores de la familia, que reían con risa de miel, alabando el talento de la actrizuela.

Inés crecía. Yo también; pero no tanto como ella. Yo debía entrar a un colegio, en internado terrible y triste, a dedicarme a los áridos estudios del bachillerato, a comer los platos clásicos de los estudiantes, a no ver el mundo —¡mi mundo de mozo!— y mi casa, mi abuela, mi prima, mi gato —un excelente romano que se restregaba cariñosamente en mis piernas y me llenaba los trajes negros de pelos blancos.

Partí.

Allá en el colegio mi adolescencia se despertó por completo[4]. Mi voz tomó timbres aflautados y roncos; llegué al periodo ridículo del niño que pasa a joven. Entonces, por un fenómeno especial, en vez de preocuparme de mi profesor de matemáticas, que no logró nunca hacer que yo comprendiese el binomio de Newton, pensé —todavía vaga y misteriosamente— en mi prima Inés.

Luego tuve revelaciones profundas. Supe muchas cosas. Entre ellas, que los besos eran un placer exquisito.

Tiempo.

Leí *Pablo y Virginia*[5]. Llegó un fin de año escolar, y salí en

Pompadour. Del libro *François Boucher*, de André Michel (1886), se ocupó Darío al poco de llegar a Chile. En esta colaboración para *La Época*, aparecida el 18 de septiembre de 1886, dejaba ya ver sus simpatías hacia el pintor francés al definir ese trabajo como «una completa rehabilitación» y «una magnífica obra» dedicada a un «pintor puesto en olvido» (*OD* 53).

[4] Rubén se refiere al Instituto de Occidente, anteriormente llamado Colegio de León; en él ingresó el día 16 de marzo de 1881.

[5] Esta novela sentimental de Bernardin de Saint-Pierre era realmente el libro IV de sus *Études de la Nature* y vio la luz en 1787. Tuvo un éxito extraordinario y muy pronto se tradujo a casi todos los idiomas. Rubén volverá a referirse a ella en su *Viaje a Nicaragua* (1909).

vacaciones, rápido como una saeta, camino de mi casa. ¡Libertad!

*

Mi prima —pero, ¡Dios santo, en tan poco tiempo!— se había hecho una mujer completa. Yo delante de ella me hallaba como avergonzado, un tanto serio. Cuando me dirigía la palabra, me ponía a sonreírle con una sonrisa simple.

Ya tenía quince años y medio Inés. La cabellera, dorada y luminosa al sol, era un tesoro. Blanca y levemente amapolada, su cara era una creación murillesca, si se veía de frente[6]. A veces, contemplando su perfil, pensaba en una soberbia medalla siracusana, en un rostro de princesa. El traje, corto antes, había descendido. El seno, firme y esponjado, era un ensueño oculto y supremo; la voz clara y vibrante, las pupilas azules, inefables; la boca llena de fragrancia de vida y de color de púrpura. ¡Sana y virginal primavera!

La abuelita me recibió con los brazos abiertos. Inés se negó a abrazarme, me tendió la mano. Después no me atreví a invitarla a los juegos de antes. Me sentía tímido. ¡Y qué!, ella debía sentir algo de lo que yo. ¡Yo amaba a mi prima!

Inés, los domingos iba con la abuela a misa, muy de mañana.

Mi dormitorio estaba vecino al de ellas. Cuando cantaban los campanarios su sonora llamada matinal, ya estaba yo despierto.

Oía, oreja atenta, el ruido de las ropas. Por la puerta entreabierta veía salir la pareja que hablaba en voz alta. Cerca de mí pasaba el frufrú de las polleras antiguas de mi abuela y del traje de Inés, coqueto, ajustado, para mí siempre revelador.

¡Oh, Eros!

*

---

[6] Esto es lo que parece quiso decir el poeta, aunque tanto en *88* como en *90* y *05* escribió *si veía de frente*.

—Inés...

—...?

Y estábamos solos, a la luz de la luna argentina, dulce, una bella luna de aquéllas del país de Nicaragua!

Le dije[7] todo lo que sentía, suplicante, balbuciente, echando las palabras, ya rápidas, ya contenidas, febril, temeroso. ¡Sí!, se lo dije todo: las agitaciones sordas y extrañas que en mí experimentaba cerca de ella, el amor, el ansia, los tristes insomnios del deseo, mis ideas fijas en ella, allá en mis meditaciones del colegio; y repetía como una oración sagrada la gran palabra: ¡el amor! ¡Oh!, ella debía recibir gozosa mi adoración. Creceríamos más. Seríamos marido y mujer...

Esperé.

La pálida claridad celeste nos iluminaba. El ambiente nos llevaba perfumes tibios que a mí se me imaginaban propicios para los fogosos amores. Cabellos áureos, ojos paradisíacos, labios encendidos y entreabiertos!

De repente, y con un mohín:

—¡Ve!, la tontería...

Y corrió, como una gata alegre adonde se hallaba la buena abuela, rezando a la callada sus rosarios y responsorios.

Con risa descocada de educanda maliciosa, con aire de locuela:

—¡Eh, abuelita!, ya me dijo...

¡Ellas, pues, ya sabían que yo debía «decir»!

Con su reír interrumpía el rezo de la anciana, que se quedó pensativa acariciando las cuentas de su camándula[8]. Y yo, que todo lo veía, a la husma[9], de lejos, lloraba, sí, lloraba lágrimas amargas, ¡las primeras de mis desengaños de hombre!

*

---

[7] *88 y 90: La dije*

[8] *Camándula:* rosario de una o tres decenas de cuentas.

[9] *Andar a la husma:* andar inquiriendo, para conocer las cosas ocultas, sirviéndose de conjeturas y señales.

Los cambios fisiológicos que en mí se sucedían y las agitaciones de mi espíritu, me conmovían hondamente. ¡Dios mío! Soñador, un pequeño poeta como me creía, al comenzarme el bozo, sentía llenos de ilusiones la cabeza, de versos los labios, y mi alma y mi cuerpo de púber tenían sed de amor. ¿Cuándo llegaría el momento soberano en que alumbraría una celeste mirada el fondo de mi ser, y aquel en que se rasgaría el velo del enigma atrayente?

Un día, a pleno sol, Inés estaba en el jardín regando trigo, entre los arbustos y las flores, a las que llamaba sus amigas: unas palomas albas, arrulladoras, con sus buches níveos y amorosamente musicales. Llevaba un traje —siempre que con ella he soñado la he visto con el mismo— gris, azulado, de anchas mangas, que dejaban ver casi por entero los satinados brazos alabastrinos, los cabellos los tenía recogidos y húmedos, y el vello alborotado de su nuca blanca y rosa, era para mí como luz crespa. Las aves andaban a su alrededor currucuqueando, e imprimían en el suelo oscuro la estrella acarminada de sus patas.

Hacía calor. Yo estaba oculto tras los ramajes de unos jazmineros. La devoraba con los ojos. ¡Por fin se acercó por mi escondite, la prima gentil! Me vio trémulo, enrojecida la faz, en mis ojos una llama viva y rara y acariciante, y se puso a reír cruelmente, terriblemente. ¡Y bien! ¡Oh!, aquello no era posible. Me lancé con rapidez frente a ella. Audaz, formidable debía de estar, cuando ella retrocedió como asustada, un paso.

—¡Te amo!

Entonces tornó a reír. Una paloma voló a uno de sus brazos. Ella la mimó dándole granos de trigo entre las perlas de su boca fresca y sensual. Me acerqué más. Mi rostro estaba junto al suyo. Los cándidos animales nos rodeaban. Me turbaba el cerebro una onda invisible y fuerte de aroma femenil. Se me antojaba Inés una paloma hermosa y humana, blanca y sublime; y, al propio tiempo, llena de fuego, de ardor, ¡un tesoro de dichas! No dije más. Le tomé la cabeza y le di un beso[10], en una mejilla, un beso rápido, quemante

---

[10] *88 y 90: La tomé la cabeza y la di un beso*

de pasión furiosa. Ella, un tanto enojada, salió en fuga. Las palomas se asustaron y alzaron el vuelo, formando un opaco ruido de alas sobre los arbustos temblorosos. Yo, abrumado, quedé inmóvil.

*

Al poco tiempo partía a otra ciudad[11]. La paloma blanca y rubia no había, ¡ay! mostrado a mis ojos el soñado paraíso del misterioso deleite.

*

Musa ardiente y sacra para mi alma, el día había de llegar! Elena, la graciosa, la alegre, ella fue el nuevo amor. ¡Bendita sea aquella boca, que murmuró por primera vez cerca de mí las inefables palabras![12].

Era allá, en una ciudad que está a la orilla de un lago de mi tierra, un lago encantador[13], lleno de islas floridas, con pájaros de colores.

Los dos solos estábamos cogidos de las manos, sentados en el viejo muelle, debajo del cual el agua glauca y oscura chapoteaba musicalmente. Había un crepúsculo acariciador, de aquéllos que son la delicia de los enamorados tropicales. En el cielo opalino se veía una diafanidad apacible que disminuía hasta cambiarse en tonos de violeta oscuro, por la parte del oriente, y aumentaba convirténdose en oro sonrosado en el horizonte profundo, donde vibraban oblicuos, rojos y desfallecientes, los últimos rayos solares. Arrastrada por el deseo, me miraba la adorada mía y nuestros ojos se decían cosas ardorosas y extrañas. En el fondo de nuestras almas cantaban un unísono embriagador como dos invisibles y divinas filomelas.

---

[11] Rubén llegó a la capital de Nicaragua en enero de 1882, para recitar su poema «El Libro» en la inauguración de la Biblioteca Nacional.
[12] Alude ahora a su primeros amores con Rosario Emelina Murillo, a quien conoció en Managua durante una fiesta.
[13] El lago de Managua o Xolotlán, que se encuentra al lado de la capital de Nicaragua.

Yo extasiado veía a la mujer tierna y ardiente; con su cabellera castaña que acariciaba con mis manos su rostro color de canela y rosa, su boca cleopatrina, su cuerpo gallardo y virginal; y oía su voz queda, muy queda, que me decía frases cariñosas, tan bajo, como que sólo eran para mí, temerosa quizás de que se las llevase el viento vespertino. Fija en mí, me inundaban de felicidad sus ojos de Minerva, ojos verdes, ojos que deben siempre gustar a los poetas. Luego, erraban nuestras miradas por el lago, todavía lleno de vaga claridad. Cerca de la orilla, se detuvo un gran grupo de garzas. Garzas blancas, garzas morenas, de esas que cuando el día calienta, llegan a las riberas a espantar a los cocodrilos, que, con las anchas mandíbulas abiertas, beben sol sobre las rocas negras. ¡Bellas garzas! Algunas ocultaban los largos cuellos en la onda o bajo el ala, y semejaban grandes manchas de flores vivas y sonrosadas, móviles y apacibles. A veces una, sobre una pata, se alisaba con el pico las plumas, o permanecía inmóvil, escultural o hieráticamente, o varias daban un corto vuelo, formando en el fondo de la ribera llena de verde, o en el cielo, caprichosos dibujos, como las bandadas de grullas de un parasol chino.

Me imaginaba junto a mi amada, que de aquel país de la altura, me traerían las garzas muchos versos desconocidos y soñadores. Las garzas blancas las encontraba más puras y más voluptuosas, con la pureza de la paloma y la voluptuosidad del cisne; garridas con sus cuellos reales, parecidos a los de las damas inglesas que junto a los pajecillos rizados se ven en aquel cuadro en que Shakespeare recita en la corte de Londres. Sus alas, delicadas y albas, hacen pensar en desfallecientes sueños nupciales; todas —bien dice un poeta— como cinceladas en jaspe.

¡Ah, pero las otras tenían algo de más encantador para mí! Mi Elena se me antojaba como semejante a ellas, con su color de canela y de rosa, gallarda y gentil.

Ya el sol desaparecía arrastrando toda su púrpura opulenta de rey oriental. Yo había halagado a la amada tiernamente con mis juramentos y frases melifluas y cálidas, y juntos seguíamos en un lánguido dúo de pasión inmensa. Habíamos sido hasta ahí dos amantes soñadores, consagrados místicamente uno a otro.

217

De pronto y como atraídos por una fuerza secreta, en un momento inexplicable, nos besamos en la boca, todos trémulos, con un beso para mí sacratísimo y supremo: el primer beso recibido de labios de mujer. ¡Oh, Salomón, bíblico y real poeta!, tú lo dijiste como nadie: *Mel et lac sub lingua tua*[14].

Aquel día no soñamos más.

*

¡Ah, mi adorable, mi bella, mi querida garza morena! Tú tienes en los recuerdos[15] que en mi alma forman lo más alto y sublime, una luz inmortal.

Porque tú me revelaste el secreto de las delicias divinas, en el inefable primer instante de amor[16].

---

[14] Verso del *Cantar de los Cantares* (4: 11).
[15] *88: recuerdos profundos*
[16] *88: instante del amor*

En Chile

I
Álbum porteño[1]

I
EN BUSCA DE CUADROS

Sin pinceles, sin paleta, sin papel, sin lápiz, Ricardo, poeta lírico incorregible, huyendo de las agitaciones y turbulencias, de las máquinas y de los fardos, del ruido monótono de los tranvías y el chocar de los caballos[2] con su repiqueteo de caracoles sobre las piedras; de las carreras de los corredores frente a la Bolsa; del tropel de los comerciantes; del grito de los vendedores de diarios; del incesante bullicio e inacabable

---

[1] Cfr. nota XIX de Darío *(infra,* pág. 316). Corrigiendo lo que afirmé en la primera edición, donde proponía a Mendès como modelo del "Álbum porteño" de Darío, parece que esta colección de "transposiciones pictóricas", como las llamó el nicaragüense, habría tenido un antecedente más seguro en la serie similar que Jean Richepin recogió en *Le pavé* (1883) bajo el epígrafe común de "Album interieur". Algunos títulos de los textos del francés son los siguientes: "Pastel", "Aquarelle", "Eau-forte", "Goua-che", "Paysage", "Nature morte" (cfr. Jean Richepin, *Le pavé,* París, Dreyfous, 1886, 363-379). Esta primera serie de cuadros se publicó en la *Revista de Artes y Letras* de Santiago, el 15 de agosto de 1887 (volumen X, páginas 98-105). Corresponden estas fechas al periodo en que Rubén dejó su trabajo en la Aduana (el 20 de junio pidió el permiso y el 18 de agosto se declaró vacante su plaza). Es muy probable, por tanto, que Rubén redactara «Álbum porteño» durante esos meses.

En *88* y *90* esta serie y la que sigue («Álbum santiagués») aparecen como grupos independientes, aunque bajo un epígrafe común («En Chile»). En la edición de 1905 todos los cuadros forman un sólo conjunto, se reúnen bajo ese único título y presentan una numeración en guarismos romanos.

[2] *88: el chocar de las herraduras de los caballos.*

hervor de este puerto; en busca de impresiones y de cuadros, subió al cerro Alegre, que, gallardo como una gran roca florecida, luce sus flancos verdes, sus montículos coronados de casas risueñas escalonadas en la altura, rodeadas de jardines, con ondeantes cortinas de enredaderas, jaulas de pájaros, jarras de flores, rejas vistosas y niños rubios de caras angélicas.

Abajo estaban las techumbres del Valparaíso que hace transacciones, que anda a pie como una ráfaga, que puebla los almacenes e invade los bancos, que viste por la mañana terno crema o plomizo, a cuadros, con sombrero de paño, y por la noche bulle en la calle del Cabo con lustroso sombrero de copa, abrigo al brazo y guantes amarillos, viendo a la luz que brota de las vidrieras, los lindos rostros de las mujeres que pasan.

Más allá, el mar, acerado, brumoso, los barcos en grupo, el horizonte azul y lejano. Arriba, entre opacidades, el sol.

Donde estaba el soñador empedernido, casi en lo más alto del cerro, apenas sí se sentían los estremecimientos de abajo. Erraba él a lo largo del Camino de Cintura, e iba pensando en idilios, con toda la augusta desfachatez de un poeta que fuera millonario.

Había allí aire fresco para sus pulmones, casas sobre cumbres, como nidos al viento, donde bien podía darse el gusto de colocar parejas enamoradas; y tenía además el inmenso espacio azul, del cual —él lo sabía perfectamente—, los que hacen los salmos y los himnos pueden disponer como les venga en antojo.

De pronto escuchó: —«¡Mary!, ¡Mary!» Y él, que andaba a caza de impresiones y en busca de cuadros, volvió la vista.

II

ACUARELA

Había cerca un bello jardín, con más rosas que azaleas y más violetas que rosas[3]. Un bello y pequeño jardín con jarrones, pero sin estatuas: con una pila blanca, pero sin sur-

---

[3] *Azaleas:* planta frecuente en los jardines con hermosas flores de color rosa, amarillo o blanco.

tidores, cerca de una casita como hecha para un cuento dulce y feliz.

En la pila un cisne chapuzaba revolviendo el agua, sacudiendo las alas de un blancor de nieve, enarcando el cuello en la forma del brazo de una lira o del ansa de un ánfora[4], y moviendo el pico húmedo y con tal lustre como si fuese labrado en un ágata[5] de color de rosa.

En la puerta de la casa, como extraída de una novela de Dickens, estaba una de esas viejas inglesas, únicas, solas, clásicas, con la cofia encintada, los anteojos sobre la nariz, el cuerpo encorvado, las mejillas arrugadas, mas con color de manzana madura y salud rica. Sobre la saya oscura, el delantal.

Llamaba:

—¡Mary!

El poeta vio llegar una joven de un rincón del jardín, hermosa, triunfal, sonriente; y no quiso tener tiempo sino para meditar en que son adorables los cabellos dorados cuando flotan sobre las nucas marmóreas y en que hay rostros que valen bien por un alba.

Luego todo era delicioso. Aquellos quince años entre las rosas —quince años, sí, los estaban pregonando unas pupilas serenas de niña, un seno apenas erguido, una frescura primaveral, y una falda hasta el tobillo, que dejaba ver el comienzo turbador de una media de color de carne; aquellos rosales temblorosos que hacían ondular sus arcos verdes, aquellos duraznos con sus ramilletes alegres donde se detenían al paso las mariposas errantes llenas de polvo de oro, y las libélulas de alas cristalinas e irisadas; aquel cisne en la ancha taza, esponjando el alabastro de sus plumas, y zambulléndose entre espumajeos y burbujas, con voluptuosidad, en la transparencia del agua; la casita limpia, pintada, apacible, de donde emergía como una onda de felicidad; y en la puerta la anciana, un invierno, en medio de toda aquella vida, cerca de Mary, una virginidad en flor.

Ricardo, poeta lírico que andaba a caza de cuadros, esta-

---

[4] 88 y 90: una ánfora.
[5] 88 y 90: una ágata.

ba allí con la satisfacción de un goloso que paladea cosas exquisitas.

Y la anciana y la joven:

—¿Qué traes?

—Flores.

Mostraba Mary su falda llena como de iris hechos trizas, que revolvía con una de sus manos gráciles de ninfa, mientras sonriendo su linda boca purpurada, sus ojos abiertos en redondo dejaban ver un color de lapislázuli y una humedad radiosa.

El poeta siguió adelante.

III

PAISAJE

A poco de andar se detuvo.

El sol había roto el velo opaco de las nubes y bañaba de claridad áurea y perlada un recodo de camino. Allí unos cuantos sauces inclinaban sus cabelleras verdes hasta[6] rozar el césped. En el fondo se divisaban altos barrancos y en ellos tierra negra, tierra roja, pedruscos brillantes como vidrios. Bajo los sauces agobiados ramoneaban sacudiendo sus testas filosóficas —¡oh, gran maestro Hugo!— unos asnos; y cerca de ellos un buey, gordo, con sus grandes ojos melancólicos y pensativos donde ruedan miradas y ternuras de éxtasis supremos y desconocidos, mascaba despacioso y con cierta pereza la pastura. Sobre todo flotaba un vaho cálido, y el grato olor campestre de las hierbas chafadas[7]. Veíase en lo profundo un trozo de azul. Un huaso robusto[8], uno de esos fuertes campesinos, toscos hércules que detienen un toro, apareció de pronto en lo más alto de los barrancos. Tenía tras de sí el vasto cielo. Las piernas, todas músculos, las llevaba desnudas. En uno de sus brazos traía una cuerda

---

[6] *88: sus cabelleras hasta...*
[7] *88: hierbas pisadas.*
[8] Cfr. nota XX de Darío *(infra,* pág. 316).

gruesa y arrollada. Sobre su cabeza, como un gorro de nutria, sus cabellos enmarañados, tupidos, salvajes.

Llegóse al buey en seguida y le echó el lazo a los cuernos. Cerca de él, un perro con la lengua de fuera, acezando, movía el rabo y daba brincos:

—¡Bien!, dijo Ricardo.

Y pasó.

IV
AGUAFUERTE[9]

Pero ¿para dónde diablos iba?

Y se encontró[10] en una casa cercana de donde salía un ruido metálico y acompasado.

En un recinto estrecho, entre paredes llenas de hollín, negras, muy negras, trabajaban unos hombres en la forja. Uno movía el fuelle que resoplaba, haciendo crepitar el carbón, lanzando torbellinos de chispas y llamas como lenguas pálidas, áureas, azulejas, resplandecientes. Al brillo del fuego en que se enrojecían largas barras de hierro, se miraban los rostros de los obreros con un reflejo trémulo. Tres yunques ensamblados en toscas armazones resistían el batir de los machos[11] que aplastaban el metal candente, haciendo saltar una lluvia enrojecida. Los forjadores vestían camisas de lana de cuellos abiertos, y largos delantales de cuero. Alcanzábaseles a ver el pescuezo gordo y el principio del pecho velludo; y salían de las mangas holgadas los brazos gigantescos, donde, como en los de Amico[12], parecían los músculos redondas piedras de las que deslavan y pulen los torrentes. En aquella negrura de caverna, al resplandor de las llamaradas, tenían tallas de cíclopes. A un lado, una ventanilla dejaba pasar apenas un haz de rayos de sol. A la entrada de la forja, como en un marco oscuro, una muchacha blanca comía

---

[9] *88 y 90: AGUA FUERTE.*

[10] *88: se entró*

[11] *Macho:* mazo grande utilizado para forjar el hierro.

[12] Cfr. nota XXI de Darío *(infra*, pág. 316).

uvas. Y sobre aquel fondo de hollín y de carbón, sus hombros delicados y tersos, que estaban desnudos, hacían resaltar su bello color de lis, con un casi imperceptible tono dorado.

Ricardo pensaba:

«Decididamente, una excursión feliz al país del arte.»[13]

V
LA VIRGEN DE LA PALOMA[14]

Anduvo, anduvo.

Volvió ya a su morada. Dirigíase al ascensor cuando oyó una risa infantil, armónica, y él, poeta incorregible, buscó los labios de donde brotaba aquella risa.

Bajo un cortinaje de madreselvas, entre plantas olorosas y maceteros floridos, estaba una mujer pálida, augusta, madre, con un niño tierno y risueño. Sosteníale en uno de sus brazos, el otro lo tenía en alto, y en la mano una paloma, una de esas palomas albísimas que arrullan a sus pichones de alas tornasoladas, inflando el buche como un seno de virgen, y abriendo el pico de donde brota la dulce música de su caricia.

La madre mostraba al niño la paloma, y el niño en su afán de cogerla, abría los ojos, estiraba los bracitos, reía gozoso; y su rostro al sol tenía como un nimbo; y la madre con la tierna beatitud de sus miradas, con su esbeltez solemne y gentil, con la aurora en las pupilas y la bendición y el beso en los labios, era como una azucena sagrada, como una María llena de gracia, irradiando la luz de un candor inefable. El niño Jesús, real como un Dios infante, precioso como un querubín paradisíaco, quería asir aquella paloma blanca, bajo la cúpula inmensa del cielo azul.

Ricardo descendió, y tomó el camino de su casa.

---

[13] Las dos últimas líneas sólo aparecen en *88*.
[14] Cfr. nota XXII de Darío (*infra*, pág. 317).

VI

LA CABEZA

Por la noche, sonando aún en sus oídos la música del Odeón, y los parlamentos de Astol[15]; de vuelta de las calles donde escuchara el ruido de los coches y la triste melopea de los tortilleros[16], aquel soñador se encontraba en su mesa de trabajo, donde las cuartillas inmaculadas estaban esperando las silvas y los sonetos de costumbre, a las mujeres de los ojos ardientes.

¡Uf!...

¡Qué silvas! ¡Qué sonetos! La cabeza del poeta lírico era una orgía de colores y de sonidos. Resonaban en las concavidades de aquel cerebro martilleos de cíclope, himnos al son de tímpanos sonoros, fanfarrias bárbaras, risas cristalinas, gorjeos de pájaros, batir de alas y estallar de besos, todo como en ritmos locos y revueltos. Y los colores agrupados, estaban como pétalos de capullos distintos confundidos en una bandeja, o como la endiablada mezcla de tintas que llena la paleta de un pintor...

Además...

---

[15] *Odeón:* antiguo teatro de Valparaíso que, en las fechas de Darío, acogió numerosas zarzuelas y operetas (*OD* 118 y 149). Así se llamaba también un famoso teatro parisino cuyas funciones reseñaba la *Revue de Deux Mondes;* también se le menciona en el trabajo de Baudelaire sobre Wagner. *Astol:* de acuerdo a una crónica para *El Heraldo,* es el apellido de un empresario teatral afincado en Chile (*OD* 149).

[16] Los tortilleros eran los vendedores ambulantes de tortillas —panes amasados con grasa y cocidos al calor de la ceniza—, e iban por las calles pregonando en alta voz su mercancía (Saavedra y Mapes).

II
Álbum santiagués[1]

I
ACUARELA

Primavera. Ya las azucenas floridas y llenas de miel han abierto sus cálices pálidos bajo el oro del sol. Ya los gorriones tornasolados, esos amantes acariciadores, adulan a las rosas frescas, esas opulentas y purpuradas emperatrices; ya el jazmín, flor sencilla, tachona los tupidos ramajes, como una blanca estrella sobre un cielo verde. Ya las damas elegantes visten sus trajes claros, dando al olvido las pieles y los abrigos invernales. Y mientras el sol se pone, sonrosando las nieves con una claridad suave, junto a los árboles de la Alameda que lucen sus cumbres resplandecientes en un polvo de luz, su esbeltez solemne y sus hojas nuevas, bulle un enjambre humano, a ruido de música, de cuchicheos vagos y de palabras fugaces[2].

---

[1] Los cuadros que siguen se publicaron por primera vez en la *Revista de Artes y Letras* el 15 de octubre de 1887, con el título de «Álbum santiaguino». Desde los primeros días de septiembre de ese año Rubén se encontraba de vuelta en Santiago, después de haber dejado su empleo en la Aduana. Resulta fácil concluir que, durante esos días, pretendiera convertir la ciudad de Santiago en protagonista de una serie de cuadros semejantes a la de Valparaíso.

[2] La nota XXIII de Darío *(infra,* pág. 317) puede completarse con estas palabras de J. L. Romero sobre el Santiago de la época de *Azul...:* «Nuevos barrios alejados del centro acogieron a los que abandonaban las vecindades de la plaza mayor. La Alameda y luego los barrios que surgieron sobre la avenida Providencia atrajeron en Santiago de Chile a las clases pudientes» (278).

He aquí el cuadro. En primer término está la negrura de los coches que esplende y quiebra los últimos reflejos solares; los caballos orgullosos con el brillo de sus arneses, con sus cuellos[3] estirados e inmóviles de brutos heráldicos; los cocheros taciturnos, en su quietud de indiferentes, luciendo sobre las largas libreas los botones metálicos flamantes; y en el fondo de los carruajes, reclinadas como odaliscas, erguidas como reinas, las mujeres rubias de los ojos soñadores, las que tienen cabelleras negras y rostros pálidos, las rosadas adolescentes que ríen con alegría de pájaro primaveral; bellezas lánguidas, hermosuras audaces, castos lirios albos y tentaciones ardientes.

En esa portezuela está un rostro apareciendo de modo que semeja el de un querubín; por aquélla ha salido una mano enguantada que se dijera de niño, y es de morena tal que llama los corazones; más allá, se alcanza a ver un pie de Cenicienta con zapatito oscuro[4] y media lila, y acullá, gentil con sus gestos de diosa, bella con su color de marfil amapolado, su cuello real y la corona de su cabellera, está la Venus de Milo, no manca, sino con dos brazos, gruesos como los muslos de un querubín de Murillo, y vestida a la última moda de París, con ricas telas de Prá[5].

Más allá está el oleaje de los que van y vienen; parejas de enamorados, hermanos y hermanas, grupos de caballeritos irreprochables; todo en la confusión de los rostros, de las miradas, de los colorines, de los vestidos, de las capotas; resaltando a veces en el fondo negro y aceitoso de los elegantes Dumas[6], una cara blanca de mujer, un sombrero de paja adornado de colibríes, de cintas o de plumas, o el inflado globo rojo, de goma, que, pendiente de un hilo, lleva un niño risueño, de medias azules, zapatos charolados y holgado cuello a la marinera.

---

[3] *88: y con sus cuellos*
[4] *88: con un zapatito oscuro*
[5] En su prólogo para *Asonantes* escribe Darío: «Santiago gusta de lo exótico, y en la novedad siente de cerca a París. Su mejor sastre es Pinaud, y su Bon marché la casa Prá» (*OC* II, 52).
[6] *Dumas:* dueño de una elegante sombrerería de Santiago (Saavedra y Mapes).

En el fondo, los palacios elevan al azul la soberbia de sus fachadas, en las que los álamos erguidos rayan columnas hojosas entre el abejeo trémulo y desfalleciente de la tarde fugitiva.

II
UN RETRATO DE WATTEAU[7]

Estáis en los misterios de un tocador. Estáis viendo ese brazo de ninfa, esas manos diminutas que empolvan el haz de rizos rubios de la cabellera espléndida. La araña de luces opacas derrama la languidez de su girándula por todo el recinto. Y he aquí que, al volverse ese rostro, soñamos en los buenos tiempos pasados. Una marquesa contemporánea de madama de Maintenon[8], solitaria en su gabinete, da las últimas manos a su tocado.

Todo está correcto; los cabellos, que tienen todo el Oriente en sus hebras, empolvados y crespos; el cuello del corpiño, ancho y en forma de corazón hasta dejar ver el principio del seno firme y pulido; las mangas abiertas que muestran blancuras incitantes; el talle ceñido que se balancea, y el rico faldellín de largos vuelos, y el pie pequeño en el zapato de tacones rojos.

---

[7] Ni el cuadro de Watteau titulado *La Toilette* ni ningún otro de sus lienzos parece haber servido de modelo inmediato al poeta, aunque éste sí sería posible a partir de varios trabajos del pintor (Cfr. VV. AA., *Watteau [1648-1721]*, París, Éditions des Musées Nationaux-National Gallery of Art, 1984). Más obvias resultan sus proximidades con las *toilettes* y costumbres femeninas que los Goncourt describen en *La femme au XVIIIᵉ siècle*, libro anunciado repetidamente en las páginas de *La Nouvelle Revue*, o con los «Carnets feminines», breves pero minuciosas crónicas de eventos sociales y modas dirigidas al público femenino, que aparecían repetidamente en la misma revista.

[8] *Sic* en *88*. En *90: dama de Maintenon*. Darío se refiere a Mme. Françoise d'Aubigny (1635-1719), marquesa de Maintenon y segunda esposa de Luis XIV. Contemporánea también de Watteau, Darío pudo asociar ambos nombres a través de los Goncourt, que, al estudiar la obra del pintor, evocan la sofisticada elegancia de las cortesanas de sus lienzos, y mencionan repetidamente a Mme. de Maintenon (Cfr. E. y J. Goncourt, *French XVIII Century Painters*, Londres, Paidon, 1927, 4-5).

Mirad las pupilas azules y húmedas, la boca de dibujo maravilloso, con una sonrisa enigmática de esfinge, quizá en recuerdo del amor galante, del madrigal recitado junto al tapiz de figuras pastoriles o mitológicas, o del beso a furto, tras la estatua de algún silvano, en la penumbra.

Vese la dama de pies a cabeza, entre dos grandes espejos; calcula el efecto de la mirada, del andar, de la sonrisa, del vello casi impalpable que agitará el viento de la danza en su nuca fragante y sonrosada. Y piensa, y suspira; y flota aquel suspiro en ese aire impregnado de aroma femenino que hay en un tocador de mujer.

Entretanto la contempla con sus ojos de mármol una Diana que se alza irresistible y desnuda sobre su plinto; y le ríe con audacia un sátiro de bronce que sostiene entre los pámpanos de su cabeza un candelabro; y en el ansa de un jarrón de Rouen lleno de agua perfumada, le tiende los brazos y los pechos una sirena con la cola corva y brillante de escamas argentinas, mientras en el plafond en forma de óvalo va por el fondo inmenso y azulado, sobre el lomo de un toro robusto y divino, la bella Europa, entre delfines áureos y tritones corpulentos, que sobre el vasto ruido de las ondas hacen vibrar el ronco estrépito de sus resonantes caracoles[9].

La hermosa está satisfecha; ya pone perlas en la garganta y calza las manos en seda; ya rápida se dirige a la puerta donde el carruaje espera y el tronco piafa. Y hela aquí, vanidosa y gentil, a esa aristocrática santiaguesa[10] que se dirige a un baile de fantasía de manera que el gran Watteau le dedicaría sus pinceles.

III

NATURALEZA MUERTA

He visto ayer por una ventana un tiesto lleno de lilas y de rosas pálidas, sobre un trípode. Por fondo tenía uno de esos cortinajes amarillos y opulentos que hacen pensar en los

---

[9] Saavedra y Mapes escriben *caracolas;* se mantiene *caracoles,* pues así aparece en *88* y *90,* y también en *05.*
[10] *santiaguina* en la *Revista de Artes y Letras.*

mantos de los príncipes orientales. Las lilas recién cortadas resaltaban con su lindo color apacible, junto a los pétalos esponjados de las rosas té.

Junto al tiesto, en una copa de laca ornada con ibis de oro incrustados, incitaban a la gula manzanas frescas, medio coloradas, con la pelusilla de la fruta nueva y la sabrosa carne hinchada que toca el deseo; peras doradas y apetitosas, que daban indicios de ser todas jugo y como esperando el cuchillo de plata que debía rebanar la pulpa almibarada; y un ramillete de uvas negras, hasta con el polvillo ceniciento de los racimos acabados de arrancar de la viña.

Acerquéme, vilo de cerca todo. Las lilas y las rosas eran de cera, las manzanas y las peras de mármol pintado, y las uvas de cristal.

¡Naturaleza muerta!

IV

AL CARBÓN

Vibraba el órgano con sus voces trémulas, vibraba acompañando la antífona, llenando la nave con su armonía gloriosa. Los cirios ardían goteando sus lágrimas de cera entre la nube de incienso que inundaba los ámbitos del templo con su aroma sagrado; y allá en el altar el sacerdote, todo resplandeciente de oro, alzaba la custodia cubierta de pedrería, bendiciendo a la muchedumbre arrodillada.

De pronto, volví la vista cerca de mí, al lado de un ángulo de sombra. Había una mujer que oraba. Vestida de negro, envuelta en un manto, su rostro se destacaba severo, sublime, teniendo por fondo la vaga oscuridad de un confesionario. Era una bella faz de ángel, con la plegaria en los ojos y en los labios. Había en su frente una palidez de flor de lis, y en la negrura de su manto resaltaban juntas, pequeñas, las manos blancas y adorables[11]. Las luces se iban extin-

---

[11] Cfr. las siguientes líneas del prólogo a *Asonantes:* «La dama santiaguina es garbosa, blanca y de mirada real. Cuando habla, parece que concede una merced. A pie anda poco. Va a misa vestida de negro, envuelta en un manto que hace, por el contraste, más bello y atrayente el alabastro de los rostros, en que resalta, sangre viva, la rosa roja de los labios» (*OC* II, 52).

guiendo, y a cada momento aumentaba lo oscuro del fondo, y entonces por un ofuscamiento[12], me parecía ver aquella faz iluminarse con una luz blanca y misteriosa, como la que debe de haber en la región de los coros prosternados y de los querubines ardientes; luz alba, polvo de nieve, claridad celeste, onda santa que baña los ramos de lirio de los bienaventurados.

Y aquel pálido rostro de virgen, envuelta ella en el manto y en la noche, en aquel rincón de sombra, habría sido un tema admirable para un estudio al carbón.

V

PAISAJE

Hay allá, en las orillas de la laguna de La Quinta[13], un sauce melancólico que moja de continuo su cabellera verde en el agua que refleja el cielo y los ramajes, como si tuviese en su fondo un país encantado.

Al viejo sauce llegan aparejados los pájaros y los amantes. Allí es donde escuché una tarde —cuando del sol quedaba apenas en el cielo un tinte violeta que se esfumaba por ondas, y sobre el gran Andes nevado un decreciente color de rosa que era como una tímida caricia de la luz enamorada— un rumor de besos cerca del tronco agobiado y un aleteo de la cumbre.

Estaban los dos, la amada y el amado, en un banco rústico, bajo el toldo del sauce. Al frente, se extendía la laguna tranquila, con su puente enarcado y los árboles temblorosos de la ribera; y más allá se alzaba entre el verdor de las hojas, la fachada del palacio de la Exposición, con sus cóndores de bronce en actitud de volar.

La dama era hermosa; él un gentil muchacho, que le acariciaba con los dedos y los labios los cabellos negros y las manos gráciles de ninfa.

---

[12] *88: entonces como por un ofuscamiento*
[13] Extenso parque de Santiago.

Y sobre las dos almas ardientes y sobre los dos cuerpos juntos, cuchicheaban en lengua rítmica y alada las dos aves. Y arriba el cielo con su inmensidad y con su fiesta de nubes, plumas de oro, alas de fuego, vellones de púrpura, fondos azules, flordelisados de ópalo, derramaba la magnificencia de su pompa, la soberbia de su grandeza augusta.

Bajo las aguas se agitaban, como en un remolino de sangre viva, los peces veloces de aletas doradas.

Al resplandor crepuscular, todo el paisaje se veía como envuelto en una polvareda de sol tamizado, y eran el alma del cuadro aquellos dos amantes, él moreno, gallardo, vigoroso, con una barba fina y sedosa, de esa que gustan de tocar las mujeres; ella rubia —¡un verso de Goethe!— vestida con un traje gris, lustroso, y en el pecho una rosa fresca, como su boca roja que pedía el beso[14].

VI

EL IDEAL

Y luego, una torre de marfil, una flor mística, una estrella a quien enamorar... Pasó, la vi como quien viera un alba, huyente, rápida, implacable.

Era una estatua antigua con un alma que se asomaba a los ojos, ojos angelicales, todos ternura, todos cielo azul, todos enigma.

Sintió que la besaba con mis miradas y me castigó con la majestad de su belleza, y me vio como una reina y como una paloma. Pero pasó arrebatadora, triunfante, como una visión que deslumbra. Y yo, el pobre pintor de la naturale-

---

[14] Las numerosas coincidencias de este cuadro con la segunda parte de «Palomas blancas y garzas morenas» y con la escena que se describe en el soneto «Chinampa», publicado el 11 de octubre de 1888 (*PC* 888-89), sugieren un origen común, que muy bien podría ser la experiencia biográfico-amorosa relatada en el cuento. Un pequeño detalle en favor de esta idea es el descuido que, en «Paisaje», comete Darío al colorear el pelo de la mujer («los cabellos negros y las manos gráciles de ninfa», «ella rubia»). Si fuera cierto ese origen común, resultaría evidente la persistencia de la imagen de Rosario en los recuerdos chilenos del poeta.

za y de Psyquis, hacedor de ritmos y de castillos aéreos, vi el vestido luminoso del hada[15], la estrella de su diadema, y pensé en la promesa ansiada del amor hermoso. Mas de aquel rayo supremo y fatal, sólo quedó en el fondo de mi cerebro un rostro de mujer, un sueño azul...[16].

---

[15] *88 y 90: de la hada*
[16] *Sic* en *88;* en *90* no aparecen los puntos suspensivos.

La muerte de la emperatriz
de la China[1]

Al duque Job, de México[2]

Delicada y fina como una joya humana, vivía aquella muchachita de carne rosada, en la pequeña casa que tenía

---

[1] Afirma Gustavo Alemán Bolaños que Darío lo escribió en 1889, y que el propio autor lo leyó en la hacienda «La Fortuna» de Sonsonate, en El Salvador, propiedad de su amigo, el nicaragüense Víctor Romero (*La juventud* 108; Sequeira 1964, 74). Quiere decir esto que su redacción final es simultánea a la de *A. de Gilbert* (agosto de 1889), escrito también en «La Fortuna», donde Rubén Darío supo de la muerte de Pedro Balmaceda. El cuento se publicó por primera vez en *La República* (Santiago, 15 de marzo de 1890), con la misma dedicatoria que luego se reprodujo en *90*. El 15 de mayo de ese mismo año se insertó en las páginas de *La Unión*. En junio pudo leerse además en *El Perú Ilustrado* de Lima (día 5), con una presentación de Ricardo Palma, y en *El Imparcial* de Guatemala (día 15), donde aparece firmado por Darío.

Los datos que aporta Silva Castro demuestran que este cuento nació de un proyecto compartido por Rubén y Pedro Balmaceda (*Rubén Darío* 147-51). El primero, en carta a Manuel Rodríguez Mendoza, bosqueja una historia coincidente en tema, personajes, ambiente y estructura narrativa con el cuento de Rubén. Por su parte, Darío, en el capítulo «Un amor», de *A. de Gilbert*, sugiere el origen último del cuento y convierte a su amigo en la encarnación viva de Recaredo, el protagonista. Afirma de aquél que tuvo «un amor, un amor verdadero del cual yo fui su confidente... En la Ville de París, en un gabinete en que se apartan las cosas escogidas, lejos de todos los vulgares objetos de *bric-a-brac*, había un adorable busto de tierra cocida que a la vista semejaba un bronce. Era una Bianca Capello, tierna como si estuviera viva, con frente cándida que pedía el nimbo, y labios de donde estaba para emerger un beso apasionado o un femenil arrullo colombino [...] Bianca era la amada de Pedro. Allí la íbamos a ver. Él la hacía frases galantes. "Mi novia", me decía» (*OC* II, 171).

[2] Cfr. nota XXIV de Darío. Como ya se recordó en la Introducción,

236

un saloncito con los tapices de color azul desfalleciente. Era su estuche.

¿Quién era el dueño de aquel delicioso pájaro alegre, de ojos negros y boca roja? ¿Para quién cantaba su canción divina, cuando la señorita Primavera mostraba en el triunfo del sol su bello rostro riente, y abría las flores del campo, y alborotaba la nidada? Susette[3] se llamaba la avecita que había puesto en jaula de seda, peluches y encajes, un soñador artista cazador, que la había cazado una mañana de mayo en que había mucha luz en el aire y muchas rosas abiertas.

Recaredo —¡capricho paternal. Él no tenía la culpa de llamarse Recaredo!— se había casado hacía año y medio. ¿Me amas? Te amo. ¿Y tú? Con todo el alma. ¡Hermoso el día dorado, después de lo del cura! Habían ido luego al campo nuevo; a gozar libres, del gozo del amor. Murmuraban allá en sus ventanas de hojas verdes, las campanillas y las violetas silvestres que olían cerca del riachuelo, cuando pasaban los dos amantes, el brazo de él en la cintura de ella, el brazo de ella en la cintura de él, los rojos labios en flor dejando escapar los besos. Después, fue la vuelta a la gran ciudad, al nido lleno de perfume de juventud y de calor dichoso.

¿Dije ya que Recaredo era escultor? Pues, si no lo he dicho, sabedlo.

*

Era escultor. En la pequeña casa tenía su taller, con profusión de mármoles, yesos, bronces y terracotas. A veces, los que pasaban oían a través de las rejas y persianas una voz que cantaba y un martilleo vibrante y metálico. Susette, Recaredo; la boca que emergía el cántico, y el golpe del cincel.

Gutiérrez Nájera (1859-1895) conoció *Azul...* al poco de ponerse en venta y lo recibió con rendida admiración. Ambos poetas coincidieron también en las páginas del *Repertorio Salvadoreño:* el mexicano había publicado allí «Por la ventana» (20 de septiembre de 1889) y Darío «Oditas» (15 de abril de 1889) y «Emelina» (15 de mayo de 1889). Todo ello permite suponer la existencia de una relación epistolar o literaria más profunda entre ambos.

[3] *Suzette* en *05* y ss.

Luego el incesante idilio nupcial. En puntillas, llegar donde él trabajaba, e inundándole de cabellos la nuca, besarle rápidamente. Quieto, quietecito, llegar donde ella duerme en su *chaise-longue,* los piececitos calzados y con medias negras, uno sobre otro, el libro abierto sobre el regazo, medio dormida; y allí el beso es en los labios, beso que sorbe el aliento y hace que se abran los ojos, inefablemente luminosos. Y a todo esto, las carcajadas del mirlo, un mirlo enjaulado que cuando Susette toca de Chopin, se pone triste y no canta. ¡Las carcajadas del mirlo! No era poca cosa. —¿Me quieres? —¿No lo sabes? —¿Me amas? —¡Te adoro! Ya estaba el animalucho echando toda la risa del pico. Se le sacaba de la jaula, revolaba por el saloncito azulado, se detenía en la cabeza de un Apolo de yeso, o en la frámea[4] de un viejo germano de bronce oscuro. Tiiiiirit... rrrrrrtch fiii... ¡Vaya que a veces era malcriado e insolente en su algarabía! Pero era lindo sobre la mano de Susette que le mimaba, le apretaba el pico entre sus dientes hasta hacerlo desesperar, y le decía a veces con una voz severa que temblaba de terneza: Señor Mirlo, ¡es usted un picarón!

Cuando los dos amados estaban juntos, se arreglaban uno a otro el cabello. «Canta», decía él. Y ella cantaba, lentamente, lentamente; y aunque no eran sino pobres muchachos enamorados, se veían hermosos, gloriosos y reales; él la miraba como a una Elsa y ella le miraba como a un Lohengrin. Porque el Amor, ¡oh jóvenes llenos de sangre y de sueños!, pone un azul cristal ante los ojos, y da las infinitas alegrías.

¡Cómo se amaban! Él la contemplaba sobre las estrellas de Dios; su amor recorría toda la escala de la pasión, y era ya contenido, ya tempestuoso en su querer, a veces casi místico. En ocasiones dijérase aquel artista un theósofo, que veía en la amada mujer algo supremo y extrahumano, como la Ayesha de Rider Haggard[5]; la aspiraba como una

---

[4] *Frámea:* arma usada por los antiguos germanos. Es un asta con un pequeño pero muy agudo hierro en la punta.

[5] Ayesha es el nombre de la maga que en la novela de Henry Rider Haggard (1856-1925) titulada *She* vive exenta de la muerte. El libro se publicó por primera vez en 1886 (Londres, Eveleigh Nash Grayson) y tuvo

flor, le sonreía como a un astro, y se sentía soberbiamente vencedor al estrechar contra su pecho aquella adorable cabeza, que cuando estaba pensativa y quieta, era comparable al perfil hierático de la medalla de una emperatriz bizantina.

*

Recaredo amaba su arte. Tenía la pasión de la forma; hacía brotar del mármol gallardas diosas desnudas de ojos blancos, serenos y sin pupilas; su taller estaba poblado de un pueblo de estatuas silenciosas, animales de metal, gárgolas terroríficas, grifos de largas colas vegetales, creaciones góticas quizás inspiradas por el ocultismo. Y sobre todo, ¡la gran afición!, japonerías y chinerías. Recaredo era en esto un original. No sé qué habría dado por hablar chino o japonés. Conocía los mejores álbumes; había leído buenos exotistas, adoraba a Loti y a Judith Gautier, y hacía sacrificios para adquirir trabajos legítimos, de Yokohama, de Nagasaki, de Kioto, o de Nankin o Pekín: los cuchillos, las pipas, las máscaras feas y misteriosas como las caras de los sueños hípnicos, los mandarinitos enanos con panzas de cucurbitáceos y ojos circunflejos, los monstruos de grandes bocas de batracios, abiertas y dentadas, y diminutos soldados de Tartaria, con faces foscas.

—¡Oh!, le decía Susette: aborrezco tu casa de brujo, ese terrible taller, arca extraña que te roba a mis caricias. Él sonreía, dejaba su lugar de labor, su templo de raras chucherías, y corría al pequeño salón azul, a ver y mirar su gracioso dije vivo, y oír cantar y reír al loco mirlo jovial.

Aquella mañana, cuando entró, vio que estaba su dulce Susette, soñolienta y tendida, cerca de un tazón de rosas que sostenía un trípode. ¿Era la Bella del bosque durmien-

su continuación en *Ayesha: the Return of She* (Londres, Ward Lock, 1905). Rubén pudo leer su traducción en *La Revista Ilustrada de Nueva York*, donde él colaboraba y que la publicó por entregas desde mayo de 1889 hasta marzo de 1890.

te? Medio dormida, el delicado cuerpo modelado bajo una bata blanca, la cabellera castaña apelotonada sobre uno de los hombros, toda ella exhalando su suave olor femenino, era como una deliciosa figura de los amables cuentos que empiezan: Este era un rey...

La despertó:

—¡Susette, mi bella!

Traía la cara alegre; le brillaban los ojos negros bajo su fez rojo de labor; llevaba una carta en la mano.

—Carta de Robert, Susette. ¡El bribonazo está en la China! Hong Kong, 18 de enero...

Susette, un tanto amodorrada se había sentado y le había quitado el papel. ¡Conque aquel andariego había llegado tan lejos! Hong Kong, 18 de enero... Era gracioso. Un excelente muchacho el tal Robert, con la manía de viajar. Llegaría al fin del mundo. Robert, un grande amigo. Le veían como de la familia. Había partido hacía dos años para San Francisco de California. ¡Habráse visto loco igual!

Comenzó a leer.

*

Hong Kong, 18 de enero de 1888[6]

Mi buen Recaredo:

Vine, y vi. No he vencido aún.

En San Francisco supe vuestro matrimonio y me alegré. Di un salto y caí en la China. He venido como agente de una casa californiana, importadora de sedas, lacas, marfiles y demás chinerías. Junto con esta carta debes recibir un regalo mío que, dada tu afición por las cosas de este país ama-

---

[6] Tal vez la fecha no sea casual y corresponda con una primera redacción del cuento, simultánea al esbozo de historia que, sobre el mismo asunto, dibujó Balmaceda (cfr. nota 1 del cuento). Rubén la habría rematado en El Salvador e incluido en *Azul...* (1890) como homenaje a su amigo.

rillo, te llegará de perlas. Ponme a los pies de Susette, y conserva el obsequio en memoria de tu

ROBERT[7].

Ni más ni menos. Ambos soltaron la carcajada. El mirlo a su vez hizo estallar la jaula en una explosión de gritos musicales.

La caja había llegado, una caja de regular tamaño, llena de marchamos, de números y letras negras que decían y daban a entender que el contenido era muy frágil. Cuando la caja se abrió, apareció el misterio. Era un fino busto de porcelana, un admirable busto de mujer sonriente, pálido y encantador. En la base tenía tres inscripciones, una en caracteres chinescos, otra en inglés y otra en francés: *La emperatriz de la China*. ¡La emperatriz de la China! ¿Qué manos de artista asiático habían modelado aquellas formas atrayentes de misterio? Era una cabellera recogida y apretada, una faz enigmática, ojos bajos y extraños, de princesa celeste, sonrisa de esfinge, cuello erguido sobre los hombros columbinos, cubiertos por una onda de seda bordada de dragones; todo dando magia a la porcelana blanca, con tonos de cera, inmaculada y cándida. ¡La emperatriz de la China! Susette pasaba sus dedos de rosa sobre los ojos de aquella graciosa soberana, un tanto inclinados, con sus curvos epicantus bajo los puros y nobles arcos de las cejas[8]. Estaba contenta.

---

[7] Repetidamente se ha visto en este «Robert» un trasunto del chileno Carlos Toribio Robinet. Hijo de un acaudalado comerciante con negocios en los países del Oriente, había nacido en Macao, había trabajado en el negocio de su padre y se había traído de China una vasta colección de objetos exóticos. Rubén, que, como otros amigos suyos, le llamaba cariñosamente el «chino Robinet», lo recordaba así en su prólogo a *Asonantes:* «Es el amigo de todos los artistas extranjeros que llegan a Chile. Y si éstos llegan necesitando apoyo, lo es más [...] Escritor él mismo, es un excelente *croniqueur,* y hace buenos versos, si le viene el deseo [...] Carácter admirable y vivo, Robinet comprende a los artistas, a los pensadores y a los soñadores. Al propio tiempo es hombre de negocios y representante de una fuerte Casa de Seguros en Santiago, donde todos le quieren» (*OC* II, 48-49).

[8] *Epicantus:* pliegue del párpado superior sobre el ángulo interior del ojo, característico de los mogoles.

Y Recaredo sentía orgullo de poseer su porcelana. —Le haría un gabinete especial, para que viviese y reinase sola, como en el Louvre la Venus de Milo, triunfadora, cobijada imperialmente por el plafond de su cuarto azul.

Así lo hizo. En un extremo del taller, formó un gabinete minúsculo, con biombos cubiertos de arrozales y de grullas. Predominaba la nota amarilla. Toda la gama, oro, fuego, ocre de oriente, hoja de otoño, hasta el pálido que agoniza fundido en la blancura. En el centro, sobre un pedestal dorado y negro, se alzaba sonriendo la exótica imperial. Alrededor de ella había colocado Recaredo todas sus japonerías y curiosidades chinas. La cubría un gran quitasol nipón, pintado de camelias y de anchas rosas sangrientas. Era cosa de risa, cuando el artista soñador, después de dejar la pipa y los cinceles, llegaba frente a la emperatriz, con las manos cruzadas sobre el pecho, a hacer zalemas. Una, dos, diez, veinte veces la visitaba. Era una pasión. En un plato de laca yokoamesa le ponía flores frescas, todos los días. Tenía en momentos, verdaderos arrobos delante del busto asiático que le conmovía en su deleitable e inmóvil majestad. Estudiaba sus menores detalles, el caracol de la oreja, el arco del labio, la nariz pulida, el epicantus del párpado. ¡Un ídolo, la famosa emperatriz! Susette le llamaba de lejos: —¡Recaredo! —¡Voy! Y seguía en la contemplación de su obra de arte. Hasta que Susette llegaba a llevárselo a rastras y a besos.

Un día, las flores del plato de laca desaparecieron como por encanto.

—¿Quién ha quitado las flores? —gritó el artista desde el taller.

—Yo —dijo una voz vibradora.

Era Susette que entreabría una cortina, toda sonrosada y haciendo relampaguear sus ojos negros.

*

Allá en lo hondo de su cerebro, se decía el señor Recaredo, artista escultor: —¿Qué tendrá mi mujercita? No comía casi. Aquellos buenos libros desflorados por su espá-

242

tula de marfil, estaban en el pequeño estante negro, con sus hojas cerradas, sufriendo la nostalgia de las blandas manos de rosa, y del tibio regazo perfumado. El señor Recaredo la veía triste. ¿Qué tendrá mi mujercita? En la mesa no quería comer. Estaba seria; ¡qué seria! Le miraba a veces con el rabo del ojo, y el marido veía aquellas pupilas oscuras, húmedas como que querían llorar. Y ella al responder, hablaba como los niños a quienes se ha negado un dulce. ¿Qué tendrá mi mujercita? ¡Nada! Aquel «nada» lo decía ella con voz de queja, y entre sílaba y sílaba había lágrimas.

¡Oh, señor Recaredo!, lo que tiene vuestra mujercita es que sois un hombre abominable. ¿No habéis notado que desde que esa buena de la emperatriz de la China ha llegado a vuestra casa, el saloncito azul se ha entristecido, y el mirlo no canta ni ríe con su risa perlada? Susette despierta a Chopin, y lentamente, lentamente, hace brotar la melodía enferma y melancólica del negro piano sonoro. Tiene celos, señor Recaredo! Tiene el mal de los celos, ahogador y quemante, como una serpiente encendida que aprieta el alma. ¡Celos! Quizás él lo comprendió, porque una tarde dijo a la muchachita de su corazón estas palabras, frente a frente, a través del humo de una taza de café: —Eres demasiado injusta. ¿Acaso no te amo con toda mi alma?; ¿acaso no sabes leer en mis ojos lo que hay dentro de mi corazón?

Susette rompió a llorar. ¡Que la amaba! No, ya no la amaba. Habían huido las buenas y radiantes horas, y los besos que chasqueaban también eran idos, como pájaros en fuga. Ya no la quería. Y a ella, a la que en él veía su religión, su delicia, su ensueño, su rey, a ella, a su Susette, la había dejado por otra.

¡La otra! Recaredo dio un salto. Estaba engañada. ¿Lo diría por la rubia Eulogia, a quien en un tiempo había dirigido madrigales?

Ella movió la cabeza: —No.

¿Por la ricachona Gabriela, de largos cabellos negros, blanca como un alabastro y cuyo busto había hecho? ¿O por aquella Luisa, la danzarina, que tenía una cintura de avispa, un seno de buena nodriza y unos ojos incendarios?

¿O por la viudita Andrea, que al reír sacaba la punta de la lengua, roja y felina, entre sus dientes brillantes y amarfilados?

No, no era ninguna de ésas. Recaredo se quedó con gran asombro. —Mira, chiquilla, dime la verdad. ¿Quién es ella? Sabes cuánto te adoro. Mi Elsa, mi Julieta, alma, amor mío...

Temblaba tanta verdad de amor en aquellas palabras entrecortadas y trémulas, que Susette, con los ojos enrojecidos, secos ya de las lágrimas, se levantó irguiendo su linda cabeza heráldica.

—¿Me amas?

—¡Bien lo sabes!

—Deja, pues, que me vengue de mi rival. Ella o yo: escoge. Si es cierto que me adoras ¿querrás permitir que la aparte para siempre de tu camino, que quede yo sola, confiada en tu pasión?

—Sea —dijo Recaredo. Y viendo irse a su avecita celosa y terca, prosiguió sorbiendo el café, tan negro como la tinta.

No había tomado tres sorbos, cuando oyó un gran ruido de fracaso, en el recinto de su taller.

Fue. ¿Qué miraron sus ojos? El busto había desaparecido del pedestal de negro y oro, y entre minúsculos mandarines caídos y descolgados abanicos, se veían por el suelo pedazos de porcelana que crujían bajo los pequeños zapatos de Susette, quien toda encendida y con el cabello suelto, aguardando los besos, decía entre carcajadas argentinas al maridito asustado:

—¡Estoy vengada! ¡Ha muerto ya para ti la emperatriz de la China!

Y cuando comenzó la ardiente reconciliación de los labios, en el saloncito azul, todo lleno de regocijo, el mirlo, en su jaula primorosa, se moría de risa.

A una estrella[1]

ROMANZA EN PROSA

Princesa del divino imperio azul, ¡quién besara tus labios luminosos!

Yo soy el enamorado extático que, soñando mi sueño de amor, estoy de rodillas, con los ojos fijos en tu inefable claridad, estrella mía, que estás tan lejos! ¡Oh!, ¡cómo ardo en celos, cómo tiembla mi alma cuando pienso que tú, cándida hija de la aurora, puedes fijar tus miradas en el hermoso Príncipe Sol que viene del Oriente, gallardo y bello en su carro de oro, celeste flechero triunfador, de coraza adamantina, que trae a la espalda el carcaj brillante lleno de flechas de fuego! Pero no, tú me has sonreído bajo tu palio, y tu sonrisa era dulce como la esperanza. ¡Cuántas veces mi espíritu quiso volar hacia ti y quedó desalentado! ¡Está tan lejano tu alcázar! He cantado en mis sonetos y en mis madrigales tu místico florecimiento, tus cabellos de luz, tu alba

---

[1] Cfr. nota XXV de Darío *(infra,* pág. 317). Apareció el 31 de julio de 1890 en *El Imparcial* de Guatemala y llevaba una dedicatoria «A Manuel Coronel Matus», intelectual y político nicaragüense afincado en Guatemala; éste, en *La República de Centro América,* periódico de su dirección, había saludado el 20 de marzo de 1890 la publicación de *A. de Gilbert* y luego dio cabida a varios escritos de Darío. La dedicatoria de Darío en *El Imparcial* decía así: «Mi querido amigo: algo bueno y digno de su amistad quisiera ofrecer a usted. Acepte lo que hoy puedo dedicar al amigo y al escritor que más ha defendido y alabado mis pobres "galicismos mentales" que dice don Juan Valera» (Montiel 48).

vestidura. Te he visto como una pálida Beatriz del firmamento, lírica y amorosa en tu sublime resplandor. Princesa del divino imperio azul, ¡quién besara tus labios luminosos!

*

Recuerdo aquella negra noche, ¡oh genio Desaliento!, en que visitaste mi cuarto de trabajo para darme tortura, para dejarme casi desolado el pobre jardín de mi ilusión, donde me segaste tantos frescos ideales en flor. Tu voz me sonó a hierro y te escuché temblando, porque tu palabra era cortante y fría y caía como un hacha[2]. Me hablaste del camino de la Gloria, donde hay que andar descalzo sobre cambroneras y abrojos; y desnudo, bajo una eterna granizada; y a oscuras, cerca de hondos abismos, llenos de sombra como la muerte. Me hablaste del vergel Amor, donde es casi imposible cortar una rosa sin morir, porque es rara la flor en que no anida un áspid. Y me dijiste de la terrible y muda esfinge de bronce que está a la entrada de la tumba. Y yo estaba espantado, porque la gloria me había atraído, con su hermosa palma en la mano, y el Amor me llenaba con su embriaguez, y la vida era para mí encantadora y alegre como la ven las flores y los pájaros. Y ya presa de mi desesperanza, esclavo tuyo, oscuro genio Desaliento, hui de mi triste lugar de labor —donde entre una corte de bardos antiguos y de poetas modernos, resplandecía el dios Hugo, en la edición de Hetzel[3]— y busqué el aire libre bajo el cielo de la noche. Entonces fue, adorable y blanca princesa, cuando tuviste compasión de aquel pobre poeta, y le miraste con tu mirada inefable y le sonreíste, y de tu sonrisa emergía el divino verso de la esperanza! Estrella mía que estás tan lejos, ¡quién besara tus labios luminosos!

*

---

[2] 90: *una hacha*

[3] *Hetzel:* Jules Hetzel (1814-1886), librero, escritor y editor francés. Fueron muy populares sus ediciones en miniatura de las obras de Hugo y de George Sand.

Quería cantarte un poema sideral que tú pudieras oír, quería ser tu amante ruiseñor, y darte mi apasionado ritornelo, mi etérea y rubia soñadora. Y así, desde la tierra donde caminamos sobre el limo, enviarte mi ofrenda de armonía a tu región en que deslumbra la apoteosis y reina sin cesar el prodigio.

Tu diadema asombra a los astros y tu luz hace cantar a los poetas, perla en el océano infinito, flor de lis del oriflama inmenso del gran Dios.

Te he visto una noche aparecer en el horizonte sobre el mar, y el gigantesco viejo, ebrio de sal, te saludó con las salvas de sus olas sonantes y roncas. Tú caminabas con un manto tenue y dorado: tus reflejos alegraban las vastas aguas palpitantes.

Otra vez era en una selva oscura donde poblaban el aire los grillos monótonos, con las notas chillonas de sus nocturnos y rudos violines. A través de un ramaje, te contemplé en tu deleitable serenidad, y vi sobre los árboles negros, trémulos hilos de luz, como si hubiesen caído de la altura, hebras de tu cabellera. Princesa del divino imperio azul, ¡quién besara tus labios luminosos!

*

Te canta y vuela a ti la alondra matinal en el alba de la primavera, en que el viento lleva vibraciones de liras eólicas, y el eco de los tímpanos de plata que suenan los silfos. Desde tu región derrama las perlas armónicas y cristalinas de su buche, que caen y se juntan a la universal y grandiosa sinfonía que llena la despierta tierra.

Y en esa hora pienso en ti, porque es la hora de supremas citas en el profundo cielo y de ocultos y ardorosos oarystis[4] en los tibios parajes del bosque donde florece el cítiso que alegra la égloga! Estrella mía, que estás tan lejos, ¡quién besara tus labios luminosos!

---

[4] *Oarystis:* coloquios íntimos y amorosos; es un helenismo.

El año lírico

Idilio y Drama.

Colaboración de La Época

I

La Tigre de Bengala,
con su lustrosa piel manchada á trechos,
está alegre y gentil; está de gala.
Salta de los repechos
de un ribazo, al tupido
carrizal de un bambú; luego á la roca
que se yergue a la entrada de su gruta.
Allí lanza un rujido,
se ajita como loca
y eriza de placer su piel hirsuta.
La fiera virjen ama.
Es el mes del ardor. Parece el suelo
rescoldo; y en el cielo
el sol, inmensa llama.

Autógrafo de Rubén Darío del poema «Estival».

Primaveral[1]

Mes de rosas. Van mis rimas
en ronda, a la vasta selva,
a recoger miel y aromas
en las flores entreabiertas.
Amada, ven. El gran bosque
es nuestro templo: allí ondea
y flota un santo perfume
de amor. El pájaro vuela
de un árbol a otro y saluda
tu frente rosada y bella
como a un alba; y las encinas
robustas, altas, soberbias,
cuando tú pasas agitan
sus hojas verdes y trémulas,
y enarcan sus ramas como
para que pase una reina.
¡Oh amada mía! Es el dulce
tiempo de la primavera.

*

---

[1] *La Época*, 25 de septiembre de 1887, con la dedicatoria «A Alfredo Irrázaval Z.». Alfredo Irrazával Zañartu (1864-1934) era redactor de *La Época* cuando Rubén comenzó a trabajar en el diario y autor de *Renglones cortos*, volumen de versos que éste le prologó.

A continuación recojo las principales variantes:

v. 30: *La Época: Viniese a pararse cerca*
v. 99: *88 y 90: En la ánfora está Diana*
v. 111: *90: Quiero beber del amor*

Mira: en tus ojos, los míos:
da al viento la cabellera,
y que bañe el sol ese oro
de luz salvaje y espléndida.
Dame que aprieten mis manos
las tuyas de rosa y seda,
y ríe, y muestren tus labios
su púrpura húmeda y fresca.
Yo voy a decirte rimas,
tú vas a escuchar risueña;
si acaso algún ruiseñor
viniese a posarse cerca,
y a contar alguna historia
de ninfas, rosas o estrellas,
tú no oirás notas ni trinos,
sino enamorada y regia,
escucharás mis canciones
fija en mis labios que tiemblan.
¡Oh amada mía! Es el dulce
tiempo de la primavera.

*

Allá hay una clara fuente
que brota de una caverna,
donde se bañan desnudas
las blancas ninfas que juegan.
Ríen al son de la espuma,
hienden la linfa serena;
entre polvo cristalino
esponjan sus cabelleras;
y saben himnos de amores
en hermosa lengua griega,
que en glorioso tiempo antiguo
Pan inventó en las florestas.
Amada, pondré en mis rimas
la palabra más soberbia
de las frases de los versos
de los himnos de esa lengua;

y te diré esa palabra
empapada en miel hiblea...[2]
¡Oh amada mía! en el dulce[3]
tiempo de la primavera.

*

Van en sus grupos vibrantes
revolando las abejas
como un áureo torbellino
que la blanca luz alegra;
y sobre el agua sonora
pasan radiantes, ligeras,
con sus alas cristalinas
las irisadas libélulas.
Oye: canta la cigarra
porque ama al sol, que en la selva
su polvo de oro tamiza,
entre las hojas espesas.
Su aliento nos da en un soplo
fecundo la madre tierra,
con el alma de los cálices
y el aroma de las yerbas.

*

¿Ves aquel nido? Hay un ave.
Son dos: el macho y la hembra.
Ella tiene el buche blanco,
él tiene las plumas negras.
En la garganta el gorjeo,
las alas blandas y trémulas;

---

[2] *Sic* en *La Época*, pero errata en *88* y *90: empapada en miel biblea. Miel hiblea:* de Hibla, cualquiera de las dos ciudades que, con parecido nombre (Hibla Minor e Hibla Parva) y situadas respectivamente en el centro y en el norte de Sicilia, fueron reconocidas en el mundo antiguo por la calidad de su miel.

[3] En este verso y también en el verso 89, y tanto en *88* como en *90* se escribe *en el dulce* y no *es el dulce,* que es lo que aparece en los versos 16 y 37.

y los picos que se chocan
como labios que se besan.
El nido es cántico. El ave
incuba el trino, ¡oh poetas!,
de la lira universal
el ave pulsa una cuerda.
Bendito el calor sagrado
que hizo reventar las yemas,
¡Oh amada mía!, ¡en el dulce
tiempo de la primavera!

*

Mi dulce musa Delicia
me trajo un ánfora griega
cincelada en alabastro,
de vino de Naxos llena[4];
y una hermosa copa de oro,
la base henchida de perlas,
para que bebiese el vino
que es propicio a los poetas.
En el ánfora está Diana,
real, orgullosa y esbelta,
con su desnudez divina
y en su actitud cinegética.
Y en la copa luminosa
está Venus Citerea
tendida cerca de Adonis
que sus caricias desdeña[5].
No quiero el vino de Naxos
ni el ánfora de ansas bellas,
ni la copa donde Cipria

---

[4] *Naxos:* isla del Egeo. En la Antigüedad recibió también el nombre de
Dionisyas, y estaba dedicada a Baco por sus abundantes cosechas de vino.
[5] *Adonis:* joven de extraordinaria belleza que, en la mitología griega, re-
chazó los amores de Venus. La diosa, a su vez, recibe los sobrenombres de
Citerea o Cipria de la isla de Chipre, la cual, de acuerdo a la leyenda, la vio
nacer de las espumas del mar.

al gallardo Adonis ruega.
Quiero beber el amor[6]
sólo en tu boca bermeja,
¡Oh amada mía! ¡En el dulce
tiempo de la primavera!

---

[6] *Sic* en *88;* en *90: Quiero beber del amor*

Estival[1]

I

La tigre de Bengala,
con su lustrosa piel manchada a trechos,
está alegre y gentil, está de gala.
Salta de los repechos
de un ribazo, al tupido
carrizal de un bambú; luego, a la roca
que se yergue a la entrada de su gruta.
Allí lanza un rugido,
se agita como loca
y eriza de placer su piel hirsuta.

*

[1] Se publicó en *La Época*, el 15 de marzo de 1887, con el título de «Idilio y drama». En la reproducción parcial del manuscrito, recogida por Orrego Vicuña (*Antología chilena* s.n.), las cifras romanas I y V encabezan, respectivamente, el primero y el último grupo versal del poema. Ni en *88* ni en *90* aparecen las cifras II y III, y la cifra IV encabeza la parte que comienza «El príncipe de Gales...». He preferido seguir la numeración salida de manos de Darío, distinta a la de Saavedra y Mapes y a la de Méndez Plancarte, y situar las cifras II y III donde me ha parecido más conveniente.
Variantes:
v. 106: *La Época: Un príncipe gallardo va de caza*
v. 116: *88: Las fieras se acarician: No han oído*

La fiera virgen ama.
Es el mes del ardor. Parece el suelo
rescoldo; y en el cielo
el sol inmensa llama.
Por el ramaje oscuro
salta huyendo el kanguro[2].
El boa se infla, duerme, se calienta
a la tórrida lumbre;
el pájaro se sienta
a reposar sobre la verde cumbre.

*

Siéntense vahos de horno;
y la selva indiana[3]
en alas del bochorno,
lanza, bajo el sereno
cielo, un soplo de sí. La tigre ufana
respira a pulmón lleno,
y al verse hermosa, altiva, soberana,
le late el corazón, se le hincha el seno.

*

Contempla su gran zarpa, en ella la uña
de marfil; luego toca
el filo de una roca,
y prueba y lo rasguña.
Mírase luego el flanco
que azota con el rabo puntiagudo
de color negro y blanco,
y móvil y felpudo;
luego el vientre. En seguida
abre las anchas fauces, altanera
como reina que exige vasallaje;

---

[2] *Sic* en *88* y *90*.
[3] *selva africana* en *88*. Cfr. nota VII de Darío *(infra*, pág. 310).

después husmea, busca, va. La fiera
exhala algo a manera
de un suspiro salvaje.
Un rugido callado
escuchó. Con presteza
volvió la vista de uno y otro lado.
Y chispeó su ojo verde y dilatado
cuando miró de un tigre la cabeza
surgir sobre la cima de un collado.
El tigre se acercaba.

II

　　　　　　Era muy bello.
Gigantesca la talla, el pelo fino,
apretado el hijar, robusto el cuello,
era un don Juan felino
en el bosque. Anda a trancos
callados, ve a la tigre inquieta, sola,
y le muestra los blancos
dientes, y luego arbola
con donaire la cola.
Al caminar se vía
su cuerpo ondear, con garbo y bizarría.
Se miraban los músculos hinchados
debajo de la piel. Y se diría
ser aquella alimaña
un rudo gladiador de la montaña.
Los pelos erizados
del labio relamía. Cuando andaba,
con su peso chafaba
la yerba verde y muelle;
y el ruido de su aliento semejaba
el resollar de un fuelle.
Él es, él es el rey. Cetro de oro
no, sino la ancha garra

que se hinca recia en el testuz del toro
y las carnes desgarra.
La negra águila enorme, de pupilas
de fuego y corvo pico relumbrante,
tiene a Aquilón; las hondas y tranquilas
aguas el gran caimán; el elefante
la cañada y la estepa;
la víbora, los juncos por do trepa;
y su caliente nido
del árbol suspendido,
el ave dulce y tierna
que ama la primer luz.

Él, la caverna.

*

No envidia al león la crin, ni al potro rudo
el casco, ni al membrudo
hipopótamo el lomo corpulento,
quien bajo los ramajes del copudo
baobab, ruge al viento.

*

Así va el orgulloso, llega, halaga;
corresponde la tigre que le espera,
y con caricias las caricias paga
en su salvaje ardor, la carnicera.

III

Después, el misterioso
tacto, las impulsivas
fuerzas que arrastran con poder pasmoso;
y ¡oh gran Pan! el idilio monstruoso
bajo las vastas selvas primitivas.

No el de las musas de las blandas horas,
suaves, expresivas,
en las rientes auroras
y las azules noches pensativas;
sino el que todo enciende, anima, exalta,
polen, savia, calor, nervio, corteza,
y en torrentes de vida brota y salta
del seno de la gran naturaleza.

IV

El príncipe de Gales va de caza
por bosques y por cerros,
con su gran servidumbre y con sus perros
de la más fina raza.

*

Acallando el tropel de los vasallos,
deteniendo traíllas y caballos[4],
con la mirada inquieta,
contempla a los dos tigres, de la gruta
a la entrada. Requiere la escopeta,
y avanza, y no se inmuta.

*

Las fieras se acarician. No han oído
tropel de cazadores.
a esos terribles seres,
embriagados de amores,
con cadenas de flores
se les hubiera uncido

---

[4] *Trahíllas* o *traíllas:* en cacerías, parejas de perros unidos por una misma
correa.

260

a la nevada concha de Citeres,
o al carro de Cupido.

*

El príncipe atrevido
adelanta, se acerca, ya se para;
ya apunta y cierra un ojo; ya dispara;
ya del arma el estruendo
por el espeso bosque ha resonado.
El tigre sale huyendo,
Y la hembra queda, el vientre desgarrado.

*

¡Oh, va a morir!... Pero antes, débil, yerta,
chorreando sangre por la herida abierta,
con ojo dolorido,
miró a aquel cazador; lanzó un gemido
como un ¡ay! de mujer... y cayó muerta[5].

V

Aquel macho que huyó, bravo y zahareño
a los rayos ardientes
del sol, en su cubil después dormía.
Entonces tuvo un sueño:
que enterraba las garras y los dientes
en vientres sonrosados
y pechos de mujer; y que engullía
por postres delicados

---

[5] Los cinco últimos versos aparecen separados del grupo anterior en *88*
pero no en *90*.

de comidas y cenas,
—como tigre goloso entre golosos—
unas cuantas docenas
de niños tiernos, rubios y sabrosos[6].

---

[6] Cfr. nota XXVI de Darío *(infra,* págs. 317-18).

Autumnal[1]

Eros, vita, lumen

En las pálidas tardes
yerran nubes tranquilas
en el azul; en las ardientes manos
se posan las cabezas pensativas.
¡Ah los suspiros! ¡Ah los dulces sueños!
¡Ah las tristezas íntimas!
¡Ah el polvo de oro que en el aire flota,
tras cuyas ondas trémulas se miran
los ojos tiernos y húmedos,
las bocas inundadas de sonrisas,
las crespas cabelleras
y los dedos de rosa que acarician!

*

En las pálidas tardes
me cuenta un hada amiga

---

[1] En *La Época* (14-IV-1887); bajo el título puede leerse «para el álbum de
la señorita E. R.». El periódico trae también un subjetivo y cariñoso elogio
del poema, seguramente nacido en la pluma de Pedrito Balmaceda. El epígrafe que sigue («Eros, vita, lumen») pudo tomarlo Darío del poema XXV
del libro VI de *Les contemplations*, de Víctor Hugo, titulado «Nomen, Numen, Lumen».
Variantes:
v. 14: *Sic* en *88*, en *90: me cuenta una hada amiga*
v. 26: *Sic* en *90*, en *88: inmensa; luz, calor, aroma vida*

las historias secretas
llenas de poesía;
lo que cantan los pájaros,
lo que llevan las brisas,
lo que vaga en las nieblas,
lo que sueñan las niñas.

*

Una vez sentí el ansia
de una sed infinita.
Dije al hada amorosa:
—Quiero en el alma mía
tener la inspiración honda, profunda,
inmensa: luz, calor, aroma, vida.
Ella me dijo: ¡Ven! con el acento
con que hablaría un arpa. En él había
un divino idioma de esperanza.
¡Oh, sed del ideal!

*

Sobre la cima
de un monte, a media noche,
me mostró las estrellas encendidas.
Era un jardín de oro
con pétalos de llama que titilan.
Exclamé: —¡Más!...

*

La aurora
vino después. La aurora sonreía,
con la luz en la frente,
como la joven tímida
que abre la reja, y la sorprenden luego
ciertas curiosas, mágicas pupilas.
Y dije: —¡Más!... Sonriendo

la celeste hada amiga
prorrumpió: —¡Y bien!... ¡Las flores!

*

                                Y las flores
estaban frescas, lindas,
empapadas de olor: la rosa virgen,
la blanca margarita,
la azucena gentil, y las volúbilis[2]
que cuelgan de la rama estremecida.
Y dije: —¡Más!...

*

              El viento
arrastraba rumores, ecos, risas,
murmullos misteriosos, aleteos,
músicas nunca oídas.
El hada entonces me llevó hasta el velo
que nos cubre las ansias infinitas,
la inspiración profunda,
y el alma de las liras.
Y lo rasgó. Y allí todo era aurora.
En el fondo se vía
un bello rostro de mujer.

*

                          ¡Oh, nunca
Piérides, diréis las sacras dichas[3]

---

[2] *Sic* en *88* y *90*, pero *volubiles* en *05*. Ni el significado ni la etimología
exactos de la palabra están claros. Saavedra la deriva de la latina *volubilis* y,
por tratarse de un plural, escribe *volubiles*. El referente parece ser la flor llamada campanilla o, también, la flor de la vainilla. Ya que ninguna solución parece definitiva y que así la recoge el texto de A. Silvestre donde Darío pudo leerla [cfr. nota 1 de «Pensamiento de otoño», *infra*, págs. 272-73],
prefiero mantener la grafía original.
[3] *Piérides:* las Musas. El nombre deriva de la antigua región griega de Pie-
ria, al suroeste de Macedonia, que era uno de los lugares habitados por las
Musas.

que en el alma sintiera!
Con su vaga sonrisa:
¿Más...? dijo el hada. Y yo tenía entonces,
clavadas las pupilas
en el azul; y en mis ardientes manos
se posó mi cabeza pensativa...

Invernal[1]

Noche. Este viento vagabundo lleva
las alas entumidas
y heladas. El gran Andes
yergue al inmenso azul su blanca cima.
La nieve cae en copos,
sus rosas trasparentes cristaliza;
en la ciudad, los delicados hombros
y gargantas se abrigan;
ruedan y van los coches,
suenan alegres pianos, el gas brilla;
y, si no hay un fogón que le caliente,
el que es pobre tirita.

*

Yo estoy con mis radiantes ilusiones
y mis nostalgias íntimas,
junto a la chimenea

---

[1] Saavedra y Mapes dan dos fechas distintas acerca de su publicación en *La Época*. Afirman, primero, que Pedro Balmaceda la hizo publicar el 5 de junio de 1887, y luego, como colofón del poema, escriben la del «3 de junio de 1887» (*OE* 58 y 325). Esta última fecha, que sencillamente pudiera corresponder a la de la redacción del poema, es la que se recoge en las ediciones modernas del libro.
Variantes:
v. 21: *88* y *90: Cómo! Mirad:*
v. 28: ausente en *La Época*.

267

bien harta de tizones que crepitan.
Y me pongo a pensar: ¡oh! si estuviese
ella, la de mis ansias infinitas,
la de mis sueños locos,
y mis azules noches pensativas!
¿Cómo? Mirad:
¿Cómo? Mirad:De la apacible estancia
en la extensión tranquila
vertería la lámpara reflejos
de luces opalinas.
Dentro, el amor que abrasa;
fuera, la noche fría;
el golpe de la lluvia en los cristales,
y el vendedor que grita
su monótona y triste melopea
a las glaciales brisas;
dentro, la ronda de mis mil delirios,
las canciones de notas cristalinas,
unas manos que toquen mis cabellos,
un aliento que roce mis mejillas,
un perfume de amor, mil conmociones,
mil ardientes caricias;
ella y yo; los dos juntos, los dos solos;
la amada y el amado, ¡oh Poesía!
los besos de sus labios,
la música triunfante de mis rimas
y en la negra y cercana chimenea
el tuero brillador que estalla en chispas.

*

¡Oh! ¡bien haya el brasero
lleno de pedrería!
Topacios y carbunclos,
rubíes y amatistas
en la ancha copa etrusca
repleta de ceniza.
Los lechos abrigados,
las almohadas mullidas,

las pieles de Astrakán, los besos cálidos[2]
que dan las bocas húmedas y tibias!
¡Oh, viejo Invierno, salve!
puesto que traes con las nieves frígidas
el amor embriagante
y el vino del placer en tu mochila.

*

Sí, estaría a mi lado,
dándome sus sonrisas,
ella, la que hace falta a mis estrofas,
ésa que mi cerebro se imagina;
la que, si estoy en sueños,
se acerca y me visita;
ella que, hermosa, tiene
una carne ideal, grandes pupilas,
algo del mármol, blanca luz de estrella;
nerviosa, sensitiva,
muestra el cuello gentil y delicado
de las Hebes antiguas[3],
bellos gestos de diosa,
tersos brazos de ninfa,
lustrosa cabellera
en la nuca encrespada y recogida,
y ojeras que denuncian
ansias profundas y pasiones vivas.
¡Ah, por verla encarnada,
por gozar sus caricias,
por sentir en mis labios
los besos de su amor, diera la vida!
Entre tanto, hace frío.
Yo contemplo las llamas que se agitan,
cantando alegres con sus lenguas de oro,
móviles, caprichosas e intranquilas,

---

[2] *Astrakán:* ciudad rusa situada en el delta del Volga y famosa por sus artículos de piel de cordero.
[3] *Hebe:* diosa griega de la juventud.

en la negra y cercana chimenea
do el tuero brillador estalla en chispas.

*

Luego pienso en el coro
de las alegres liras,
en la copa labrada el vino negro,
la copa hirviente cuyos bordes brillan
con iris temblorosos y cambiantes
como un collar de prismas;
el vino negro que la sangre enciende
y pone el corazón con alegría,
y hace escribir a los poetas locos
sonetos áureos y flamantes silvas.
El Invierno es beodo.
Cuando soplan sus brisas,
brotan las viejas cubas
la sangre de las viñas.
Sí, yo pintara su cabeza cana
con corona de pámpanos guarnida.
El Invierno es galeoto[4],
porque en las noches frías
Paolo besa a Francesca
en la boca encendida,
mientras su sangre como fuego corre
y el corazón ardiendo le palpita.
¡Oh, crudo Invierno, salve!
puesto que traes con las nieves frígidas
el amor embriagante
y el vino del placer en tu mochila!

*

---

[4] Cfr. nota XXVII de Darío *(infra*, pág. 319). El verso de Dante que recoge Darío se encuentra en la *Divina Comedia* (*Infierno*, V, 137). En el mismo lugar se resume la historia de Paolo y Francesca, a los que alude Darío
más adelante. *Galeoto:* referencia a Galehaut, el personaje de *Lancelot* que facilitó los amores adúlteros de Lancelot y Ginebra, la esposa del rey Arturo.

Ardor adolescente,
miradas y caricias;
¡cómo estaría trémula en mis brazos
la dulce amada mía,
dándome con sus ojos luz sagrada,
con su aroma de flor, savia divina!
En la alcoba la lámpara
derramando sus luces opalinas;
oyéndose tan sólo
suspiros, ecos, risas;
el ruido de los besos;
la música triunfante de mis rimas
y en la negra y cercana chimenea
el tuero brillador que estalla chispas.
Dentro, el amor que abrasa;
fuera, la noche fría!

Pensamiento de Otoño
De Armand Silvestre[1]

Huye el año a su término
como arroyo que pasa,
llevando del poniente
luz fugitiva y pálida.
Y así como el del pájaro

---

[1] *La Época*, 15 de febrero de 1887. Apareció en la sección «Bellas Letras», que lo presentaba así: «Publicamos una composición inédita que nos ha remitido desde Valparaíso el joven poeta don Rubén Darío». En su pie llevaba la fecha de 1887. El poema de Darío es una traducción del que Armand Silvestre tituló «Pensée d'Automne» y que fue recogido en *Roses d'octobre. Poesies (1884-1889)* (París, G. Charpentier et Cie., 1890, 79-80). Ya se dijo que existió una carta del poeta francés a Darío que éste quiso incluir en la primera edición de su libro. No se conserva dicha carta, pero sí otras referencias de Darío al francés en los años de Chile. En una crónica para *El Heraldo*, aparecida el 11 de febrero de 1888, escribe: «El cielo estaba encendido. Recordé lo que dice Armand Silvestre, el amable maestro y amigo: "Las lágrimas verdaderas, como las alegrías verdaderas, son fugaces, pasan rápidamente"» (*OD* 115). Numerosas ediciones modernas de *Azul...* agrupan esta composición y las que siguen bajo el epígrafe de «Otros poemas», pero tal encabezamiento no figura en ninguna de las tres primeras ediciones del libro.
Por su interés, difícil accesibilidad y gracias a la gentileza del profesor Enrique Marini Palmieri, transcribo íntegro el poema de A. Silvestre: «L'An fuit vers son déclin, comme un ruisseau qui passe / Emportant du couchant les fuyantes clartés; / Et, pareil à celui des oiseaux attristés, / Le vol des souvenirs s'alanguit dans l'espace. / —L'An fuit vers son déclin, comme un ruisseau qui passe. // Un peu d'âme erre encore aux calices défunts / Des lents volubilis et de roses-trémières; / Et, vers le firmament des lointaines lumières, / Un rêve monte encor sur l'aile des parfums. / —Un

que triste tiende el ala,
el vuelo del recuerdo
que al espacio se lanza
languidece en lo inmenso
del azul por do vaga.
Huye el año a su término
como arroyo que pasa.

*

Un algo de alma aún yerra
por los cálices muertos
de las tardas volúbilis[2]
y los rosales trémulos.
Y de luces lejanas,
al hondo firmamento,
en alas del perfume
aún se remonta un sueño.
Un algo de alma aún yerra
por los cálices muertos.

*

Canción de despedida
fingen las fuentes túrbidas.

---

peu d'âme erre encore aux calices défunts. // Une chanson d'adieu sort des sources troblées. / S'il vous plait, mon amour, reprenons le chemin / Où, tous deux, au printemps, et la main dans la main, / Nous suivions le caprice odorant des allées. / —Une chanson d'adieu sort des sources troublés. // Une chanson d'amour sort de mon coeur fervent / Qu'un éternel avril a fleuri de jeunesse. / Que meurent les beaux jours! que l'âpre hiver renaisse! / Comme un hymne joyeux dans la plainte du vent, / —Une chanson d'amour sort de mon coeur fervent. // Une chanson d'amour vers ta beauté sacrée, / Femme, inmortel été! Femme, inmortel printemps! / Soeur de l'étoile en feu qui, par les cieux flottants / Verse en toute saison sa lumière dorée. / Une chanson d'amour vers ta beauté sacrée, / Femme, inmortel été! Femme, inmortel printemps!»

Variantes del poema de Darío:

v. 41: *88* y *90: en buen hora.*

[2] Es decir, las lentas o las últimas campanillas.

Si te place, amor mío,
volvamos a la ruta
que allá en la primavera
ambos, las manos juntas,
seguimos, embriagados
de amor y de ternura,
por los gratos senderos
do sus ramas columpian
olientes avenidas
que las flores perfuman.
Canción de despedida
fingen las fuentes túrbidas.

*

Un cántico de amores
brota mi pecho ardiente
que eterno abril fecundo
de juventud florece.
¡Que mueran en buen hora
los bellos días! Llegue
otra vez el invierno;
renazca áspero y fuerte.
Del viento entre el quejido,
cual mágico himno alegre,
un cántico de amores
brota mi pecho ardiente.

*

Un cántico de amores
a tu sacra beldad,
mujer, eterno estío,
primavera inmortal!
Hermana del ígneo astro
que por la inmensidad
en toda estación vierte
fecundo, sin cesar,
de su luz esplendente

el dorado raudal.
Un cántico de amores
a tu sacra beldad,
mujer, ¡eterno estío!
¡primavera inmortal!

A un poeta[1]

Nada más triste que un titán que llora,
Hombre-montaña encadenado a un lirio,
Que gime, fuerte, que pujante, implora:
Víctima propia en su fatal martirio.

Hércules loco que a los pies de Onfalia[2]
La clava deja y el luchar rehúsa,
Héroe que calza femenil sandalia,
Vate que olvida la vibrante musa.

---

[1] Según Tranquilino Chacón, amigo de Darío y redactor de *La Unión*, fueron las páginas de este periódico las primeras que ofrecieron este poema al público, en mayo de 1890 (Alemán Bolaños, *La juventud* 81). Con el título de «Estrofas», firmado por el poeta, y con algunas mínimas diferencias textuales, pudo leerse también en *El Imparcial* del día 20 de julio de 1890. Tanto en *90* como en *05* se insertó entre «Pensamiento de otoño» y «Anagke». Sin embargo, hay datos suficientes para suponerle un origen chileno. Afirma Rubén en *Historia de mis libros* que lo escribió bajo el influjo de Díaz Mirón, poeta a quien había dedicado un elogio *La Época* el 18 de noviembre de 1886 (*OC* I, 56-59). La admiración por el mexicano nació, con toda seguridad, después de la lectura de la antología que publicó *El Parnaso Mexicano* el 15 de abril de 1886 y que extendió el prestigio del poeta por toda Hispanoamérica. Allí pudo leer Darío el poema «A Gloria», escrito también en cuartetos y que, como «A un poeta», es un canto contra la sumisión del héroe al dominio femenino.

Variantes:

v. 1: *El Imparcial: Nada más triste que el titán que llora.*
v. 9: *Sic* en *El Imparcial*, en *90* y *05*: *¡Quien desquijaba los robustos leones*

[2] *Onfalia:* reina de Lidia que se casó con Hércules después de haberlo comprado como esclavo y después de que éste pasase tres años hilando a sus pies.

¡Quien desquijara los robustos leones,
Hilando esclavo con la débil rueca;
Sin labor, sin empuje, sin acciones
Puños de fierro y áspera muñeca!

No es tal poeta para hollar alfombras
Por donde triunfan femeniles danzas:
Que vibre rayos para herir las sombras,
Que escriba versos que parezcan lanzas.

Relampagueando la soberbia estrofa,
Su surco deje de esplendente lumbre;
Y el pantano de escándalo y de mofa
Que no lo vea el águila en su cumbre.

Bravo soldado con su casco de oro
Lance el dardo que quema y que desgarra,
Que embista rudo como embiste el toro,
Que clave firme, como el león, la garra.

Cante valiente y al cantar trabaje,
Que ofrezca robles si se juzga monte;
Que su idea, en el mal rompa y desgaje
Como en la selva virgen el bisonte.

Que lo que diga la inspirada boca
Suene en el pueblo con palabra extraña;
Ruido de oleaje al azotar la roca,
Voz de caverna y soplo de montaña

Deje Sansón de Dálila el regazo[3]:
Dálila engaña y corta los cabellos.
No pierda el fuerte el rayo de su brazo
Por ser esclavo de unos ojos bellos.

---

[3] *Dálila* o *Dalila:* esposa bíblica de Sansón, a quien engañó y traicionó para entregarlo a sus enemigos. La palabra poseía una acentuación vacilante en la época de *Azul...* (Saavedra y Mapes).

Anagke[1]

Y dijo la paloma:
Yo soy feliz. Bajo el inmenso cielo,
en el árbol en flor, junto a la poma
llena de miel, junto al retoño suave
y húmedo por las gotas de rocío,
tengo mi hogar. Y vuelo,
con mis anhelos de ave,
del amado árbol mío
hasta el bosque lejano,
cuando al himno jocundo
del despertar de Oriente,
sale el alba desnuda, y muestra al mundo
el pudor de la luz sobre su frente.

---

[1] En *La Época*, 11 de febrero de 1887. El poema está dedicado «A Pedro Balmaceda» y fechado en su pie en «Valparaíso, 1887». El título de *88* se escribe en mayúsculas griegas; en *90* y *05* se ha castellanizado. Con la misma palabra griega comenzó Víctor Hugo la presentación de su *Nôtre-Dame de Paris* (1831) y encabezó su capítulo central (cap. IV, libro VII). Como el poema de Darío, la novela de Hugo gira en torno a la idea de la fatalidad de la vida y del «combat de la mouche et de l'araignée» (Cfr. V. Hugo, *Nôtre-Dame de Paris*, ed. de Marius-François Guyard, París, Garnier, 1961, 13, XIII).

Tanto en *88* como en *90* no existe la división de grupos versales, con la excepción del epílogo final.

Variantes:
v. 14: *88: Mi ala es blanca y sedosa.*
v. 48: *88* y *05: porque, siendo el palacio de la aurora*
Además, en *90* las iniciales de todos los versos van en mayúscula.

Mi ala es blanca y sedosa;
la luz la dora y baña
y céfiro la peina.
Son mis pies como pétalos de rosa.
Yo soy la dulce reina
que arrulla a su palomo en la montaña.

En el fondo del bosque pintoresco
está el alerce en que formé mi nido[2];
y tengo allí, bajo el follaje fresco,
un polluelo sin par, recién nacido.

Soy la promesa alada,
el juramento vivo;
soy quien lleva el recuerdo de la amada
para el enamorado pensativo.

Yo soy la mensajera
de los tristes y ardientes soñadores,
que va a revolotear diciendo amores
junto a una perfumada cabellera.

Soy el lirio del viento.
Bajo el azul del hondo firmamento
muestro de mi tesoro bello y rico
las preseas y galas:
el arrullo en el pico,
la caricia en las alas.

Yo despierto a los pájaros parleros
y entonan sus melódicos cantares;
me poso en los floridos limoneros
y derramo una lluvia de azahares.

Yo soy toda inocente, toda pura.
Yo me esponjo en las ansias del deseo,

---

[2] *Alerce:* conífera subtropical utilizada como ornamento en parques y jardines.

279

y me estremezco en la íntima ternura
de un roce, de un rumor, de un aleteo.

¡Oh inmenso azul! Yo te amo. Porque a Flora
das la lluvia y el sol siempre encendido:
porque, siendo el palacio de la Aurora,
también eres el techo de mi nido.

¡Oh inmenso azul! Yo adoro
tus celajes risueños,
y esa niebla sutil de polvo de oro
donde van los perfumes y los sueños.

Amo los velos tenues, vagarosos,
de las flotantes brumas,
donde tiendo a los aires cariñosos
el sedeño abanico de mis plumas.

¡Soy feliz! Porque es mía la floresta,
donde el misterio de los nidos se halla;
porque el alba es mi fiesta
y el amor mi ejercicio y mi batalla.

Feliz, porque de dulces ansias llena,
calentar mis polluelos es mi orgullo;
porque en las selvas vírgenes resuena
la música celeste de mi arrullo.

Porque no hay una rosa que no me ame,
ni pájaro gentil que no me escuche,
ni garrido cantor que no me llame.

—¿Sí? dijo entonce un gavilán infame[3].
Y con furor se la metió en el buche.

*

---

[3] *entonce:* cfr. la nota 42 al prólogo de Eduardo de la Barra *(supra*, pág. 150).

Entonces el buen Dios allá en su trono,
(mientras Satán, para distraer su encono
aplaudía a aquel pájaro zahareño)[4],
se puso a meditar. Arrugó el ceño,
y pensó, al recordar sus vastos planes,
y recorrer sus puntos y sus comas,
que cuando creó palomas
no debía haber creado gavilanes[5].

---

[4] *88: aplaudía aquel pájaro zahareño. Zahareño:* bravo y difícil de domesticar.

[5] En *88* la palabra FIN aparece al pie de este poema, el último de la primera edición.

Sonetos áureos[1]

[1] Con este mismo título —que se mantuvo en *90* pero se desechó en *05*— el *Repertorio Salvadoreño* de julio de 1889 agrupó los tres sonetos que siguen. Iban presentados con cifras romanas: I («Caupolicán»), II («Venus») y III («De invierno»). En *90,* tanto los «Sonetos áureos» como los «Medallones» tienen capitalizadas las iniciales de cada verso y se disponen sin separación interestrófica.

Bajo el mismo epígrafe de «Sonetos áureos» y en el periódico *El Tren* de Tegucigalpa del 5 de diciembre de 1889, publicó Darío su poema «El ánfora». Éste sin embargo, y por razones desconocidas, no llegó a formar parte de *Azul...* (Sequeira 1964, 51).

Caupolicán[1]

a Henrique Hernández Miyares[2]

Es algo formidable que vio la vieja raza:
Robusto tronco de árbol al hombro de un campeón
Salvaje y aguerrido, cuya fornida maza
Blandiera el brazo de Hércules, o el brazo de Sansón.

---

[1] Antes que en el *Repertorio Salvadoreño*, «Caupolicán» vio la luz en las páginas de *La Época*, el 11 de noviembre de 1888. Se titulaba «El toqui», no llevaba dedicatoria y formaba parte, junto con «Chinampa» y «El sueño del Inca», de un nuevo proyecto de Darío. Los redactores del diario lo presentaban así: «Rubén Darío prepara un nuevo volumen de versos, con el título que encabeza este suelto. La obra constará de una serie de sonetos en forma nueva que serán otros tantos pequeños cuadros de la vida americana y especialmente de la época de la conquista. Estas composiciones son otros tantos bajorrelieves en que la elegancia artística de nuestro amigo se manifiesta en toda su audacia y originalidad. *La Época* publica hoy los tres primeros sonetos y seguirá dando a luz los demás que el autor vaya remitiendo a esta redacción.» Cfr., además, la nota XXVIII de Darío (*infra*, pág. 319).
Variantes:
v. 2: *La Época: Enorme tronco de árbol al hombro de un campeón*
v. 3: *La Época: Salvaje y musculoso, cuya fornida maza*
v. 5: *La Época: Por yelmo sus cabellos, su pecho por coraza*
v. 12: *La Época: «¡El Toqui, el Toqui!» grita la conmovida casta.*
[2] *Sic* en *90*. Enrique Hernández, poeta y periodista cubano, amigo también de Julián del Casal. En julio de 1887 había dado noticias de la salida de *Abrojos* en *La Habana Elegante*, periódico del que luego fue director. En él reprodujo varios trabajos de Darío: «Caso cierto» (diciembre de 1887), «La cabeza del rawí» (abril de 1888), «La canción del oro» (mayo de 1888), «Claro de luna» (diciembre de 1889), y «Palomas blancas y garzas morenas» (junio de 1890). En octubre de 1888 se encargó además de publicar en él una reseña de *Azul*...

Por casco sus cabellos, su pecho por coraza
Pudiera tal guerrero, de Arauco en la región,
Lancero de los bosques, Nemrod que todo caza,
Desjarretar un toro, o estrangular un león.

Anduvo, anduvo, anduvo. Le vio la luz del día,
Le vio la tarde pálida, le vio la noche fría,
Y siempre el tronco de árbol a cuestras del titán.

«¡El Toqui, el Toqui!» clama la conmovida casta.
Anduvo, anduvo, anduvo. La Aurora dijo: «Basta.»
E irguióse la alta frente del gran Caupolicán.

Venus[1]

En la tranquila noche, mis nostalgias amargas sufría.
En busca de quietud bajé al fresco y callado jardín.
En el oscuro cielo Venus bella temblando lucía,
Como incrustado en ébano un dorado y divino jazmín.

A mi alma enamorada, una reina oriental parecía,
Que esperaba a su amante, bajo el techo de su camarín;
O que, llevada en hombros, la profunda extensión recorría,
Triunfante y luminosa, recostada sobre un palanquín.

«¡Oh reina rubia! —díjele— mi alma quiere dejar su crisálida,
Y volar hacia ti, y tus labios de fuego besar;
Y flotar en el nimbo que derrama en tu frente luz pálida

Y en siderales éxtasis no dejarte un momento de amar.»
El aire de la noche refrescaba la atmósfera cálida.
Venus, desde el abismo, me miraba con triste mirar.

---

[1] *Repertorio Salvadoreño*, vol. III, n. 1, julio de 1889.
Variantes:
v. 1: *Repertorio: En una negra noche, mis nostalgias amargas sufría.*
v. 10: *Repertorio: Y volar hacia ti, y tus labios ardientes besar*
v. 13: *Repertorio: La brisa con su vuelo refrescaba la atmósfera cálida*

De invierno[1]

ACUARELA

En invernales horas, mirad a Carolina.
Medio apelotonada, descansa en el sillón,
Envuelta con su abrigo de marta cibelina
Y no lejos del fuego que brilla en el salón.

El fino angora blanco junto a ella se reclina,
Rozando con su hocico la falda de Alençon[2],
No lejos de las jarras de porcelana china
Que medio oculta un biombo de seda del Japón.

Con sus sutiles filtros la invade un dulce sueño;
Entro, sin hacer ruido; dejo mi capa gris;
Voy a besar su rostro rosado y halagüeño

Como una rosa roja que fuera flor de lis;
Abre los ojos, mírame con su mirar risueño,
Y en tanto cae la nieve del cielo de París.

---

[1] *Repertorio Salvadoreño,* julio de 1889 (vol. III, n. 1) y el 13 de julio de 1890 en *El Imparcial.* El subtítulo de «Acuarela» aparece en *90* en esa misma posición.
  Variantes:
  v. 5: *Repertorio: El fino galgo blanco junto a ella se reclina*
  v. 9: *Repertorio: En languideces tibias la invade un dulce sueño*
      El Imparcial: Friolenta y perezosa la invade un dulce sueño
[2] *Alençon:* ciudad de Francia famosa por sus finas labores de encaje.

Medallones[1]

[1] Máximo Soto Hall, al evocar la primera estancia del poeta en Guatemala, recuerda la génesis de los «Medallones» en estos términos: «Aparte del libro de cuentos, que con el título de *Cuentos Nuevos* se proponía terminar Darío, llevaba in mente otros dos que acariciaba con menos intensidad [...] y el segundo "Medallones", una colección de retratos encuadrados en troquel de verso, figuras de alta personalidad en el arte, la política, la historia y la literatura» (*Revelaciones* 115-16). Los medallones de esa época serían —según Soto Hall— los dedicados a Catulle Mendès, José Joaquín Palma y Walt Whitman; los otros que aparecen en la segunda edición del libro habrían sido escritos con anterioridad. En publicaciones previas a *90* sólo se ha encontrado el soneto dedicado a Palma (*Repertorio Salvadoreño*, I, junio de 1889, II, 6); aunque el hecho de que vaya numerado («Medallones», I, «José Joaquín Palma») permite pensar que los demás pudieran haber visto la luz en fechas anteriores a la de octubre de 1890.

Medallones

I
Leconte de Lisle[1]

De las eternas musas el reino soberano
Recorres, bajo un soplo de vasta inspiración,
Como un rajah soberbio que en su elefante indiano
Por sus dominios pasa de rudo viento al son.

Tú tienes en tu canto como ecos del oceano;
Se ve en tu poesía la selva y el león;
Salvaje luz irradia la lira que en tu mano
Derrama su sonora, robusta vibración.

Tú del fakir conoces secretos y avatares;
A tu alma dio el Oriente misterios seculares,
Visiones legendarias y espíritu oriental.

Tu verso está nutrido con savia de la tierra;
Fulgor de Ramayanas tu viva estrofa encierra,
Y cantas en la lengua del bosque colosal.

---

[1] Cfr. nota XXIX de Darío (*infra*, págs. 319-20). Ya en enero de 1887 hace Darío su primer elogio del poeta francés, en una presentación de *Penumbra*, de su amigo Narciso Tondreau: «Aquí la unión de esa idea digna de Leconte de Lisle, con esos versos hermosos, bruñidos, escultóricos» (*OD* 94).

II
Catulle Mendès[1]

Puede ajustarse al pecho coraza férrea y dura;
Puede regir la lanza, la rienda del corcel;
Sus músculos de atleta soportan la armadura...
Pero él busca en las bocas rosadas, leche y miel.

Artista hijo de Capua, que adora la hermosura,
La carne femenina prefiere su pincel;
Y en el recinto oculto de tibia alcoba oscura
Agrega mirto y rosas a su triunfal laurel.

Canta de los oarystis el delicioso instante,
Los besos y el delirio de la mujer amante;
Y en sus palabras tiene perfume, alma, color.

Su ave es la venusina, la tímida paloma.
Vencido hubiera en Grecia, vencido hubiera en Roma,
En todos los combates del arte o del amor.

---

[1] Cfr. nota XXX de Darío (*infra*, pág. 320). Aunque la referencia más extensa y conocida de Darío a este poeta es la de su artículo de abril de 1888 («Catulo Mendez...»), existe alguna bastante anterior y significativa. En diciembre de 1886, por ejemplo, habló de las «hadas de Catulle Mendès» (*OD* 84).

III
Walt Whitman[1]

En su país de hierro vive el gran viejo,
Bello como un patriarca, sereno y santo.
Tiene en la arruga olímpica de su entrecejo
Algo que impera y vence con noble encanto.

---

[1] Cfr. nota XXXI de Darío *(infra,* pág. 320). Es de nuevo M. Soto Hall quien recupera algunas de las circunstancias en que se escribió el soneto, según él en tierras de Guatemala: «tenía [Rubén] obsesión del extraño lírico norteamericano. Luchaba por leerlo en su propia lengua que apenas conocía» *(Revelaciones,* 116). Fernando Alegría *(Walt Whitman en Hispanoamérica,* México, Studium, 1954, 253-54) no acepta las fechas sugeridas por el guatelmalteco, y apuesta por la de 1889, año de la estancia de Rubén en El Salvador y año también de frecuentes alusiones en su prosa al poeta yanqui. En favor de Alegría habla el artículo que Francisco Gavidia redactó para el *Repertorio Salvadoreño* el 20 de agosto de 1889 titulado «Walt Whitman» y cuyas alusiones al trabajo de Gabriel Sarrazin en la *Nouvelle Revue* sugieren un Rubén difusor de los méritos y personalidad del poeta norteamericano. De todos modos, debe tenerse en cuenta que las primeras menciones de Darío a Whitman habían comenzado en Chile, en concreto el 16 de noviembre de 1888, en un admirativo artículo escrito para *La Época (OD* 249-50). Por otro lado, Darío habría confesado a Juan Ramón Jiménez que la redacción del poema habría ocurrido después de la lectura de una crónica de Martí sobre Withman aparecida en *La Nación* de Buenos Aires el 26 de junio de 1887, y sin que antes de esa redacción Darío parezca haber conocido directamente la obra del poeta estadounidense (Jiménez, *El Modernismo,* 225).

Su alma del infinito parece espejo;
Son sus cansados hombros dignos del manto;
Y con arpa labrada de un roble añejo,
Como un profeta nuevo canta su canto.

Sacerdote que alienta soplo divino,
Anuncia, en el futuro, tiempo mejor.
Dice al águila: «¡Vuela!»; «¡Boga!» al marino,

Y «¡Trabaja!» al robusto trabajador.
¡Así va ese poeta por su camino,
Con su soberbio rostro de emperador!

IV
J. J. Palma[1]

Ya de un corintio templo cincela una metopa,
Ya de un morisco alcázar el capitel sutil,
Ya como Benvenuto, del oro de una copa
Forma un joyel artístico, prodigio del buril.

Pinta las dulces Gracias, o la desnuda Europa,
En el pulido borde de un vaso de marfil,

---

[1] José Joaquín Palma (1844-1911), poeta cubano exiliado que trabajaba
en Guatemala como director de la Biblioteca Nacional cuando coincidió
con Darío; con el nicaragüense, que lo calificó de «hombre exquisito y tro-
vador zorrillesco» (OC I, 77), vivió momentos de intensa amistad en esas fechas. Cfr. también OD 197. En nota 1 a «Medallones» se constataba la aparición del soneto en el *Repertorio Salvadoreño* de junio de 1889. Soto Hall
afirma, por el contrario, que el poema fue compuesto, en Guatemala, en un
rato de tertulia en casa del poeta cubano, después de que éste leyera un poema dedicado a Rafaela Contreras, la joven esposa de Darío. Cuando Palma
terminó de hablar, Rubén «pidió una hoja de papel y en la mesa sin levan-
tar aún, sobre el mantel llovido de migas, trazó un soneto, parte de la serie
que por aquellos días escribiera bajo la denominación general de "Medallones", y que es por cierto uno de los más bellos de la colección [...] Palma,
con lágrimas en los ojos y mudo de emoción, lo estrechó entre sus brazos
y lo tuvo en ellos largo tiempo. Así terminó aquel almuerzo el día en que
me fue presentado Rubén Darío» *(Revelaciones* 37). Puede tratarse de un desliz del guatemalteco o también de una redacción distinta del mismo poema.
Variantes:
v. 4: *Repertorio: Forma un joyel artístico, prodigio del buril*
      Revelaciones: Hace un joyel artístico, modelo del buril
v. 11: *Repertorio: Ni es la loca bacante que danza y delira*
v. 13: *Revelaciones: Él tiene entre sus manos la septicorde lira*

O a Diana, diosa virgen de desceñida ropa,
Con aire cinegético, o en grupo pastoril.

La musa que al poeta sus cánticos inspira
No lleva la vibrante trompeta de metal,
Ni es la bacante loca que canta y que delira,

En el amor fogosa, y en el placer triunfal:
Ella al cantor ofrece la septicorde lira,
O, rítmica y sonora, la flauta de cristal.

V
Parodi[1]

Dio a sus estrofas el cielo azul de Italia,
Le atrajo con su inmenso fulgor el gran París;
Ciñeron su cabeza los lauros de la Galia
Y fueron sus hermanos los hijos de San Luis.

Las máscaras le dieron las gracias de Tesalia;
Cantó el valor, un astro; y la virtud, un lis.
Y luego dio a los vientos su rítmica faunalia,
Y el cielo antes rosado tornóse cielo gris.

Los gritos de su carne son gritos de bacante.
Las voces de su alma dan vida a la ilusión;
A la esperanza muerta levántala radiante

---

[1] Cfr. nota XXXIII de Darío *(infra,* págs. 321-28). Alejandro Parodi (1840-1901), autor dramático italiano que vivió en París y acabó naturalizándose francés.

Este soneto fue eliminado en la edición de 1905, fecha en que la popularidad del dramaturgo no alcanzaba las alturas de 1886, que fue el año de la representación de su *Roma vaincue* en Chile. Al contrario de lo que afirma Darío en su nota, la puesta en escena de esta pieza, en la que intervenía Sarah Bernhardt, no tuvo lugar en el Teatro Municipal de Santiago, sino en el Teatro Victoria de Valparaíso, el 9 de noviembre. Resulta muy probable, por tanto, que «Parodi» sea un medallón chileno (Darío, *Teatros,* 23). Sin embargo, tampoco debe descartarse completamente un origen centroamericano; según afirma E. Uhrhan Irving, «in the July 30 (1890) issue of *El Imparcial* appears an article in which Darío refers to his acquitance with a great esteem for Parodi, and which undoubtedly caused him to write the sonnet "Parodi"» («Rubén Darío's...», 320-21).

De su pectide helénica al desusado son[2]
Y en medio de la Francia, magnífico y vibrante,
Su espíritu está lleno de aurora y de visión.

---

[2] *Pectide:* vocablo griego para nombrar a varios instrumentos musicales (arpa, lira, flauta...).

VI
Salvador Díaz Mirón[1]

Tu cuarteto es cuadriga de águilas bravas
Que aman las tempestades, los oceanos;
Las pesadas tizonas, las férreas clavas,
Son las armas forjadas para tus manos.

Tu idea tiene cráteres y vierte lavas;
Del Arte recorriendo montes y llanos
Van tus rudas estrofas jamás esclavas,
Como un tropel de búfalos americanos.

Lo que suena en tu lira lejos resuena,
Como cuando habla el bóreas, o cuando truena.
¡Hijo del Nuevo Mundo! ¡La humanidad

Oiga, sobre la frente de las naciones,
La hímnica pompa lírica de tus canciones
Que saludan triunfantes la Libertad!

---

[1] Cfr. nota XXXIV de Darío *(infra,* pág. 328) y nota 1 de «A un poeta» *(supra,* pág. 276).

Èchos[1]

[1] Estos tres poemas en francés fueron eliminados en *05* a raíz, según el propio autor, de las críticas que recibieron sus imperfecciones formales (impropiedad silábica en palabras con *e* muda, rimas incorrectas, etc.; Contreras, *Rubén Darío* 176). En cuanto a la fecha y el lugar de redacción, los testimonios más fiables apuntan hacia su estancia salvadoreña de 1889. Su amigo de entonces, el doctor Rivera, escribe: «La primera vez que llegó a aquella mi ciudad [Sonsonate] fue en el año 1889 durante la estación de las lluvias [...] En esos días devoró cuantos libros literarios había en nuestra biblioteca, especialmente uno en francés titulado *Las flores de la Poesía Francesa*. Entonces estuvo escribiendo algunos versos en francés, quizá como ensayo» (Sequeira 1964, 159). Debe recordarse la carta que Darío envió al director de *El Imparcial* de Guatemala, escrita en Sonsonate y fechada el 19 de agosto de 1889: «Casi al propio tiempo, señor Director, se imprimirá en San Salvador *El Libro del Trópico*, que contendrá artículos en prosa y una selección de mis poesías españolas y francesas, de las cuales como una pobre ofrenda a la bellas lectoras aficionadas, entresaco las siguientes»; a continuación, copia «Chanson crépusculaire» (Sequeira 1964, 71).

A Mademoiselle...

J'aime la belle fleur d'or
Pour tes cheveux, mon trésor,
Et un lys pour ton corset.
Veux-tu d'autre fleur alors?
Mes lèvres pour ton baiser.

Pensée

Les yeux à l'horizon sublime de l'Histoire,
J'étais sous un grand souffle peuplé d'illusion.
Et j'ai vu, fremissant, ta palme d'or, ô Gloire,
Et j'ecouté, ô Fame, la voix de ton clairon!

Chanson crépusculaire

Le bois vierge éveillé, de sa langue sonore
Chante, tout frémissant, la chanson de l'aurore.
Vibrent les jeunes arbres, éclate la lumière
Qui décore le front de l'aube printanière.
Dans une gloire d'or, semblable à un empereur,
Le grand soleil caresse et l'oisseau et la fleur.
Ô sève! ô volupté! Je vois un noir taureau
Manger de la pâture au bord d'un frais ruisseau
Tandis que sur des feuilles où la lumière tombe.
A plein air, amoureuse, roucoule une colombe.
Là-bas je vois la mer grisâtre et l'horizon
Doré par le matin; et là-bas le vallon:
Partout la joie de vie comme un souffle mystique,
Partout l'ivresse ardente, l'haleine du tropique.
On dirait une fête suprème, un plaisir pur,
Sous le regard profond de l'éternel azur.

*

L'aube émaille de perles son beau peplum de rose
Dans les vagues d'opale qui font l'apothéose.
On voit la plaine verte dans une reverie
Comme le champ de riz d'une chinoserie.
C'est l'heure de l'Orient et du doux crépuscule,
L'heure du papillon et de la libellule,
Et du nid qui gazouille et des petits enfants.
Les prés ont des sourirs et des cris triomphants.

On voit sur les collines pitoresques, sauvagues,
Comme de cygnes blancs les humides nuages.
Partout la vie, partout la joie, partout l'amour.
Seulement dans mon coeur est triste ce beau jour.

*

Hélas, ma bien aimée! L'implacable destin
A empoisonné ma coupe, a empoisonné mon vin.
Je ne vois pas tes yeux, adorable trésor,
Je ne vois pas ta bouche charmante, à la voix d'or,
Ta chevrelure blonde, ton profil séraphique,
Et ton corps delicat de canéphore antique.
Loin de toi, je souis triste, et je suis solitaire;
Je chante ma plaintive chanson crépusculaire.
Champ fleuri! Mon printemps est plein de ma souffrance.

*

Maintenant, je vois l'aube! L'aube, c'est l'éspérance...

FIN

Notas de Darío a la segunda edición de *Azul...*

I
Cartas de Don Juan Valera,
de la Real Academia Española

El ilustre autor de *Pepita Jiménez* comenzó a publicar en *El Imparcial* de Madrid una serie de cartas que llamó *Americanas,* por referirse a obras y autores de América. Esto fue en el año de 1888.

Me encontraba en Valparaíso, y a la sazón era cónsul de España en aquel puerto[1] el señor don Antonio Alcalá Galiano y Miranda, hijo del insigne orador y hombre público del mismo nombre, y primo de don Juan Valera. Por medio de don Antonio remití al autor famoso y crítico eminente[2] un ejemplar de mi *Azul...* que acababa de aparecer, impreso en la tipografía Excelsior. Poco tiempo después tuve la honra de que Valera escribiese respecto a mi libro las dos cartas que encabezan esta edición.

---

[1] Hoy es cónsul general de S. M. C. en Argel, después de haber tenido igual representación en la China [Nota del mismo Darío en *90*].

[2] En *90*, por error, *inminente.*

II

Esta frase de Víctor Hugo que sirve de epígrafe al prólogo de don Eduardo de la Barra, explica el porqué del título de la obra. Evocado por la palabra *azul* surge del fondo de nuestro ser «lo ideal, lo etéreo, lo infinito, la serenidad del cielo sin nubes, la luz difusa, la amplitud vaga y sin límites, donde nacen, viven, brillan, y se mueven los astros». Palabras de Valera. Y dice el primero de los poetas: «L'art c'est l'azur.»

Recuerdo aquella canción del mismo Víctor Hugo en *Les Chatiments*[3], «Le chant de ceux qui s'en vont sur mer», que comienza

> *Adieu patrie!*
> *L'onde est en furie,*
> *Adieu patrie!*
> *Azur!*

Jean Aicard ha escrito después: «L'amour, c'est l'azur...»

III

> «Junto al gran anciano, *leader* un día de los románticos, coloca en su afecto a la secta moderna de los simbolistas y decadentes.»

A estas palabras de mi egregio amigo el poeta chileno De la Barra, tengo que responder lo siguiente. No puedo colocar a la par de Víctor Hugo a los decadentes, porque éstos, como los parnasianos, los neorrománticos, no son sino retoños del gran roble. Esos zíngaros, como les llama el Sr. De la Barra, descienden «de Ramsés el Grande».

---

[3] En *90*, por error, *Chatimants*.

IV

¿Es Rubén Darío decadente? Él lo
cree así; yo lo niego.

No lo creo. Admiro el delicado procedimiento de esos
refinados artistas que hoy tiene Francia, pero bien sé hasta dónde llegan sus exageraciones y exquisiteces. Entre
José María de Heredia, parnasiano, y Mallarmé, Valabregue[4], u otros decadentes, me quedo con el rey de los so-
netistas.

V

Imaginadlo enjaulado en el pande-
mónium de la Aduana de Valparaíso,
tratando de fardos, contando barricas,
alineando números en negras columnas. ¡Imposible! Y hay, sin embargo,
que dar vuelta al manubrio. ¡Ah,
creedme, yo lo comprendo... pero, al
menos, él, lleno de juventud, lleva en
el pecho la esperanza...!

Cuando en 1887 llegó por primera vez el cólera a Santiago de Chile, puse pies en polvorosa, huyendo del terrible
enemigo, y me trasladé a Valparaíso, donde de periodista
me transformé en empleado de Aduana. De mi ineptitud
en tal campo pueden dar razón aquellos excelentes muchachos, mis compañeros! Pero había que dar vueltas al manubrio del trabajo, y a falta de pruebas de imprenta, buenas
son pólizas.

---

[4] *Valabregue:* Antoine Valabregue (1844-1900), poeta y crítico francés,
colaborador de *L'Artiste, Le Parnasse Contemporaine* y *La Revue Bleue.*

De la Barra deja ver cierta justa tristeza, y harta razón tiene, en verdad. Ese hombre eminente que honra a su país, ha vivido una vida de luchas por las ideas liberales, ha sido maestro de la juventud, difusor de luz, poeta de las glorias patrias, y sin embargo, ¡cuántos hombres nulos fueron profetas antes que él! Ley dura. Por desgracia, ¡peor que en ninguna parte en nuestros países de la América Latina!

VI

> ¡Eh! dejad a los clérigos del *Estandarte* la gloria de tejer fajas púdicas para la Venus de Milo...

Se refiere a los escritores del diario santiagués *El Estandarte Católico*, magistralmente redactado por clérigos y en cuyas columnas se ha combatido duramente el desnudo en el arte.

VII

> Por la propiedad quisiéramos que la escena pasara en la India, cuna de tigres bengaleses, y soto de caza de los príncipes de Inglaterra...

Está atendido lo indicado por el prologuista, en esta segunda edición.

VIII

> La envidia se pondrá pálida; Nicaragua se encogerá de hombros, que nadie es profeta en su tierra.

¡Oh, poeta! tú lo fuiste al escribir esas palabras.

310

IX

> ¡Y bien! Los ritmos se prostituyen
> y se fabrican jarabes poéticos. Ade-
> más, señor, el zapatero critica mis en-
> decasílabos y el señor profesor de far-
> macia pone puntos y comas a mi ins-
> piración.

Circunscribiéndonos a la América Latina: Nunca se había visto una plaga de versificadores anodinos y tontos, como la que ha aparecido en estos últimos tiempos. Imitadores desmañados de obras inimitables, poetastros a la antigua, fabricantes de octavas reales, confiteros en verso, etc.

Y luego, la crítica, arte digno y elevado, en manos de cualquier ratón de imprenta, o dómine trasnochado. Por fortuna, no falta uno que otro escritor noble y entendido entre los hombres de la pasada generación y en la juventud que se levanta.

No obstante, cualquiera buena reputación está expuesta a ser manoseada por el zapatero de aquí, el sastre de allí y el dependientucho de más allá...

X

> El asno (aunque entonces no había
> conversado con Kant...)

Referencia al poema de Víctor Hugo, «L'âne».

XI

> Filomela había volado a posarse en
> la lira, como la paloma anacreóntica...

En la oda IX de Anacreonte, «A una paloma», se encuentra la delicada figura de la avecita adormecida sobre la lira del poeta.

311

XII

Emmanuel Fremiet, el famoso escultor francés contemporáneo, cuya especialidad son los animales. Fue discípulo del célebre Rude[5].

Se recuerda una buena obra de su juventud, la *Gacela*, y es bien conocida su preciosa obra maestra, «Un perro herido». Entre sus otros trabajos notabilísimos, el «Centauro Tereo», el «Caballo de Montfaucon», etc. Últimamente, la estatua de Juana de Arco.

XIII

«El fardo». Éste es un episodio verdadero, que me fue narrado por un viejo lanchero en el muelle fiscal de Valparaíso, en el tiempo de mi empleo en la Aduana de aquel puerto. No he hecho sino darle una forma conveniente.

XIV

...cantando en baja voz alguna triste.

Las «tristes» son unas canciones populares en el Perú, Bolivia y aun en Chile. Y en verdad que merecen el nombre que tienen, por la melancolía de su ritmo, algo como una dolorosa melopea, y por la letra, que casi siempre expresa penas y quejas de amor. Algo semejante son los yaravíes.

---

[5] *Rude:* François Rude (1784-1855), escultor francés de orientación romántica y autor del famoso relieve de L'Arc de Triomphe de París.

XV

...cuando llevaban el cadáver a Playa-Ancha

Playa-Ancha es el cementerio de los pobres, en Valparaíso.

XVI

EL VELO DE LA REINA MAB

La reina Mab es una de las creaciones de la mitología inglesa. Es la reina de los sueños.

Shakespeare se refiere a ella, por boca de Mercutio, en la escena IV del acto I de *Romeo y Julieta*. He aquí las palabras de Mercutio, según la excelente versión de Menéndez y Pelayo:

«Sin duda te ha visitado la reina Mab, nodriza de las hadas. Es tan pequeña como el ágata que brilla en el anillo de un regidor. Su carroza va arrastrada por caballos leves como átomos, y sus radios son patas de tarántula; las correas son de gusano de seda, los frenos de rayos de luna; huesos de grillo e hilo de araña forman el látigo; y un mosquito de oscura librea, dos veces más pequeño que el insecto que la aguja sutil extrae del dedo de ociosa dama, guía el espléndido equipaje. Una cáscara de avellana forma el coche elaborado por la ardilla, eterna carpintera de las hadas. En ese carro discurre de noche y día por cabezas enamoradas, y les hace concebir vanos deseos, y anda por las cabezas de los cortesanos, y les inspira vanas cortesías. Corre por los dedos de los abogados y sueñan con procesos. Recorre los labios de las damas y sueñan con besos. Anda por las narices de los pretendientes, y sueñan que han alcanzado un empleo. Azota con la punta de un rabo de puerco las orejas del cura, produciendo en ellas sabroso cosquilleo, indicio cierto de beneficio, o canonjía cercana. Se adhiere al cuello del soldado y le hace soñar que vence y triunfa de sus enemigos y los degüella con su truculento acero toledano, hasta que oyendo los sones del cercano atambor, se despierta sobresaltado, reza un padrenuestro y vuelve a dormirse. La reina Mab es quien en-

313

reda de noche las crines de los caballos, y enmaraña el pelo de los duendes, e infecta el lecho de la cándida virgen y despierta en ella por primera vez impuros pensamientos.»

Shelley escribió uno de sus mejores poemas titulado «La reina Mab».

Mi cuento «El velo de la reina Mab» ha tenido mejor suerte que todos sus otros hermanos. El insigne poeta y afamado artista catalán Apeles Mestres lo ilustró con tres admirables rasgos de su brillante lápiz, los que, como todo lo que autoriza su firma, tienen el sello de su ingenio poderoso[6].

XVII

> Puck se había entrometido en el
> asunto, ¡el pícaro Puck!

Puck es un duende o demonio, o elemental, como dicen los theósofos, que aparece con mucha frecuencia en cuentos y leyendas de Suecia y Dinamarca. En sajón su nombre es Hodeken, y en sueco Nissegodreng, que quiere decir *Nisse, el buen muchacho*. Es un duende pícaro pero servicial. Shakespeare lo hace figurar en su *Sueño de una noche de verano*. Véase la pregunta que le hace un hada[7], en la escena 1.ª del

---

[6] Apeles Mestres (1854-1936), escritor y dibujante español que ilustró también los *Cuentos* de Andersen. A propósito de esta alusión del poeta, el *Diario de Centro América* publicaba el siguiente comentario en su número del 16 de julio de 1890: «El argentino Dn. Casimiro Prieto y Valdés, autor del *Almanaque Sud-Americano para 1890*, leyó la producción de Darío y se enamoró de ella [...] pero como quien pone un marco a un buen cuadro, el Sr. Prieto y Valdés dispuso que el afamado artista Apeles Mestres hiciera tres grabados referentes al asunto principal que Darío desenvuelve en su escrito [...] La inserción del artículo de Rubén Darío en un almanaque como el hecho en Buenos Aires le es honrosa, porque ahí está hombreándose con autores americanos y europeos» (Sequeira 1964, 238). Algún tipo de amistad debió de existir entre él y Darío, antes o después de *Azul...*, pues Ricardo Palma, en carta al nicaragüense fechada en Lima el 30 de noviembre de 1894, le cuenta: «Yo habría querido que nuestro amigo Apeles Mestres fuese el ilustrador de mis *Tradiciones*, pero tacañerías de editor no lo han querido» (Ghiraldo 106).

[7] 90: *una hada*

acto II de ese drama, magistralmente traducido por mi muy querido amigo el poeta peruano José Arnaldo Márquez[8].

HADA.—«O yo equivoco enteramente vuestra forma, o sois el astuto y maligno espíritu llamado Robin-Buen-Chico. ¿No sois aquel que asusta a las muchachas de la aldea, espuma la leche, y a veces trabaja en el molino de mano, echando a perder todo el contenido de la mantequera de la pobre mujer hacendosa, y en otras ocasiones hace que no espumee la cerveza? ¿No extraviáis a los que viajan de noche, y os reís del daño que sufren? Hacéis el trabajo de los que os llaman "buen duende" y "lindo Puck", y les dais la buena ventura. ¿No sois ese espíritu?

PUCK.—Has hablado con acierto. Yo soy aquel alegre peregrino de la noche; yo hago chanzas que hacen sonreír a Oberón; como cuando atraigo algún caballo gordo y bien nutrido de grano, imitando el relincho de una potranca; y algunas veces me escondo en el tazón de alguna comadre, pareciendo en todo como un cangrejo asado; y cuando va a beber, choco contra su labio y hago caer la cerveza sobre su blanco delantal. Suele acontecer que la tía más prudente, refiriendo un tristísimo cuento, me equivoca con su sitial de tres pies; me escurro al punto, y cae a plomo gritando y se apodera de ella un acceso de tos. Entonces toda la concurrencia apretándose los costados, se ríe y estornuda, y jura que nunca se ha pasado allí hora más alegre.»

XVIII

Se apoyó en el zócalo de un fauno soberbio y bizarro, cincelado por Plaza.

Nicanor Plaza, chileno, el primero de los escultores americanos, cuyas obras se han expuesto con gran éxito en el Salón de París. Entre sus obras, las más conocidas y de mayor mérito, están una *Susana* y *Caupolicán,* esta última, mag-

---

[8] Darío lo conoció en Chile. Márquez (1830-1904) escribía en *La Libertad Electoral* con el pseudónimo de B. de Zamora (Saavedra y Mapes).

nífica de fuerza y de audacia. La industria europea se aprovechó de esta creación de Plaza —sin consultar con él para nada, por supuesto, y sin darle un centavo— y la multiplicó en el bronce y en la terracota. El *Caupolicán* de Plaza se vende en los almacenes de bric-a-brac de Europa y América, con el nombre de *The last of the mohicans!*

Un grabado que representa esa obra maestra de Plaza, fue publicado en la *Ilustración Española y Americana*.

La gloria no ha sido esquiva con el amigo Plaza; pero no así la fortuna...

XIX
EN CHILE

El *Álbum Porteño* y el *Álbum Santiagués* debían formar parte de un libro que con el título de *Dos años en Chile* se anunció en Valparaíso cuando apareció *Azul...* y que no vio la luz pública, por circunstancias especiales.

XX

> Un huaso robusto

En Chile llaman «huasos» a los hombres del campo, como «rotos» a las gentes de la plebe.

XXI

> Los brazos gigantescos, donde,
> como los de Amico, parecían los
> músculos redondas piedras de las que
> deslavan y pulen los torrentes.

Referencia hecha al gigante Amico, rey de los bébrices[9], que fue vencido por Pólux en lucha singular. Véase el idilio XXII de Teócrito. En la traducción famosa del helenista

---

[9] Según las leyendas, los bébrices habitaban las tierras de Bitinia, al sur del mar Negro.

316

mejicano Ipandro Acaico, se lee esta estrofa, entre las que describen a Amico:

«Cerca del hombro, músculos salientes
Rudo ostentaba el gigantesco brazo,
Cual las redondas piedras que en su curso
Veloz torrente pule deslavando.»

XXII
La Virgen de la paloma

Este cuadrito, tan modesto en este libro, tengo la convicción de que daría motivo, tratado por un pintor de talento, a una obra artística original y de alto valor estético.

XXIII

La Alameda.—Es el nombre de uno de los lugares de paseo más concurridos de la capital de Chile.

XXIV
LA MUERTE DE LA EMPERATRIZ DE LA CHINA
Al duque Job, de México

El duque Job es el pseudónimo con que se firma[10] en la prensa de México, el admirable escritor y poeta Manuel Gutiérrez Nájera.

XXV
A UNA ESTRELLA.—*Romanza en prosa*

Este capricho fue publicado por primera vez en un diario de Guatemala, y apareció con una dedicatoria a Manuel Coronel Matus, excelente amigo, inteligencia brillante y alma noble.

---

[10] *Sic* en *90*.

XXVI

Aquel macho que huyó bravo y za-
[hareño
a los rayos ardientes
del sol, en su cubil después dormía.
Entonces tuvo un sueño:
que enterraba las garras y los dientes
en vientres sonrosados
y pechos de mujer; y que engullía
por postres delicados
de comidas y cenas,
—como tigre goloso entre golosos—
unas cuantas docenas
de niños tiernos, rubios y sabrosos.

Mucho tiempo después de la publicación de *Azul...* llegaron a mis manos las *Odas bárbaras* de Leconte de Lisle y entre ellas me llamó la atención «El sueño del jaguar». Encon-
tré, holgándome de ello, una coincidencia, aunque lejana,
entre esa obra del maestro y la humildísima «Estival» mía.
Para que se juzgue mejor, copiaré aquí los admirables versos
del poeta francés.

LE RÊVE DU JAGUAR

«Sous les noir acajous, les lianes en fleur,
Dans l'air lourd, inmobile, et saturé des mouches,
Pendent, et, s'enroulant en bas parmi les souches,
Bercent le perroquet splendide et querelleur,
L'araignée au dos jaune et les signes farouches.
C'est là que le tueur de boeufs et de chevaux,
Le long des vieux troncs morts à l'écorce moussue
Sinistre et fatigué, revient à pas égaux,
Il va, frottant ses reins musculeux qu'il bossue;
Et, du mufle béant par la soif alourdi,
Un soufle rauque et bref, d'une brusque secousse,
Trouble les grands lézards, chauds des feux de midi,
Dont la fuite étincelle travers á l'herbe rousse.

318

En un creux du bois sombre interdit au soleil
Il s'affaise, allongé sur quelque roche plate;
D'un large coup de langue il se lustre la patte;
Il cligne ses yeux d'or hébétés de somneil;
Et dans l'illusion de ses forces inertes,
Faisant mouvoir sa queue et frissoner ses flancs,
Il rêve qu'au milieu des plantations vertes,
Il enfonce d'un bond ses ongles ruisselants,
Dans la chair des taureaux effarés et beuglants»

XXVII

El invierno es galeoto,
porque en las noches frías
Paolo besa a Francesca
en la boca encendida,
mientras su sangre como fuego corre
y el corazón ardiendo le palpita.

Referencia al pasaje del Dante en que se encuentra el verso

«Galeoto fu il libro e chi lo scrisse...»

que dio motivo al nombre de una de las obras maestras de Echegaray, *El gran Galeoto*.

XXVIII
CAUPOLICÁN

El asunto de este soneto es un episodio de la *Araucana* de Ercilla. Caupolicán es el indio heroico que dio muerte al gran conquistador don Pedro de Valdivia[11].

---

[11] El episodio se halla en el canto segundo de la obra de Ercilla y, según éste, no fue Caupolicán quien dio muerte a Valdivia, sino el indio Leocato.

XXIX

Es uno de los más vigorosos poetas franceses. A él escribió Víctor Hugo enviándole uno de sus libros: «Jungamos dextras». Es de la aristocracia de los hombres de letras. Lo cual aísla, según decía Baudelaire al hablar de Gautier. El mismo autor de las *Flores del mal* dijo de Leconte de Lisle: «Il appartient d'ailleurs á cette famille d'esprits qui ont pour tout ce qui n'est pas supérieur un mepris si tranquille qu'il ne daigne même pas s'exprimer.»

XXX

CATULLE MENDÈS

Este maravilloso *conteur* y poeta desciende de una familia portuguesa judía. Ha publicado muchas obras que le han dado su título de príncipe de las letras. Víctor Hugo le amó paternalmente. Se casó con una hija de Théophile Gautier y se divorció al poco tiempo. Vive en París.

XXXI

WALT WHITMAN

En mi opinión el más grande de los poetas de la América del Norte. En Francia no se le conoce aún lo suficiente. Un magistral estudio sobre su vida y obras de Whitman publicó en la *Revue de deux mondes* Gabriel Sarrazin. Así mismo José Martí le dedicó una de sus más bellas producciones en *La Nación* de Buenos Aires, y R. Mayorga R., un excelente artículo en la *Revista Ilustrada* de Nueva York[12].

---

[12] El trabajo de Martí apareció en el periódico bonaerense el día 26 de junio de 1887; el de Gabriel Sarrazin no fue publicado en la *Revue de Deux Mondes*, como afirma Darío, sino en la *Nouvelle Revue*, en su salida del 1 de mayo de 1888 (págs. 164-84). Por último, la *Revista Ilustrada*, en su número de junio de 1890, recogió el trabajo de Mayorga Rivas titulado «El poeta Whitman».

¿Quién no conoce en la América Española los deliciosos versos del amigo Palma, el más sentimental de los poetas de Cuba?

De un juicio del escritor habanero Señor Sancho, copio los párrafos siguientes:

«Árabe blondo, arrogante como un pirata escandinavo y femenil como un andrógino del celeste coro, místico y sensual como un ermitaño, José Joaquín Palma, cubano y poeta, es uno de los casos más originales de atavismo. Como Zorrilla, su inmediato antecesor en la raza, se siente africano y provenzal, y así piensa y se produce.

»Poeta lírico, y en grado eminente, sólo alcanza a esbozar vagas siluetas sin perfiles ni colorido. Dotado de extraordinaria imaginación auditiva, traduce en armonía todas sus impresiones, como si cada contorno, cada línea, cada matiz, arrancase una nota al arpa de sus sensaciones. Si para Luaces[13] era el mundo externo inmenso museo de formas esculturales, espléndida y feérica paleta para el cubano francés José María de Heredia, para Palma es inefable y misterioso poema melódico. Podría atenuarse lo que han dicho de él fogosos admiradores, hipnotizados por la magia de sus rimas, diciendo que es un caso de vocación desviada, que así como Gautier era un pintor entrometido a literato, Palma es un discípulo de Bellini[14] extraviado en el Parnaso Cubano. Accionan sus versos sobre el yo sensitivo, sumergiendo el espíritu en lánguida y voluptuosa somnolencia, en

---

[13] Joaquín Lorenzo Luaces: poeta cubano (1826-1867) popular por sus anacreónticas y sus traducciones del francés.

[14] Aunque existen varios artistas con este apellido, el contexto parece apuntar hacia el compositor de ópera Vincento Bellini (1802-1835), cuyo estilo se caracterizaba por la facilidad para impresionar y conmover profundamente a su público. Más difícil parece que se trate de Gentile o Lorenzo Bellini, pintores del Renacimiento italiano, o de un error por Benvenuto Cellini, el escultor a quien se menciona en el medallón dedicado a Palma.

brumoso crepúsculo, haciéndolo flotar entre albores de ideas y vislumbres de sentimientos.»

XXXIII
PARODI

Poeta italiano, residente en París. En un diario de Guatemala, publiqué respecto a tan egregio hombre de letras, las siguientes líneas, dedicadas a mi ilustre amigo Valero Pujol.

«La primera vez que oí el nombre de Alejandro Parodi, fue cuando Sarah Bernhardt dio la *Roma vaincue* en el teatro municipal de Santiago de Chile. Esta obra la sintetiza el autor en el siguiente alejandrino:

"Le malheur demandant à la vertu des armes"

Admiré la trágica incomparable, y quedó en mi memoria, lleno de gloriosa luz, el poeta de Italia que escribe en el idioma de Víctor Hugo, obras soberbias de inventiva y admirables de arte.

El gran París adopta a todos los expósitos de la gloria: la ciudad formidable de la lucha por la vida, suele ser la consoladora, alentadora y enriquecedora de más de un hijo desconocido por su madre, o desgraciado en su propio terruño; sea judío alemán, como Alberto Wolff, cristiano aragonés, como Eusebio Blasco, o poeta italiano, como Alejandro Parodi.

Este artista del verso que hubiera podido subir a la altura apoyado en los tercetos del Dante, se ha acogido a los hemistiquios del dios Hugo y habita en la casa del gran Molière.

Él le dice al país de Francia: Mi corazón ha bebido tu savia y se ha arraigado en tu seno, ¡oh patria en que no he nacido!; ¿pero no tienes tú un hijo, donde quiera que piensa un hombre?

Y él, poeta heleno y romano, adora la claridad de esa "hermana de Atenas y de Roma".

Los parisienses le recibieron fraternalmente y le pusieron el plato en la mesa y el vino en el vaso. Los laureles que coronan su frente de pensador y de bardo, han brotado en el suelo de la poderosa y brillante Lutecia.

*

Conozco por un grabado de Le Nain[15], el retrato de Parodi, con su franco rostro de hombre superior, sus espejuelos, a través de los cuales se advierte la serena y potente mirada, su corbata de artista —de ésas que se descuelgan por el pecho dejando el lazo descuidado al cuello—, su aspecto, en fin, noble y simpático.

Escribió en Francia para el teatro y pasó el arduo Rubicón de la fama. Escribió *Ulm el parricida:* «Humble voux, je disais le remords et ses larmes.»

Se llenó del soplo de la Biblia, y de allí *Séphora:* «La vierge préferant l'homme qui souffre à l'ange». Escribió *Selpha:* «Le cygne dans la mort se lavant de la fange» y *François I:* «Marignan et Pavie et le roy qui se bat.» Le aplaudió París y prosiguió por un camino de triunfos.

Lo que ante todo asombró y llamó la atención, fue el dominio de la lengua y de la rima, sus gallardas estrofas sonoras, por su factura como si fuesen labradas en alabastro, por su armonía como si cada verso fuese la cuerda de la lira estrofa.

No es mi intento estudiar ahora a Parodi, autor dramático. Me refiero al poeta lírico, al soberbio rimador y colorista, al autor de los *Gritos de la carne y del alma.* Vibra en la primera parte del libro la nota sensual; la musa es bacante, y el poeta es obsceno, aunque a veces se revista con la impasible y natural serenidad de Lucrecio. Verdad es que esos versos están precedidos por tres palabras de Petronio: «Cum insanientibus furere». Parodi, en sus comienzos idealista, se deja arrastrar allí por la bestialidad del «viejo siglo infame que ha matado su grandeza». ¡Y lo que vale el arte! Las ideas groseras y torpes van triunfantes, en los extraños y atrevidos símiles y en las palabras bellas, como cortesanas impúdicas en palanquines de oro y de seda.

---

[15] Seguramente Louis Le Nain, grabador francés de segunda fila (1851-?).

Comprendo que la poesía bañe de su divina luz el desnudo; admiro a Venus y a Leda; mas no comprendo a los poetas satiriacos, mitad hijos de Apolo, mitad hijos de Phallus. Tiene mucho de bello el impudor sagrado de las antiguas fiestas religiosas; el canto carnal del fauno, los saltos y gritos de ritual en las procesiones, porque en ello se advierte el culto de la naturaleza. Pero ¿qué es eso de poner a nuestra poesía moderna a cantar la epopeya del burdel? En esto, a Parodi, como a Catulo Mendès, el arte los salva. No así a tantos rabelesianos que a nombre de la vieja alegría francesa, o del moderno naturalismo, hacen la propaganda de la cantárida, en libros y diarios.

Parodi ha sido arrastrado por la corriente. «Yo no amaba sino el azur, la luz, las cimas, donde sublimes pléyades de hombres divinos, buscaban el astro de la belleza en el horizonte de la verdad. Yo no soñaba sino a Dios en lo infinito del Ser.» Éstas son palabras suyas. Pero le llegó ese viento nuevo de escepticismo y de sensualismo que ha recorrido el mundo, porque nació en París, y a París lo escucha la tierra, sea que suene su campana de duelo o su clarín de triunfo! Y dejó sus ideales y cantó la carne y el placer, y quemó en el altar de Epicuro su mirra y su incienso. De allí las locas cadencias de sus faunalias y esas pinturas provocantes que dejó en su libro con deleite de sátiro.

Canta las cabelleras, los labios, el florecimiento de la belleza en la mujer, canta y se embriaga y deshoja rosas en el vino. Entre los «Gritos de la Carne» y las «Voces del Alma», en el precioso libro hay un cuento oriental: «Médi-Carab», y en él se notan los mismos colores cálidos, la misma descripción opulenta, la misma sangre que hierve. La invención es por todo extremo original, y se basa en este párrafo de Plutarco: «Empédocles afirma que la figura de los niños depende de las imágenes que la madre tiene presentes en la imaginación, en el momento en que concibe.»

Ahora, este poeta de inspiración vigorosa y flexible, en las «Voces del Alma» sube a lo ideal y como llevado por alas celestes.

Parece que en este libro tuviese por objeto demostrar que por todas las sendas puede caminar vencedor. Tal como

324

Zola, ese Hércules, que del fango de *L'Asommoir* sube al azul de *Le Rêve*.

«*Elevez-vous, voix de mon âme!*» Lamartine abre esta parte de la obra, y como un arcángel descorre la cortina blanca del ensueño. En el fondo resplandece la estrella de la esperanza.

Parodi habría escrito el *Satyricón*, pero también habría cultivado el jardín de Lamartine, donde los versos perfuman como rosas y cantan como palomas.»

Pujol, que si ha demostrado pensar profundamente, escribiendo con fecundidad maravillosa obras sabias y hermosas, también tiene en su alma fuego de artista y nobles entusiasmos, me honró con el siguiente artículo, que apareció en el *Diario de Centro-América:*

Un ideal

«En *El Imparcial* me dedicó un artículo Rubén Darío[16]: artículo de un poeta biografiando a otro poeta, en cuatro rasgos, como el talento sabe hacerlo; y el talento de Darío es sobresaliente entre los primeros: a sus años, entrando en la juventud, es lo que pocos son en la madurez de la vida. Y tiene sobre el ingenio, el don, tan escaso hoy en el mundo, de la oportunidad.

Darío poetiza en verso y en prosa —en estos tiempos de mecanismo y de carcoma moral—, porque conoce que más que nunca ha menester el espíritu humano levadura de poesía y de sentimiento que le eleve y purifique. Nuestras generaciones no saldrán de su apocamiento, tibieza y escepticismo, sino por la acción enérgica de efectos independientes, de amor a lo bello, a lo grande, a lo ideal. Vivimos bajo el ropaje de una moral falsa, acaso muy afanados en conver-

---

[16] Valero Pujol se está refiriendo probablemente a «Fotograbados. Valero Pujol», que apareció por primera vez el 1 de octubre de 1890, en el *Diario de Centroamérica*, y un día después en *El Imparcial*. Si esto es así, y ya que el libro —como reza el colofón— se acabó de imprimir el «cuatro de octubre», estaríamos ante una nota redactada e incorporada a última hora, como se vio que pudo ocurrir también con algunos poemas de esta segunda edición.

tir cosas y hacer química en la materia, y en toda realidad abandonando al hombre empequeñecido por artificialidades. Toda la civilización pasa hace cincuenta años una crisis dolorosa: en lo que se llama el gran mundo, casi es ridículo sentir y amar: y en el mundo grande y pequeño, casi es ridículo pensar. Las cosas se acumulan y crecen en las manos del hombre, y el hombre se descuida a sí mismo, y le sabe mal que le adviertan cómo la mecanización de que alardea le disminuye y le inhabilita. Hay quien aplaude lo deforme por horror a lo bello: más tinieblas que luces, y lo que es peor, tinieblas buscadas en todos los desconciertos, hasta en los desconciertos literarios, porque a la literatura se le va estrechando en una acepción y en un sentido distinto a su destino.

Un alma tan voladora, tan ágil como la de Darío, es una profecía, un augurio: llegarán otros tiempos, otro siglo: el tanto por ciento, puesto de objetivo y resumen de la vida, es una deplorable miseria: es la muerte vestida de cascabeles y relumbrones.

Nosotros, los de otra generación que Darío, esperamos; sabemos que el porvenir brillará con más resplandor; pero estamos gastados: llevamos sobre nosotros el vahído de tantas conmociones, de tantos desengaños... El humanismo de esta segunda mitad del siglo, es pura fórmula de dialéctica convencional: cada uno va tras un fin particular, tras un egoísmo. Y teniendo yo el mío, voy a contárselo al poeta. Es un delito antiguo; antiguo como mi conocimiento del mundo.

He vivido en el ruido de las ideas, con un poco de las costumbres que se adquieren cuando se comienza pronto. Aquello me sostenía en cierta tirantez nerviosa, sin alegrarme y sin decidirme. Mi delicia, mi sueño, era la vida, la paz de la aldea; libros, flores, meditación; la soledad, el desierto, y en medio la familia, algunos vecinos con quienes departir y variar de motivos y de impresiones sencillas.

Al iniciarse el verano corría al Pirineo, a la vista de las nieves perpetuas, a los lugares frescos, vieja patria de los antiguos celtíberos, colmenas de trabajo sin malicias, noches apacibles, días serenos, naturaleza que pasa en panorama sus evoluciones sin velo que las oculte: a veces la temporada se alargaba hasta las primeras nevadas y los primeros fríos. Nunca salí de la aldea sin una melancolía profunda, y al despedirme, hacía votos por volver. Era el sentimiento de una vocación: después ha sido una idea y un propósito, una solicitud ambiciosa perseguida con ahínco, con impaciencia, con verdadero ardor del espíritu.

En los días de amargura, muchos para los desventurados que tercian en batallas políticas, he invocado los recuerdos de aquellas veraneadas de la aldea, y he sentido recrudecerse todas mis aficiones por la existencia tranquila, alejada de golpes estridentes, de polémicas agrias, de la contradanza de los grandes centros, sean París o Madrid, que menos se entienden cuanto hablan más de constituir la humanidad en una sola familia. Lo he recordado como el bien perdido, aunque bajo la esperanza de encontrarlo de nuevo.

Comprendo todas las ambiciones lícitas; la gloria, el saber, la fuerza si es guía del progreso y báculo de la justicia. Nada sin embargo me parece más hermoso que mi sueño, la aldea, el retiro, el pensamiento sin tropiezos no enturbiado por preocupaciones; dialogar a solas con la naturaleza, seguir con la mirada el derrotero de las tempestades, preguntar a los astros que se mueven, analizar calladamente en la historia los pasados de los hombres, al amparo y con la garantía de modesta subsistencia, sin celar ni envidiar, y sin ser envidiado ni celado, formando un mundo ideal en que el optimismo vigorice el corazón y alegre el ánimo.

En la generación a que pertenezco, la mitad por lo menos de los que han vivido vida intelectual y política, piensan lo mismo, acaso por el convencimiento de nuestra ineficacia, por la decepción de no haber encontrado en esta hora histórica la forma sensible de nuestros ensueños y de nuestras aspiraciones idealistas. He reflexionado si semejante tendencia, tan generalizada, no deriva de desgaste de fluido vital, como ha sucedido en todas las decadencias. Pero en las decadencias, no es común que broten vástagos enérgicos y estimuladores modelos. Acaso nuestro paréntesis, casi universal, de progresos positivos de moral y adelantos de justicia, sea cuestión fisiológica que se enderece y repare en las generaciones inmediatas. Y me inclino tanto a creerlo, cuanto que veo significarse la fuerza, el entusiasmo, la llamada al porvenir, en el acento de una parte de la juventud, mientras en el nuestro se nota languidez, cansancio, misantropía invencible.

Desearía vivir para contemplar cómo después marcha la humanidad más deprisa, empujada por la poesía y el idealismo. Y ojalá esa esperanza en el progreso no se aplace o desvanezca, como va aplazándose mi esperanza de ser tranquilo aldeano o campesino; esperanza egoísta; que es tan fatal e ineludible el egoísmo en el principio de la vejez, como lógica y justa la generosidad en la primavera de la vida. Darío tiene derecho de exigir mucho espacio, y mayor ha de necesitarlo; para mí la dicha será la aldea o el campo en el sosiego soñado: la dicha... dado que pueda existir; de todas maneras, más probabilidades y sumandos. Pedir bien poco es ir a la aldea cuando el campo se desvíe por agruparse en las modernas Babilonias; y aun ese poco, demanda de menor cuantía, tal vez no se conquiste ni gane, porque suelen en el proceso de nuestros gustos negarse en el mundo todas las solicitudes íntimas del sentimiento.

Darío es joven y tendrá días laureados que merece: deséeme días tranquilos, y a las musas que tanto le quieren, pídales que por excepción me inspiren un método para hacer pronto mi prosa ideal.»

XXXIV

SALVADOR DÍAZ MIRÓN

Onorate al'altissimo poeta! México es su país, y allí lucha y canta el lírico americano.

Cantos de vida y esperanza.
Los Cisnes y otros poemas

RUBÉN DARÍO

CANTOS

DE VIDA Y ESPERANZA

LOS CISNES Y OTROS POEMAS

MADRID

1905

Portada de la edición de 1905 de *Cantos de vida y esperanza.*

Ilustración de Enrique Ochoa para *Cantos de vida y esperanza*.

Prefacio

Podría repetir aquí más de un concepto de las palabras liminares de *Prosas profanas*. Mi respeto por la aristocracia del pensamiento, por la nobleza del Arte, siempre es el mismo. Mi antiguo aborrecimiento a la mediocridad, a la mulatez intelectual, a la chatura estética, apenas sí se aminora hoy con una razonada indiferencia.

El movimiento de libertad que me tocó iniciar en América, se propagó hasta España y tanto aquí como allá el triunfo está logrado. Aunque respecto a técnica tuviese demasiado que decir en el país en donde la expresión poética está anquilosada a punto de que la momificación del ritmo ha llegado a ser un artículo de fe, no haré sino una corta advertencia. En todos los países cultos de Europa se ha usado del exámetro absolutamente clásico sin que la mayoría letrada y sobre todo la minoría leída se asustasen de semejante manera de cantar. En Italia ha mucho tiempo, sin citar antiguos, que Carducci ha autorizado los exámetros[1]; en inglés, no me atrevería casi a indicar, por respeto a la cultura de mis lectores, que la *Evangelina* de Longfellow está en los mismos versos en que Horacio dijo sus mejores pensares[2]. En cuanto al verso libre moderno... ¿no es verdaderamente

---

[1] Giosué Carducci (1835-1907), poeta italiano cuyo afán de revivir y renovar los metros clasicos le hizo acreedor de cierta popularidad en medios literarios españoles. Además de ser traducido en diversas revistas y antologías, autores caros a Rubén como Menéndez y Pelayo, Valera y Unamuno siempre lo trataron con respeto y admiración. Cfr., respectivamente, los trabajos de Ignacio Zuleta (*La polémica modernista*, Bogotá, Caro y Cuervo, 1988, 256), y de M. dell'Isola (*Carducci nella Letteratura Europea*, París, Presses Françaises, 1936, 111 y ss.).

[2] Henry Wadsworth Longfellow (1807-1882), escritor estadounidense que redactó su *Evangeline* (1847) imitando la versificación clásica, con el

singular que en esta tierra de Quevedos y de Góngoras los únicos innovadores del instrumento lírico, los únicos libertadores del ritmo, hayan sido los poetas del *Madrid Cómico* y los libretistas del género chico?

Hago esta advertencia porque la forma es lo que primeramente toca a las muchedumbres. Yo no soy un poeta para muchedumbres. Pero sé que indefectiblemente tengo que ir a ellas.

Cuando dije que mi poesía era «mía, en mí» sostuve la primera condición de mi existir, sin pretensión ninguna de causar sectarismo en mente o voluntad ajena, y en un intenso amor a lo absoluto de la belleza.

Al seguir la vida que Dios me ha concedido tener, he buscado expresarme lo más noble y altamente en mi comprensión; voy diciendo mi verso con una modestia tan orgullosa que solamente las espigas comprenden, y cultivo, entre otras flores, una rosa rosada, concreción de alba, capullo de porvenir, entre el bullicio de la literatura.

Si en estos cantos hay política, es porque aparece universal. Y si encontráis versos a un presidente, es porque son un clamor continental. Mañana podremos ser yanquis (y es lo más probable); de todas maneras mi protesta queda escrita sobre las alas de los inmaculados cisnes, tan ilustres como Júpiter.

R. D.

---

fin de conseguir un poema épico de tema americano. Sus hexámetros, sin embargo, no pueden considerarse réplicas exactas del modelo latino (cfr. Ernest Martin, *L'Evangéline de Longfellow,* París, Hachette, 1936, 125 y ss.).

Cantos de vida y esperanza

A J. Enrique Rodó[1]

[1] José Enrique Rodó (1871-1917), modernista uruguayo, amigo de Rubén y promotor de una edición de *Azul...* en 1898 que no llegó a imprimirse. Es también autor de un admirable estudio sobre *Prosas profanas* que mereció un encendido elogio de Darío y que puede explicar esta dedicatoria (*Rubén Darío. Su personalidad literaria. Su última obra*, Montevideo, Imprenta de Bornaleche y Reyes, 1899). Según Rubén, en ese trabajo acerca de él, Rodó se deja ver como un «virtuoso de la prosa, de la erudición elegante, y en la última parte... profeta» (*OC* II, 963). Tanto en *05* como en *07* la dedicatoria aparece no encabezando el poema inicial, sino después del título de la primera serie («Cantos de vida y esperanza») y en hoja independiente; debe suponerse entonces que afecta a todo el primer grupo de poemas y no sólo al que abre el libro.

Ilustración de Enrique Ochoa para *Cantos de vida y esperanza.*

I[1]

Yo soy aquel que ayer no más decía
El verso azul y la canción profana,
En cuya noche un ruiseñor había
Que era alondra de luz por la mañana.

El dueño fui de mi jardín de sueño,
Lleno de rosas y de cisnes vagos;
El dueño de las tórtolas, el dueño
De góndolas y liras en los lagos;

Y muy siglo diez y ocho y muy antiguo
Y muy moderno; audaz, cosmopolita;
Con Hugo fuerte y con Verlaine ambiguo,
Y una sed de ilusiones infinita.

---

[1] Se publicó por primera vez en *Alma española*, en su número del 7 de febrero de 1904 y llevaba como encabezamiento *Cantos de Vida y Esperanza [sic]*. El director, Azorín, había escrito a Darío a Málaga el 10 de enero de 1904 solicitándole una colaboración: «¿Cuándo nos favorece usted con unas cuartillas?»; y Darío, a su vez, en carta a Juan Ramón (12-I-1904), había prometido enviarla: «Martínez Ruiz me ha pedido algo para *Alma española*. Le mandaré.» Lo más seguro, entonces, es que redactara el poema durante su estancia en Málaga, en enero de 1904. La admiración de J. R. J. por este poema fue manifiesta desde un primer momento: «Leí su poesía —escribe a Darío— en *Alma española*: esa poesía tan mágica *[sic]* y tan fragrante. ¿Quién hace hoy versos como esos de usted?» (*Mi Rubén* 198).
Variantes:
v. 11: *Alma: Con Hugo el fuerte y con Verlaine ambiguo*
v. 32: *Alma y 05: De «te adoro», de «ay» y de suspiro*
    07: De «te adoro», de «Ay!» y de suspiro
v. 108: *Alma: De la flecha del odio sale el viento*

339

Yo supe de dolor desde mi infancia,
Mi juventud... ¿fue juventud la mía?
Sus rosas aún me dejan su fragancia,—
Una fragancia de melancolía...

Potro sin freno se lanzó mi instinto,
Mi juventud montó potro sin freno;
Iba embriagada y con puñal al cinto;
Si no cayó, fue porque Dios es bueno.

En mi jardín se vio una estatua bella;
Se juzgó mármol y era carne viva;
Un alma joven habitaba en ella,
Sentimental, sensible, sensitiva.

Y tímida ante el mundo, de manera
Que encerrada en silencio no salía,
Sino cuando en la dulce primavera
Era la hora de la melodía...

Hora de ocaso y de discreto beso;
Hora crepuscular y de retiro;
Hora de madrigal y de embeleso,
De «te adoro», de «¡ay!» y de suspiro.

Y entonces era en la dulzaina un juego
De misteriosas gamas cristalinas,
Un renovar de notas del Pan griego
Y un desgranar de músicas latinas,

Con aire tal y con ardor tan vivo,
Que a la estatua nacían de repente
En el muslo viril patas de chivo
Y dos cuernos de sátiro en la frente.

Como la Galatea gongorina
Me encantó la marquesa verleniana,
Y así juntaba a la pasión divina
Una sensual hiperestesia humana;

Todo ansia, todo ardor, sensación pura
Y vigor natural; y sin falsía,
Y sin comedia y sin literatura...:
Si hay un alma sincera, ésa es la mía.

La torre de marfil tentó mi anhelo;
Quise encerrarme dentro de mí mismo,
Y tuve hambre de espacio y sed de cielo
Desde las sombras de mi propio abismo.

Como la esponja que la sal satura
En el jugo del mar, fue el dulce y tierno
Corazón mío, henchido de amargura
Por el mundo, la carne y el infierno.

Mas, por gracia de Dios, en mi conciencia
El Bien supo elegir la mejor parte;
Y si hubo áspera hiel en mi existencia,
Melificó toda acritud el Arte.

Mi intelecto libré de pensar bajo,
Bañó el agua castalia el alma mía[2],
Peregrinó mi corazón y trajo
De la sagrada selva la armonía.

¡Oh, la selva sagrada! ¡Oh, la profunda
Emanación del corazón divino
De la sagrada selva! ¡Oh, la fecunda
Fuente cuya virtud vence al destino!

Bosque ideal que lo real complica,
Allí el cuerpo arde y vive y Psiquis vuela;
Mientras abajo el sátiro fornica,
Ebria de azul deslíe Filomela

---

[2] *Castalia* era el nombre de la fuente del monte Parnaso y estaba consa-
grada a Apolo y a las Musas; de ella se «bebía» la inspiración poética.

Perla de ensueño y música amorosa
En la cúpula en flor del laurel verde,
Hipsipila sutil liba en la rosa[3],
Y la boca del fauno el pezón muerde.

Allí va el dios en celo tras la hembra,
Y la caña de Pan se alza del lodo;
La eterna Vida sus semillas siembra[4],
Y brota la armonía del gran Todo[5].

El alma que entra allí debe ir desnuda,
Temblando de deseo y fiebre santa,
Sobre cardo heridor y espina aguda:
Así sueña, así vibra y así canta.

Vida, luz y verdad, tal triple llama
Produce la interior llama infinita;
El Arte puro como Cristo exclama:
Ego sum lux et veritas et vita!

Y la vida es misterio; la luz ciega
Y la verdad inaccesible asombra;
La adusta perfección jamás se entrega,
Y el secreto Ideal duerme en la sombra[6].

Por eso ser sincero es ser potente.
De desnuda que está, brilla la estrella;
El agua dice el alma de la fuente
En la voz de cristal que fluye d'ella[7].

Tal fue mi intento, hacer del alma pura
Mía, una estrella, una fuente sonora,
Con el horror de la literatura
Y loco de crepúsculo y de aurora.

---

[3] *Hipsipila:* cfr. nota 9, en «El rubí» de *Azul...* (*supra*, pág. 193).
[4] *Vida: sic* en *Alma, 05* y *07.*
[5] *Todo: sic* en *Alma, 05* y *07.*
[6] *Ideal: sic* en *Alma, 05* y *07.*
[7] *d'ella: sic* en *Alma, 05* y *07.*

Del crepúsculo azul que da la pauta
Que los celestes éxtasis inspira,
Bruma y tono menor —¡toda la flauta!,
Y Aurora, hija del Sol —¡toda la lira!

Pasó una piedra que lanzó una honda;
Pasó una flecha que aguzó un violento.
La piedra de la honda fue a la onda,
Y la flecha del odio fuese al viento.

La virtud está en ser tranquilo y fuerte;
Con el fuego interior todo se abrasa;
Se triunfa del rencor y de la muerte,
Y hacia Belén... ¡la caravana pasa!

II
Salutación del optimista[1]

Ínclitas razas ubérrimas, sangre de Hispania fecunda,
Espíritus fraternos, luminosas almas, salve!
Porque llega el momento en que habrán de cantar nuevos
[himnos
Lenguas de gloria. Un vasto rumor llena los ámbitos; má-
[gicas
Ondas de vida van renaciendo de pronto;
Retrocede el olvido, retrocede engañada la muerte;
Se anuncia un reino nuevo, feliz sibila sueña

---

[1] Apareció en la *Revista Hispano Americana,* en el número de abril de 1905; en nota al poema se aclara: «En la sesión celebrada en el Ateneo [de Madrid] por la Liga Hispanoamericana [28 de marzo de 1905] leyó el ilustre escritor nicaragüense Rubén Darío la siguiente composición que publicamos, agradeciendo al poeta el honor que concede a la *Revista Hispano-Americana* brindándola *[sic]* el original, cuya lectura fue recibida con inequívocas muestras de entusiasmo» (Darío, *Poesía* LXVIII). Existen dos versiones diferentes sobre la redacción del poema. La primera es la de José María Vargas Vila, que la fecha uno o dos días antes de la ceremonia en el Ateneo, a las dos de la madrugada, en un estado de «sonambulismo lúcido» y en un tiempo de dos horas (Vargas Vila, *Rubén Darío* 129 y ss.). La segunda es la de Juan R. Jiménez —gran admirador de este poema— según el cual Darío dictó los versos en su casa madrileña de la calle Veneras, a varias personas (su secretario, la criada, el propio Juan Ramón), a un ritmo de uno o dos diarios y en un estado cercano a la ebriedad (Guerrero 145; Jiménez, *Mi Rubén* 138).

Acerca de las fechas de su incorporación al original de *Cantos,* véase nota 1 al poema «Spes».

Y en la caja pandórica de que tantas desgracias surgieron
Encontramos de súbito, talismánica, pura, riente,
Cual pudiera decirla en su verso Virgilio divino,
La divina reina de luz, la celeste Esperanza!

Pálidas indolencias, desconfianzas fatales que a tumba
O a perpetuo presidio, condenasteis al noble entusiasmo,
Ya veréis el salir del sol en un triunfo de liras,
Mientras dos continentes, abonados de huesos gloriosos,
Del Hércules antiguo la gran sombra soberbia evocando,
Digan al orbe: la alta virtud resucita
Que a la hispana progenie hizo dueña de siglos.

Abominad la boca que predice desgracias eternas,
Abominad los ojos que ven sólo zodiacos funestos,
Abominad las manos que apedrean las ruinas ilustres,
O que la tea empuñan o la daga suicida.
Siéntense sordos ímpetus en las entrañas del mundo,
La inminencia de algo fatal hoy conmueve la Tierra;
Fuertes colosos caen, se desbandan bicéfalas águilas[2],
Y algo se inicia como vasto social cataclismo
Sobre la faz del orbe. ¿Quién dirá que las savias dormidas
No despierten entonces en el tronco del roble gigante
Bajo el cual se exprimió la ubre de la loba romana?
¿Quién será el pusilánime que al vigor español niegue múscu-
                                                        [los
Y que al alma española juzgase áptera y ciega y tullida?
No es Babilonia ni Nínive enterrada en olvido y en polvo,
Ni entre momias y piedras reina que habita el sepulcro,
La nación generosa, coronada de orgullo inmarchito,
Que hacia el lado del alba fija las miradas ansiosas,
Ni la que tras los mares en que yace sepulta la Atlántida,
Tiene su coro de vástagos, altos, robustos y fuertes.

---

[2] Alusión al águila del escudo ruso; en *La caravana pasa* (1902) había escrito: «Miedo. Mientras Francia se ponía de gala para saludar al emperador
aliado; mientras se preparaba Compiègne, antiguo nido de águilas, para recibir a la bicéfala de las Rusias» (*OC* III, 693). El ejército de los zares estaba sufriendo sucesivas y traumáticas derrotas en su guerra contra Japón,
iniciada en febrero de 1905 y concluida en septiembre del mismo año.

Únanse, brillen, secúndense, tantos vigores dispersos;
Formen todos un solo haz de energía ecuménica.
Sangre de Hispania fecunda, sólidas, ínclitas razas,
Muestren los dones pretéritos que fueron antaño su triunfo.
Vuelva el antiguo entusiasmo, vuelva el espíritu ardiente
Que regará lenguas de fuego en esa epifanía.
Juntas las testas ancianas ceñidas de líricos lauros
Y las cabezas jóvenes que la alta Minerva decora,
Así los manes heroicos de los primitivos abuelos,
De los egregios padres que abrieron el surco pristino,
Sientan los soplos agrarios de primaverales retornos
Y el rumor de espigas que inició la labor triptolémica[3].

Un continente y otro renovando las viejas prosapias,
En espíritu unidos, en espíritu y ansias y lengua,
Ven llegar el momento en que habrán de cantar nuevos
[himnos.
La latina estirpe verá la gran alba futura,
En un trueno de música gloriosa, millones de labios
Saludarán la espléndida luz que vendrá del Oriente,
Oriente augusto en donde todo lo cambia y renueva
La eternidad de Dios, la actividad infinita.
Y así sea Esperanza la visión permanente en nosotros,
Ínclitas razas ubérrimas, sangre de Hispania fecunda!

---

[3] Según la mitología griega, la diosa Démeter entregó a Triptolemo
unas espigas de oro, con el encargo de que enseñase a los hombres las labores del campo.

III
Al rey Óscar[1]

Así, Sire, en el aire de Francia nos llega
La paloma de plata de Suecia y de Noruega,
Que trae en vez de olivo una rosa de fuego.

Un búcaro latino, un noble vaso griego
Recibirá el regalo del país de la nieve.
Que a los reinos boreales el patrio viento lleve
Otra rosa de sangre y de luz españolas;
Pues sobre la sublime hermandad de las olas,
Al brotar tu palabra, un saludo le envía
Al sol de media noche el sol del Mediodía!

---

[1] Apareció por primera vez en *La Ilustración Española y Americana* el 8 de abril de 1899. Juan Ramón lo leyó antes de conocer a Darío y, si creemos sus propios testimonios, lo copió de memoria para incorporarlo luego a *Cantos* (*Mi Rubén* 114).

El rey Óscar II de Suecia y Noruega (1829-1907), además de prudente político, destacó por su aprecio a la cultura y a la ciencia (era miembro de varias academias) y por su amistad con las grandes figuras de las letras. Realizó numerosos viajes por los países europeos.

347

Si Segismundo siente pesar, Hamlet se inquieta.
El Norte ama las palmas; y se junta el poeta
Del fjord[2] con el del carmen, porque el mismo oriflama
Es de azur. Su divina cornucopia derrama
Sobre el polo y el trópico, la Paz; y el orbe gira
En un ritmo uniforme por una propia lira:
El amor. Allá surge Sigurd que al Cid se aúna[3].
Cerca de Dulcinea brilla el rayo de luna,
Y la musa de Bécquer del ensueño es esclava
Bajo un celeste palio de luz escandinava.

Sire de ojos azules, gracias: por los laureles
De cien bravos vestidos de honor; por los claveles
De la tierra andaluza y la Alhambra del moro;
Por la sangre solar de una raza de oro;
Por la armadura antigua y el yelmo de la gesta;
Por las lanzas que fueron una vasta floresta
De gloria y que pasaron Pirineos y Andes;
Por Lepanto y Otumba; por el Perú, por Flandes[4];
Por Isabel que cree, por Cristóbal que sueña
Y Velázquez que pinta y Cortés que domeña;
Por el país sagrado en que Herakles afianza
Sus macizas columnas de fuerza y esperanza,
Mientras Pan trae el ritmo con la egregia siringa
Que no hay trueno que apague ni tempestad que extinga;
Por el león simbólico y la Cruz, gracias, Sire[5].

Mientras el mundo aliente, mientras la esfera gire,
Mientras la onda cordial alimente un ensueño,

---

[2] *Fjord:* fiordo. *Sic* en *05* y *07*.

[3] *Sigurd:* héroe mítico escandinavo de los *Edhas* y descendiente del dios Odín. A menudo se le identifica con el Sigfrido de los pueblos germánicos y protagonista de la saga de los Nibelungos.

[4] La batalla de Otumba tuvo lugar en el valle de tal nombre (también Otopán) entre las tropas de Hernán Cortés y las indígenas el día 7 de julio de 1520, con victoria para las primeras.

[5] El escudo de la monarquía sueca, con una cruz amarilla en su interior, está sostenido por dos leones. Igualmente, esa cruz se encuentra estampada sobre el fondo azul de la bandera.

Mientras haya una viva pasión, un noble empeño,
Un buscado imposible, una imposible hazaña,
Una América oculta que hallar, vivirá España!

Y pues tras la tormenta vienes de peregrino
Real, a la morada que entristeció el destino,
La morada que viste luto sus puertas abra
Al purpúreo y ardiente vibrar de tu palabra:
Y que sonría, ¡oh rey Óscar!, por un instante;
Y tiemble en la flor áurea el más puro brillante
Para quien sobre brillos de corona y de nombre,
Con los labios de monarca lanza un grito de hombre!

IV
Los tres reyes magos[1]

—Yo soy Gaspar. Aquí traigo el incienso.
Vengo a decir: La vida es pura y bella.
Existe Dios. El amor es inmenso.
Todo lo sé por la divina Estrella!

—Yo soy Melchor. Mi mirra aroma todo.
Existe Dios. Él es la luz del día.
La blanca flor tiene sus pies en lodo
Y en el placer hay la melancolía!

—Soy Baltasar. Traigo el oro. Aseguro
Que existe Dios. Él es el grande y fuerte.
Todo lo sé por el lucero puro
Que brilla en la diadema de la Muerte.

—Gaspar, Melchor y Baltasar, callaos.
Triunfa el amor y a su fiesta os convida.
Cristo resurge, hace la luz del caos
Y tiene la corona de la Vida!

---

[1] Sin datos sobre publicación anterior a la de *Cantos* ni tampoco sobre el manuscrito; Torres Rioseco (*Antología...* 103) propone como fecha de redacción la de 1903.

V
Cyrano en España[1]

He aquí que Cyrano de Bergerac traspasa
De un salto el Pirineo. Cyrano está en su casa.
¿No es en España, acaso, la sangre vino y fuego?
Al gran gascón saluda y abraza el gran manchego.
¿No se hacen en España los más bellos castillos?
Roxanas encarnaron con rosas los Murillos,
Y la hoja toledana que aquí Quevedo empuña
Conócenla los bravos cadetes de Gascuña.
Cyrano hizo su viaje a la luna[2]; mas, antes,

---

[1] Se publicó en las páginas de *La Vida Literaria* el 28 de enero de 1899.
La revista estaba dirigida por Benavente y encargó los versos a Darío con
ocasión del estreno de la pieza de Rostand, en el teatro Español de Madrid, el día 25 de enero de ese mismo año. De todos modos, Rubén ya los
tenía redactados en fechas anteriores, pues sin cambios significativos los había
enviado a *La Nación* en «Notas teatrales», una crónica fechada el 20 de
enero de ese año. Es lógico, entonces, pensar que Darío redactó el poema
después de una lectura de la obra de Rostand o después de asistir a los en-
sayos de la misma y no tras su estreno, que resumiría luego en la crónica
del 2 de febrero titulada «Cyrano en casa de Lope». Rubén se encontró con
Rostand en París tiempo más tarde, en junio de 1913, y éste le «habló enseguida del banquete que me ofrecieron los poetas de Francia y de mis versos a Cyrano, cuando el gran narigudo pasó los Pirineos gracias a María
Guerrero y a Fernando Díaz de Mendoza» (*ED* I, 332).
Variantes:
v. 3: «Notas teatrales» : *¿No es España, acaso, la sangre, vino y fuego?*
v. 32: «Notas teatrales»: *Te dan una Roxana de España encantadora*
[2] En la escena XIII del tercer acto de la obra, Cyrano asegura haber via-
jado a la luna. Sus descripciones del lugar —que no parecen próximas a las

Ya el divino lunático de don Miguel Cervantes
Pasaba entre las dulces estrellas de su sueño
Jinete en el sublime pegaso Clavileño.
Y Cyrano ha leído la maravilla escrita
Y al pronunciar el nombre del Quijote, se quita
Bergerac el sombrero: Cyrano Balazote[3]
Siente que es lengua suya la lengua del Quijote.
Y la nariz heroica del gran gascón se diría
Que husmea los dorados vinos de Andalucía.
Y la espada francesa, por él desenvainada,
Brilla bien en la tierra de la capa y la espada.
¡Bienvenido, Cyrano de Bergerac! Castilla
Te da su idioma, y tu alma como tu espada brilla
Al sol que allá en tus tiempos no se ocultó en España.
Tu nariz y penacho no están en tierra extraña,
Pues vienes a la tierra de la Caballería.
Eres el noble huésped de Calderón. María
Roxana te demuestra que lucha la fragancia
De las rosas de España con las rosas de Francia,
Y sus supremas gracias, y sus sonrisas únicas
Y sus miradas, astros que visten negras túnicas,
Y la lira que vibra en su lengua sonora
Te dan una Roxana de España, encantadora.
¡Oh poeta! ¡Oh celeste poeta de la facha
Grotesca! Bravo y noble y sin miedo y sin tacha,
Príncipe de locuras, de sueños y de rimas:
Tu penacho es hermano de las más altas cimas,
Del nido de tu pecho una alondra se lanza,
Un hada es tu madrina, y es la Desesperanza;
Y en medio de la selva del duelo y del olvido
Las nueve musas vendan tu corazón herido.
¿Allá en la luna hallaste algún mágico prado
Donde vaga el espíritu de Pierrot desolado?

---

que hace Darío más adelante— siguen de cerca las de *Les États et Empires de la Lune et du Soleil* (1656), obra escrita por Saviquien de Cyrano (1619-1655), que es el antecedente histórico del personaje de Rostand.

    [3] *Cyrano Balazote:* Fernando Díaz de Mendoza, el actor que encarnó al personaje de Rostand, era además conde de Balazote (Mejía Sánchez).

¿Viste el palacio blanco de los locos del Arte?
¿Fue acaso la gran sombra de Píndaro a encontrarte?
¿Contemplaste la mancha roja que entre las rocas
Albas forma el castillo de las Vírgenes locas?[4]
¿Y en un jardín fantástico de misteriosas flores
No oíste al melodioso Rey de los ruiseñores?
No juzgues mi curiosa demanda inoportuna,
Pues todas esas cosas existen en la luna.
¡Bienvenido, Cyrano de Bergerac! Cyrano
De Bergerac, cadete y amante, y castellano
Que trae los recuerdos que Durandal abona
Al país en que aún brillan las luces de Tizona[5].
El Arte es el glorioso vencedor. Es el Arte
El que vence el espacio y el tiempo; su estandarte,
Pueblos, es del espíritu el azul oriflama.
¿Qué elegido no corre si su trompeta llama?
Y a través de los siglos se contestan, oíd:
La Canción de Rolando y la Gesta del Cid.
Cyrano va marchando, poeta y caballero,
Al redoblar sonoro del grave Romancero.
Su penacho soberbio tiene nuestra aureola.
Son sus espuelas finas de fábrica española.
Y cuando en su balada Rostand teje el envío,
Creeríase a Quevedo rimando un desafío.
¡Bienvenido, Cyrano de Bergerac! No seca
El tiempo el lauro; el viejo corral de la Pacheca
Recibe al generoso embajador del fuerte
Molière. En copa gala Tirso su vino vierte.
Nosotros exprimimos las uvas de Champaña
Para beber por Francia y en un cristal de España.

---

[4] Posible alusión al palacio y a las tres sensuales doncellas que D'Annunzio presenta en *Le Vergini delle Rocce* (1895). Darío pudo también aludir a ellas en «La hoja de oro» (1899), de *Prosas profanas:* «El marfil de los rostros, la brasa de las bocas / Y la autumnal tristeza de las Vírgenes locas / Por la Lujuria, madre de la melancolía» (*PC* 619).

[5] *Durandal, Durindaria* o *Durandarte* era el nombre de la espada de Roldán, el héroe de los cantares épicos medievales. *Tizona* era el nombre de la más famosa de las espadas del Cid.

VI
Salutación a Leonardo[1]

Maestro, Pomona levanta su cesto[2]. Tu estirpe
Saluda la Aurora. ¡Tu aurora! Que extirpe
De la indiferencia la mancha; que gaste
La dura cadena de siglos; que aplaste
Al sapo la piedra de su honda.

Sonrisa más dulce no sabe Gioconda.
El verso su ala y el ritmo su onda

---

[1] Apareció en el *Almanaque Peuser* de 1900 (Buenos Aires, pág. 53) y estaba fechado en «Madrid-1899». Jacobo Peuser, conocido editor de Buenos Aires, era también amigo de Ricardo Palma y durante esas fechas mantuvo contactos epistolares con Darío (Ghiraldo 264). El poema se recogió también en *Electra* el 21 de abril de 1901; el manuscrito (reproducido por *Santo y Seña* en su salida del 1 de diciembre de 1942) estaba dedicado «A V. I. y C.», es decir, a Valle Inclán y a Bernardo G. de Candamo (Mejía Sánchez). Este poema, con «juegos y enigmas de arte que exigen para su comprensión, naturalmente, ciertas iniciaciones» (*OC* I, 217) es el tributo de Darío a Leonardo da Vinci, figura principal en numerosos textos de fin de siglo, entre los cuales algunas páginas de José Asunción Silva en *De sobremesa* y las repetidas menciones de D'Annunzio en *Le Vergini delle Rocce* son dos ejemplos sobresalientes.
Variantes:
vv. 28-30: *Sic* en *Peuser* y *05*; en *07*: *Pasa su Eminencia / Como flor o pecado en su traje / Rojo.*
v. 52: *Peuser: Mientras sonríe el divino monarca*
v. 66: *Sic* en *Peuser* y *05*; en *07*: *Las domaste, cebras o leones.* La forma «zebra» está admitida en el diccionario de la R. A. E.
[2] *Pomona* es una divinidad rural, de origen etrusco, y protectora de los frutos, las flores y los jardines. Se suele representar con una cesta llena de fruta.

Hermanan en una
Dulzura de luna
Que suave resbala
(El ritmo de la onda y el verso del ala
Del mágico Cisne sobre la laguna)
Sobre la laguna.

Y así, soberano maestro
Del estro,
Las vagas figuras
Del sueño, se encarnan en líneas tan puras
Que el sueño
Recibe la sangre del mundo mortal,
Y Psiquis consigue su empeño
De ser advertida a través del terrestre cristal.
(Los bufones
Que hacen sonreír a Monna Lisa
Saben canciones
Que ha tiempo en los bosques de Grecia decía la risa
De la brisa).

Pasa su Eminencia
Como flor o pecado es su traje
Rojo;
Como flor o pecado, o conciencia
De sutil monseñor que a su paje
Mira con vago recelo o enojo.
Nápoles deja a la abeja de oro
Hacer su miel
En su fiesta de azul; y el sonoro
Bandolín y el laurel
Nos anuncian Florencia.

Maestro, si allá en Roma
Quema el sol de Segor y Sodoma[3]
La amarga ciencia

---

[3] *Segor:* también llamada Soar, es la ciudad bíblica, de localización incierta, en que se refugió Lot al escapar de Sodoma (Gén., 19: 20-30).

De purpúreas banderas, tu gesto
Las palmas nos da redimidas,
Bajo los arcos
De tu genio: San Marcos
Y Partenón de luces y líneas y vidas.
(Tus bufones
que hacen la risa
de Monna Lisa
saben tan antiguas canciones...).

Los leones de Asuero[4]
Junto al trono para recibirte,
Mientras sonríe el divino Monarca;
Pero
Hallarás la sirte[5],
La sirte para tu barca,
Si partís en la lírica barca
Con tu Gioconda...
La onda
Y el viento
Saben la tempestad para tu cargamento.

¡Maestro!
Pero tú en cabalgar y domar fuiste diestro
Pasiones e ilusiones:
A unas con el freno, a otras con el cabestro
Las domaste, zebras o leones.
Y en la selva del Sol, prisionera
Tuviste la fiera
De la luz: y esa loca fue casta
Cuando dijiste «Basta».
Seis meses maceraste tu Ester en tus aromas[6].
De tus techos reales volaron las palomas.

---

[4] *Asuero:* nombre bíblico de Jerjes I, rey de Persia, hijo de Darío I y esposo de Esther. Esther fue la heroína judía que salvó a su pueblo de las conspiraciones palaciegas que pretendían acabar con ellos.

[5] *sirte:* bajo de arena donde atracan o embarrancan las naves de pequeñas dimensiones.

[6] Alusión a la costumbre persa de ungir con perfumes a la prometida del rey durante los seis meses previos a la boda (*Esther* 2: 12).

Por tu cetro y tu gracia sensitiva,
Por tu copa de oro en que sueñan las rosas,
En mi ciudad, que es tu cautiva,
Tengo un jardín de mármol y de piedras preciosas
Que custodia una esfinge viva.

VII
Pegaso[1]

Cuando iba yo a montar ese caballo rudo
Y tembloroso, dije: «La vida es pura y bella.»
Entre sus cejas vivas vi brillar una estrella.
El cielo estaba azul y yo estaba desnudo.

Sobre mi frente Apolo hizo brillar su escudo
Y de Belerofonte logré seguir la huella[2].
Toda cima es ilustre si Pegaso la sella,
Y yo, fuerte, he subido donde Pegaso pudo.

Yo soy el caballero de la humana energía,
Yo soy el que presenta su cabeza triunfante
Coronada con el laurel del Rey del día;

Domador del corcel de cascos de diamante,
Voy en un gran volar, con la aurora por guía,
Adelante en el vasto azur, siempre adelante!

---

[1] Publicado también el mismo año en *El Cojo Ilustrado,* en su número 331 (15 de noviembre de 1905). No se conserva el manuscrito y el texto de *El Cojo* no presenta ninguna divergencia con el de *Cantos.*

[2] *Belerofonte* fue el único jinete que consiguió montar a Pegaso. Con él, después de dar muerte a la Quimera, pretendió ascender hasta la cumbre del monte Olimpo para morar allí con los dioses. Algunas versiones mitológicas atribuyen a Pegaso la calidad de montura de las musas y así los poetas, cuando se sienten inspirados, se convierten también en jinetes suyos.

VIII

A Roosevelt[1]

Es con voz de la Biblia, o verso de Walt Whitman,
Que habría que llegar hasta ti, Cazador!
Primitivo y moderno, sencillo y complicado,

---

[1] Publicado en *Helios* en su número de febrero de 1904. Recuerda Juan Ramón Jiménez que el 17 de enero de ese año recibió «un espléndido manuscrito en gran papel marquilla, cuatro pájinas, con letra rítmica que Rubén Darío escribía en sus momentos más serenos. Era la magnífica "Oda a Teodoro Roosevelt" *[sic]* y venía dedicada al rey Alfonso XIII. Al día siguiente recibí un telegrama de Rubén pidiéndome que suprimiera la dedicatoria» (*Mi Rubén* 175). *Helios* lo recoge fechado en «Málaga 1904», ciudad donde Rubén estaba pasando ese invierno con Francisca Sánchez. El 24 de enero, en otra carta a Juan Ramón, escribe Rubén que «lo principal —con las pruebas— es que me pongan espacios blancos e interlíneas dobles de las usuales, por causa de estética política. ¡Qué diría el Yankee!» (Palau, *Vida* I, 97). Juan Ramón, años más tarde, regaló el manuscrito a la Hispanic Society de Nueva York, donde hoy se conserva.

Theodor Roosevelt fue presidente de Estados Unidos de 1901 a 1909. Frente a la América hispanoparlante mantuvo una política expansiva e imperialista que ya en fechas anteriores al poema, en sus crónicas para *La Nación* y en su correspondencia con José Santos Zelaya, había despertado las críticas de Darío (*ED* II, 130-31; Ghiraldo 160). Provocó y sostuvo la rebelión independentista de Panamá frente a Colombia para construir y disponer posteriormente del canal transoceánico y pronunció su famosa frase «I took Panamá» el día 3 de noviembre de 1903 (Darío, *Poesía* XIX). El canal fue cedido a Estados Unidos por el gobierno de Panamá quince días más tarde, el día 18 de noviembre, con la firma del tratado de Hay-Varilla. La actitud imperialista de Roosevelt mereció numerosos reproches de muchos otros intelectuales del mundo latino y obtuvo un amplio eco en las publicaciones periódicas del momento.

Con un algo de Washington y cuatro de Nemrod![2]
Eres los Estados Unidos,
Eres el futuro invasor
De la América ingenua que tiene sangre indígena,
Que aún reza a Jesucristo y aún habla en español.

Eres soberbio y fuerte ejemplar de tu raza;
Eres culto, eres hábil; te opones a Tolstoy.
Y domando caballos, o asesinando tigres,
Eres un Alejandro-Nabucodonosor[3].
(Eres un Profesor de Energía
como dicen los locos de hoy).

Crees que la vida es incendio,
Que el progreso es erupción;
Que en donde pones la bala
El porvenir pones.
El porvenir pones.No.

Los Estados Unidos son potentes y grandes.
Cuando ellos se estremecen hay un hondo temblor

Variantes:
v. 14: *Helios: Eres un Profesor de Energía / como dicen los Locos de hoy*
v. 29: *Helios: La Libertad levanta su antorcha en New-York*
v. 40: *Helios: La América Católica, la América Española*
v. 45: *Helios: Y sueña. Y ama, y vibra; y es la Hija del Sol*
v. 46: *Helios: Tened cuidado. Vive la América Española!*
[2] Después de leer una biografía de Roosevelt envió Darío a *La Nación* una colaboración fechada en París el 10 de octubre de 1904 y titulada «El arte de ser presidente de la República. Roosevelt». En ella afirma que el mandatario yanki «junta, entre otras, dos condiciones que se creerían contrarias: el ser hombre de letras y hombre de *sports*. Hace libros y caza osos y tigres [...] Se saben sus andanzas de político y sus paseos de campo, y que arenga a las multitudes, y que se va a caballo a las montañas o a los llanos, en donde su espíritu y su cuerpo encuentran ejercicio e higiene [...] haciéndose aplaudir por prácticas lecciones de energía y de audacia» (*ED* II, 214-15). Roosevelt había recibido un doctorado en ciencias y escrito diversos opúsculos sobre el deporte de la caza. *Nemrod* es un personaje bíblico cuya habilidad como cazador con arco se hizo proverbial.
[3] *Alejandro:* Alejandro Magno. *Nabucodonosor:* existen varios monarcas con este nombre, pero Rubén se refiere seguramente a Nabucodonosor II de Babilonia (604-562 a. C.), quien, entre otros triunfos bélicos, cuenta con la conquista de Jerusalén y el cautiverio posterior de sus habitantes.

Que pasa por las vértebras enormes de los Andes.
Si clamáis se oye como el rugir del león.
Ya Hugo a Grant lo dijo: Las estrellas son vuestras[4].
(Apenas brilla, alzándose, el argentino sol
Y la estrella chilena se levanta...) Sois ricos.
Juntáis al culto de Hércules el culto de Mammón[5];
Y alumbrando el camino de la fácil conquista,
La Libertad levanta su antorcha en Nueva-York.

Mas la América nuestra, que tenía poetas
Desde los viejos tiempos de Netzahualcoyotl[6],
Que ha guardado las huellas de los pies del gran Baco,
Que el alfabeto pánico en un tiempo aprendió[7];
Que consultó los astros, que conoció la Atlántida
Cuyo nombre nos llega resonando en Platón,
Que desde los remotos momentos de su vida
Vive de luz, de fuego, de perfume, de amor,
La América del grande Moctezuma, del Inca,
La América fragante de Cristóbal Colón,

---

[4] *Ya Hugo a Grant lo dijo, sic* en *05, 07* y *Helios*. Probablemente Darío se refiere al reproche de Hugo en «Le message de Grant» (1872) contra el filogermanismo del presidente norteamericano durante la guerra francoalemana de 1870. Escribe Hugo: «Et, pour que de toute ombre il dissipe les voiles, / L'avait superbement ensemené d'étoiles. / Cette banniere illustre est obscurité, hélas» (*L'Année terrible*, París, Gallimard, 1985, 74). La frase de Darío podría proceder también de los artículos que el autor francés envió a la prensa en 1877, con motivo de la visita a París del presidente estadounidense (Torres Rioseco 263).

[5] *Mammón* era, para los fenicios, el dios de las riquezas, de la minería y de los metales preciosos.

[6] *Netzahualcóyotl:* monarca indígena azteca con fama de filósofo y poeta (1402?-1470?).

[7] Elijah Clarence Hills y S. Griswold Morley, que recogieron el poema de Darío en una antología titulada *Modern Spanish Lyrics* (Nueva York, Henry Holt, 1913), aclaraban: «In a letter to the writer of these "Notes", Señor Darío *[sic]* explains this passage as follows: "Bacchus, or Dyonisius, after the conquest of India (I refer to the semi-historical and not to the mythological Bacchus) is supposed to have gone to other and unknown countries. I imagine that those unknown countries were America. Pan, who accompanied Bacchus on his journey, taught those new men the alphabet"» (315).

La América católica, la América española,
La América en que dijo el noble Guatemoc:
«Yo no estoy en un lecho de rosas»[8]; esa América
Que tiembla de huracanes y que vive de amor;
Hombres de ojos sajones y alma bárbara, vive.
Y sueña. Y ama, y vibra; y es la hija del Sol.
Tened cuidado. ¡Vive la América española!
Hay mil cachorros sueltos del León Español.
Se necesitaría, Roosevelt, ser por Dios mismo,
El Riflero terrible y el fuerte Cazador,
Para poder tenernos en vuestras férreas garras.

Y, pues contáis con todo, falta una cosa: ¡Dios!

---

[8] *Guatemoc, Cuauhtémoc* o *Guatimozin* fue el último emperador azteca (1495-1522) y pronunció estas palabras mientras soportaba con entereza los tormentos de los soldados españoles y escuchaba las quejas de su compañero de suplicio.

IX[1]

¡Torres de Dios! ¡Poetas!
Pararrayos celestes,
Que resistís las duras tempestades,
Como crestas escuetas,
Como picos agrestes,
Rompeolas de las eternidades!

La mágica Esperanza anuncia un día
En que sobre la roca de armonía
Expirará la pérfida sirena.
Esperad, esperemos todavía!

Esperad todavía.
El bestial elemento se solaza
En el odio a la sacra poesía
Y se arroja baldón de raza a raza.
La insurreción de abajo
Tiende a los Excelentes.

---

[1] «Me dice [Juan Ramón] que la poesía de Rubén Darío "Torre de Dios y Poetas" *[sic]* se la dedicó a él, pero como él hizo la primera edición de *Cantos de vida y esperanza*, donde ya «Los Cisnes» aparecían dedicados a él, suprimió esta segunda» (Guerrero 195). Rubén, accediendo a las peticiones del mogereño y en fechas cercanas al 20 de octubre de 1903, le envió el autógrafo del poema en las primeras páginas de un ejemplar de *Prosas profanas*, propiedad de Juan Ramón. Un facsímil de ese autógrafo se publicó en 1925 (*Unidad*, Madrid, León Sánchez Cuesta, 1925, cuaderno 7, hoja 13).

El caníbal codicia su tasajo
Con roja encía y afilados dientes.

Torres, poned al pabellón sonrisa.
Poned ante ese mal y ese recelo,
Una soberbia insinuación de brisa
Y una tranquilidad de mar y cielo...

X
Canto de esperanza[1]

Un gran vuelo de cuervos mancha el azul celeste.
Un soplo milenario trae amagos de peste.
Se asesinan los hombres en el extremo Este[2].

¿Ha nacido el apocalíptico Anticristo?
Se han sabido presagios y prodigios se han visto
Y parece inminente el retorno del Cristo.

La tierra está preñada de dolor tan profundo
Que el soñador, imperial meditabundo,
Sufre con las angustias del corazón del mundo.

---

[1] No se conoce publicación anterior a la del libro. Tampoco se tienen noticias sobre el manuscrito.

[2] La guerra ruso-japonesa, iniciada como se dijo el 2 de febrero de 1904 y concluida el 5 de septiembre de 1905, también ocupó espacio en la prosa de Darío de esos años. En una de sus crónicas para *La Nación,* escrita en París en agosto de 1904, se hace eco de la crueldad del conflicto en términos emocionalmente próximos a los versos del poema: «Se trata de matar el mayor número de rusos posibles. Se trata de volar barcos, de dinamitar puentes, de arrasar batallones [...] En la Manchuria, la tierra está llena de cadáveres [...] Los mares chinos se enrojecen de sangre[...] La civilización ha triunfado» (*ED* II, 210).

Verdugos de ideales afligieron la tierra,
En un pozo de sombra la humanidad se encierra
Con los rudos molosos del odio y de la guerra[3].

¡Oh, Señor Jesucristo! por qué tardas, qué esperas
Para tender tu mano de luz sobre las fieras
Y hacer brillar al sol tus divinas banderas![4].

Surge de pronto y vierte la esencia de la vida
Sobre tanta alma loca, triste o empedernida,
Que amante de tinieblas tu dulce aurora olvida.

Ven, Señor, para hacer la gloria de ti mismo.
Ven con temblor de estrellas y horror de cataclismo,
Ven a traer amor y paz sobre el abismo.

Y tu caballo blanco, que miró el visionario[5],
Pase. Y suene el divino clarín extraordinario.
Mi corazón será brasa de tu incensario.

---

[3] *Molosos:* descendientes de Aquiles que se instalaron en la antigua Molosia, al noroeste de Grecia; entre los griegos tenían fama de semibárbaros.

[4] Los signos interrogativos que parece exigir esta frase no se dan ni en *05* ni en *07,* pero sí los exclamativos, que recojo tal como allí aparecen.

[5] Se refiere al caballo del *Apocalipsis;* su jinete «se llama Fiel y Veraz y juzga y combate con justicia» (19: 11).

XI[1]

Mientras tenéis, ¡oh negros corazones!,
Conciliábulos de odio y de miseria,
El órgano de Amor riega sus sones.
Cantad, oíd: «La vida es dulce y seria».

Para ti, pensador meditabundo,
Pálido de sentirte tan divino,
Es más hostil la parte agria del mundo.
Pero tu carne es pan, tu sangre es vino.

Dejad pasar la noche de la cena
—¡Oh Shakespeare pobre, y oh Cervantes manco!—
Y la pasión del vulgo que condena.
Un gran Apocalipsis horas futuras llena.
¡Ya surgirá vuestro Pegaso blanco!

---

[1] El manuscrito de este poema, cuyo paradero se desconoce, se encontraba entre los ofrecidos por Juan Ramón a *El Sol*, el 16 de febrero de 1922, en «favor de la Rusia hambrienta» (*Mi Rubén* 27).

XII
Helios[1]

¡Oh ruido divino!,
¡Oh ruido sonoro!
Lanzó la alondra matinal el trino
Y sobre ese preludio cristalino,
Los caballos de oro
De que el Hiperionida
Lleva la rienda asida,
Al trotar forman música armoniosa,
Un argentino trueno,
Y en el azul sereno

---

[1] No se conoce publicación anterior a la del libro, aunque puede conjeturarse que el título y el tono del poema guardan una estrecha relación con *Helios*, la revista fundada por Juan Ramón, y con los elogios que la misma recibió de Darío. En carta de abril de 1903 a Juan Ramón le comenta que «*Helios* está preciosa y su artículo es noble, valiente... —y admirablemente escrito»; tres meses más tarde asegura: «De V. veo en *Helios* cosas deliciosas. *Helios* es lo más brillante que tiene la prensa española» (*Mi Rubén*, 96 y 98). Arturo Marasso reproduce, como posible fuente plástica de los versos darianos, el mismo bajorrelieve de Apolo que los redactores de *Helios* utilizaron en las portadas de la revista (210). El manuscrito fue regalado a la Biblioteca del Congreso de los Estados Unidos.

Helios es el nombre griego del Sol. Se le consideraba hijo del titán Hiperión y hermano de la Luna y de la Aurora; su iconografía lo presenta como un auriga con un disco solar en la cabeza y recorriendo el cielo de este a oeste. En la época clásica tardía se le acabó confundiendo con Apolo.

Variantes:

v. 14: *Ms.: Y Pelión, sobre Talasia viva*
v. 61: *Ms.: Que pone en todos [ilegible] tan divinos martirios.*

Con sus cascos de fuego dejan huellas de rosa.
Adelante, ¡oh cochero
Celeste!, sobre Osa
Y Pelión, sobre Titania viva[2].
Atrás se queda el trémulo matutino lucero,
Y el universo el verso de su música activa[3].

Pasa, oh dominador, oh conductor del carro
De la mágica ciencia! Pasa, pasa, oh bizarro
Manejador de la fatal cuadriga
Que al pisar sobre el viento
Despierta el instrumento
Sacro! Tiemblan las cumbres
De los montes más altos,
Que en sus rítmicos saltos
Tocó Pegaso. Giran muchedumbres
De águilas bajo el vuelo
De tu poder fecundo,
Y si hay algo que iguale la alegría del cielo,
Es el gozo que enciende las entrañas del mundo.

¡Helios! tu triunfo es ése,
Pese a las sombras, pese
A la noche, y al miedo y a la lívida Envidia.
Tú pasas, y la sombra, y el daño, y la desidia,
Y la negra pereza, hermana de la muerte,
Y el alacrán del odio que su ponzoña vierte,
Y Satán todo, emperador de las tinieblas,
Se hunden, caen. Y haces el alba rosa, y pueblas
De amor y de virtud las humanas conciencias,
Riegas todas las artes, brindas todas la ciencias;
Los castillos de duelo de la maldad derrumbas,
Abres todos los nidos, cierras todas las tumbas,
Y sobre los vapores del tenebroso Abismo,
Pintas la Aurora, el Oriflama de Dios mismo.

---

[2] *Osa* y *Pelión* son montañas de Grecia que se suponían habitadas por Apolo. *Titania* es otro de los nombres que recibe la Luna.
[3] Este último verso sustituyó a otro, que aparece tachado en el manuscrito y tenía un menor número de sílabas: *Y el horizonte está en expectativa.*

¡Helios! Portaestandarte
De Dios, padre del Arte,
La paz es imposible, mas el amor eterno.
Danos siempre el anhelo de la vida,
Y una chispa sagrada de tu antorcha encendida
Con que esquivar podamos la entrada del Infierno.

Que sientan las naciones
El volar de tu carro, que hallen los corazones
Humanos en el brillo de tu carro, esperanza;
Que del alma-Quijote y el cuerpo-Sancho Panza
Vuele una psique cierta a la verdad del sueño;
Que hallen las ansias grandes de este vivir pequeño
Una realización invisible y suprema;
¡Helios! ¡que no nos mate tu llama que nos quema!
Gloria hacia ti del corazón de las manzanas,
De los cálices blancos de los lirios,
Y del amor que manas
Hecho de dulces fuegos y divinos martirios,
Y del volcán inmenso
Y del hueso minúsculo,
Y del ritmo que pienso,
Y del ritmo que vibra en el corpúsculo,
Y del Oriente intenso
Y de la melodía del crepúsculo.

¡Oh ruido divino!
Pasa sobre la cruz del palacio que duerme,
Y sobre el alma inerme
De quien no sabe nada. No turbes el Destino,
¡Oh ruido sonoro!
El hombre, la nación, el continente, el mundo,
Aguardan la virtud de tu carro fecundo,
Cochero azul que riges los caballos de oro!

XIII
Spes[1]

Jesús, incomparable perdonador de injurias,
Óyeme; Sembrador de trigo, dame el tierno
Pan de tus hostias; dame, contra el sañudo infierno
Una gracia lustral de iras y lujurias.

Dime que este espantoso horror de la agonía
Que me obsede, es no más de mi culpa nefanda,
Que al morir hallaré la luz de un nuevo día
Y que entonces oiré mi «¡Levántate y anda!»

---

[1] No se conoce publicación anterior a la del libro; el manuscrito, que también fue ofrecido por Juan Ramón a *El Sol*, se conserva asimismo en la Biblioteca del Congreso. En su encabezamiento el manuscrito lleva escrita la cifra XII, que no corresponde con la definitiva. Puede esto deberse a la inclusión de la «Salutación del optimista» en o después de marzo de 1905; en tal caso habría que pensar que la «Salutación» fue insertada cuando ya se tenía organizado todo el original y que esta primera organización sería anterior a la declamación del poema (28 de marzo de 1905).

XIV
Marcha triunfal[1]

¡Ya viene el cortejo!
¡Ya viene el cortejo! Ya se oyen los claros clarines.
La espada se anuncia con vivo reflejo;
¡Ya viene, oro y hierro, el cortejo de los paladines!

Ya pasa debajo los arcos ornados de blancas Minervas y
[Martes,

---

[1] Los datos sobre el poema, que vio la luz en *La Nación* el 25 de mayo de 1895 y que Según Arturo Marasso estaba dedicado «Al ejército argentino» son hasta cierto punto contradictorios. Mejía Sánchez, después de desmentir la existencia de tal dedicatoria, asegura que el manuscrito se conserva en la Sociedad Argentina de Autores (Darío, *Poesía* XVII). Oliver Belmás reproduce parcialmente el autógrafo, que está fechado en la isla argentina de «Martín García, mayo de 1895» (*Este otro* 321). Según Jaimes Freyre, el poema habría sido leído por primera vez en público por él mismo, en una función del Ateneo de Buenos Aires en la que el poeta nicaragüense no estuvo presente (cfr. *Anecdotario de Ricardo Jaimes Freyre*, Potosí, Editorial Potosí, 1953, 73). Alejandro Sux recoge unas palabras del poeta que, de ser ciertas, obligan a una matización en la génesis de los versos: «Su famosa "Marcha triunfal" la escribió a la madrugada, después de haber estado "poco menos que a empellones en la Opera" [...] de no recuerdo qué ciudad. Asistió a la representación de *Aida* de Verdi y de Ghislanzoni; el retorno triunfante de Radamés precedido de la doble hilera de trompeteros, le había impresionado "hasta la obsesión". "Si esa noche no escribo la 'Marcha triunfal' hubiese enloquecido —me dijo—; las estrofas se agolpaban en mi cabeza como algo material, y me gritaban en tropel, como para que les abriera una puerta de escape. Cuando liberé a todas las imágenes y todas las rimas, me quedé profundamente dormido sobre la mesa. Al otro día, al leer lo que había escrito, tuve la sensación de que alguien me había dictado"» (Sux 316). Por su parte, Juan Ramón Jiménez recuerda haber tenido parte en la redacción del texto que fi-

Los arcos triunfales en donde las Famas erigen sus largas
[trompetas,
La gloria solemne de los estandartes
Llevados por manos robustas de heroicos atletas.
Se escucha el ruido que forman las armas de los caballeros,
Los frenos que mascan los fuertes caballos de guerra,
Los cascos que hieren la tierra,
Y los timbaleros
Que el paso acompasan con ritmos marciales.
¡Tal pasan los fieros guerreros
Debajo los arcos triunfales!

Los claros clarines de pronto levantan sus sones,
Su canto sonoro,
Su cálido coro,
Que envuelve en un trueno de oro
La augusta soberbia de los pabellones.
Él dice la lucha, la herida venganza,
Las ásperas crines,
Los rudos penachos, la pica, la lanza,
La sangre que riega de heroicos carmines
La tierra;
Los negros mastines
Que azuza la muerte, que rige la guerra.

Los áureos sonidos
Anuncian el advenimiento
Triunfal de la Gloria;
Dejando el picacho que guarda sus nidos,
Tendiendo sus alas enormes al viento,
Los cóndores llegan. ¡Llegó la victoria!

---

nalmente se incorporó a *Cantos*: «El gran poeta, siempre alcoholizado, olvidaba y perdía sus poemas, sus libros, todo lo suyo. Yo pude copiarle de
mi memoria la "Marcha triunfal"» (*Mi Rubén* 114). Dada la fecha de la primera aparición del poema, menos fiable sería, por último, el testimonio de
Francisca Sánchez según el cual Rubén lo habría escrito después de haber
presenciado un desfile militar al lado del Arco del Triunfo de la capital
francesa (Toruño 7-16).

Ya pasa el cortejo.
Señala el abuelo los héroes al niño:—
Ved cómo la barba del viejo
Los bucles de oro circunda de armiño.—
Las bellas mujeres aprestan coronas de flores,
Y bajo los pórticos vense sus rostros de rosa;
Y la más hermosa
Sonríe al más fiero de los vencedores.
¡Honor al que trae cautiva la extraña bandera!
Honor al herido y honor a los fieles
Soldados que muerte encontraron por mano extranjera:
¡Clarines! ¡Laureles!

Las nobles espadas de tiempos gloriosos,
Desde sus panoplias saludan las nuevas coronas y lauros:—
Las viejas espadas de los granaderos más fuertes que osos,
Hermanos de aquellos lanceros que fueron centauros.—
Las trompas guerreras resuenan;
De voces los aires se llenan...
—A aquellas antiguas espadas,
A aquellos ilustres aceros,
Que encarnan las glorias pasadas;—
Y al sol que hoy alumbra las nuevas victorias ganadas,
Y al héroe que guía su grupo de jóvenes fieros;
Al que ama la insignia del suelo materno,
Al que ha desafiado, ceñido el acero y el arma en la mano,
Los soles del rojo verano,
Las nieves y vientos del gélido invierno,
La noche, la escarcha
Y el odio y la muerte, por ser por la patria inmortal,
Saludan con voces de bronce las trompas de guerra que to-
                              [can la marcha
Triunfal!...

Los Cisnes[1]

[1] En la segunda edición de *Los raros* (Barcelona, Maucci, 1905), cuyo prólogo firmó Darío en «París, enero de 1905», se anunciaba «En preparación» *Los cisnes y otros poemas,* junto a *Opiniones.* Permite esto pensar que las composiciones I, III y IV de la serie, ninguna de las cuales vio la luz sino en *Cantos,* se redactaron en torno a esas fechas, aunque también, y a juzgar por el tercer poema de la serie (v. 5), cabe la posibilidad de una redacción en los meses de otoño de 1904. Los manuscritos fueron regalados por Juan Ramón a la Biblioteca del Congreso y han sido reproducidos y comentados por Iris M. Zavala en su *Rubén Darío bajo el signo del cisne* (Río Piedras, Universidad, 1989, 82-111). La única variante de relativa importancia en los manuscritos es la del verso 12 del poema III: *Amor será dichoso, pues aun será vibrante.*

A Juan R. Jiménez

Ilustración de Enrique Ochoa para *Cantos de vida y esperanza.*

I

¿Qué signo haces, oh Cisne, con tu encorvado cuello
Al paso de los tristes y errantes soñadores?
¿Por qué tan silencioso de ser blanco y ser bello,
Tiránico a las aguas e impasible a las flores?

Yo te saludo ahora como en versos latinos
Te saludara antaño Publio Ovidio Nasón[1].
Los mismos ruiseñores cantan los mismos trinos,
Y en diferentes lenguas es la misma canción.

A vosotros mi lengua no debe ser extraña.
A Garcilaso visteis, acaso, alguna vez...
Soy un hijo de América, soy un nieto de España...
Quevedo pudo hablaros en verso en Aranjuez...

Cisnes, los abanicos de vuestras alas frescas
Den a las frentes pálidas sus caricias más puras
Y alejen vuestras blancas figuras pintorescas
De nuestras mentes tristes las ideas obscuras.

Brumas septentrionales nos llenan de tristezas,
Se mueren nuestras rosas, se agostan nuestras palmas[2],
Casi no hay ilusiones para nuestras cabezas,
Y somos los mendigos de nuestras pobres almas.

---

[1] Los versos de las *Metamorfosis* del autor latino están salpicados por frecuentes menciones y referencias a estas aves.
[2] *Sic* en *07*, en *05*: *Se mueren nuestras rosas, se agotan nuestras palmas.*

Nos predican la guerra con águilas feroces,
Gerifaltes de antaño revienen a los puños,
Mas no brillan las glorias de las antiguas hoces,
Ni hay Rodrigos, ni Jaimes, ni hay Alfonsos ni Nuños.

Faltos de los alientos que dan las grandes cosas,
¿Qué haremos los poetas sino buscar tus lagos?
A falta de laureles son muy dulces las rosas,
Y a falta de victorias busquemos los halagos.

La América española como la España entera
Fija está en el Oriente de su fatal destino;
Yo interrogo a la Esfinge que el porvenir espera
Con la interrogación de tu cuello divino.

¿Seremos entregados a los bárbaros fieros?
¿Tantos millones de hombres hablaremos inglés?
¿Ya no hay nobles hidalgos ni bravos caballeros?
¿Callaremos ahora para llorar después?

He lanzado mi grito, Cisnes, entre vosotros
Que habéis sido los fieles en la desilusión,
Mientras siento una fuga de americanos potros
Y el estertor postrero de un caduco león...

...Y un Cisne negro dijo: —«La noche anuncia el día».
Y uno blanco: —«¡La aurora es inmortal! ¡la aurora
Es inmortal!» ¡Oh, tierras de sol y de armonía!,
¡Aún guarda la Esperanza la caja de Pandora!

II
En la muerte de Rafael Núñez[1]

Que sais-je?

El pensador llegó a la barca negra;
Y le vieron hundirse
En las brumas del lago del Misterio,
Los ojos de los Cisnes.

Su manto de poeta
Reconocieron, los ilustres lises

---

[1] Titulada sólo «Rafael Núñez», vio la luz en el tercer número de la *Revista de América*, en Buenos Aires, el día 1 de octubre de 1894. Rafael Núñez, nacido en 1825 y muerto el 18 de septiembre de 1894, fue presidente de Colombia en varias ocasiones, y el 17 de abril de 1893 nombró a Darío cónsul colombiano en Buenos Aires. En mayo de 1890 había enviado uno de sus poemarios a Darío, para que éste lo comentase en las páginas de *La Unión;* sin embargo, la reseña, posiblemente redactada en 1892, no apareció hasta después de la muerte del político, en *La Nación*, el día 23 de septiembre de 1894 (Sequeira 1964, 314; Mapes 63). Como poeta que era, colaboró también en la *Revista de América* que dirigía Darío en Buenos Aires.
El texto de la *Revista de América* presenta las siguientes variantes:
v. 1: *El Pensador llegó a la barca negra*
v. 3: *En las brumas del lago del Misterio* (sin coma).
v. 4: *Los ojos de los cisnes.*
v. 5: *Su manto de Poeta*
v. 10: *De la Ciudad teológica en que vive.*
v. 12: *Llegó a la ansiada costa. Y el sublime*
v. 13: *Espíritu gozó la suma gracia.*

Y el laurel y la espina entremezclados
Sobre la frente triste.

A lo lejos alzábanse los muros
De la ciudad teológica, en que vive
La sempiterna Paz. La negra barca
Llegó a la ansiada costa, y el sublime
Espíritu gozó la suma gracia;
Y ¡oh Montaigne! Núñez vio la cruz erguirse,
Y halló al pie de la sacra Vencedora
El helado cadáver de la Esfinge.

III

Por un momento, ¡oh Cisne!, juntaré mis anhelos
A los de tus dos alas que abrazaron a Leda,
Y a mi maduro ensueño, aún vestido de seda,
Dirás, por los Dioscuros, la gloria de los cielos[1].

Es el otoño. Ruedan de la flauta consuelos.
Por un instante, ¡oh Cisne!, en la obscura alameda
Sorberé entre dos labios lo que el pudor me veda,
Y dejaré mordidos Escrúpulos y Celos.

Cisne, tendré tus alas blancas por un instante,
Y el corazón de rosa que hay en tu dulce pecho
Palpitará en el mío con su sangre constante.

Amor será dichoso, pues estará vibrante
El júbilo que pone al gran Pan en acecho
Mientras su ritmo esconde la fuente de diamante.

---

[1] *Dioscuros* es el nombre colectivo para los gemelos Cástor y Pólux, nacidos de la unión del Cisne-Zeus y Leda. Se les identifica también con la constelación de Géminis.

IV

Antes de todo, ¡gloria a ti, Leda!
Tu dulce vientre cubrió de seda
El Dios. ¡Miel y oro sobre la brisa!
Sonaban alternativamente
Flauta y cristales, Pan y la fuente.
Tierra era canto, Cielo sonrisa!

Ante el celeste, supremo acto,
Dioses y bestias hicieron pacto.
Se dio a la alondra la luz del día,
Se dio a los búhos sabiduría
Y melodía al ruiseñor.
A los leones fue la victoria,
Para las águilas toda la gloria
Y a las palomas todo el amor.

Pero vosotros sois los divinos
Príncipes. Vagos como las naves,
Inmaculados como los linos,
Maravillosos como las aves!

En vuestros picos tenéis las prendas
Que manifiestan corales puros.
Con vuestros pechos abrís las sendas
Que arriba indican los Dioscuros.

Las dignidades de vuestros actos,
Eternizadas en lo infinito,

Hacen que sean ritmos exactos,
Voces de ensueños, luces de mito.

De orgullo olímpico sois el resumen,
¡Oh, blancas urnas de la armonía!
Ebúrneas joyas que anima un numen
Con su celeste melancolía.

Melancolía de haber amado,
Junto a la fuente de la arboleda,
El luminoso cuello estirado
Entre los blancos muslos de Leda!

Otros poemas

Al doctor Adolfo Altamirano[1]

[1] Adolfo Altamirano era el ministro nicaragüense de Relaciones Exteriores del presidente José Santos Zelaya y aconsejó a éste el nombramiento de Darío como cónsul de su país en la capital francesa. Como en el caso de la dedicatoria a José Enrique Rodó, ésta aparece en hoja aparte, y por ello parece abarcar a todos los poemas de esta última serie.

Ilustración de Enrique Ochoa para *Cantos de vida y esperanza.*

I
Retratos[1]

I

Don Gil, Don Juan, Don Lope, Don Carlos, Don Rodrigo,
¿Cúya es esta cabeza soberbia? ¿ésa faz fuerte?
¿Ésos ojos de jaspe? ¿ésa barba de trigo?
Éste fue un caballero que persiguió a la Muerte

Cien veces hizo cosas tan sonoras y grandes
Que de águilas poblaron el campo de su escudo;
Y ante su rudo tercio de América o de Flandes
Quedó el asombro ciego, quedó el espanto mudo.

La coraza revela fina labor; la espada
Tiene la cruz que erige sobre su tumba el miedo;
Y bajo el puño firme que da su luz dorada,
Se afianza el rayo sólido del yunque de Toledo.

Tiene labios de Borgia, sangrientos labios, dignos
De exquisitas calumnias, de rezar oraciones

---

[1] Aparecieron por primera vez en *La España Moderna*, en el número de noviembre de 1899 (págs. 81-82). Iban encabezados por una dedicatoria «A Benavente» y rematados por el soneto «Leda», también recogido en *Cantos*.
Variantes de *La Española:*
v. 4: *Éste es un caballero que persiguió a la Muerte*
v. 10: *Florecidos de anécdotas de cien Decamerones*

Y de decir blasfemias: rojos labios malignos
Florecidos de anécdotas en cien Decamerones.

Y con todo, este hidalgo de un tiempo indefinido,
Fue el abad solitario de un ignoto convento,
Y dedicó en la muerte sus hechos: «¡AL OLVIDO!»
Y el grito de su vida luciferina: «¡AL VIENTO!»[2].

II

En la forma cordial de la boca, la fresa
Solemniza su púrpura; y en el sutil dibujo
Del óvalo del rostro de la blanca abadesa
La pura frente es ángel y el ojo negro es brujo.

Al marfil monacal de esa faz misteriosa
Brota una dulce luz de un resplandor interno,
Que enciende en las mejillas una celeste rosa
En que su pincelada fatal puso el Infierno.

¡Oh, Sor María! ¡Oh, Sor María! ¡Oh, Sor María!
La mágica mirada y el continente regio,
¿No hicieron en un alma pecaminosa un día,
Brotar el encendido clavel del sacrilegio?

Y parece que el hondo mirar cosas dijera,
Especiosas y ungidas de miel y de veneno.
(Sor María murió condenada a la hoguera:
Dos abejas volaron de las rosas del seno).

---

[2] *Sic* en *05* y *07;* en *La España Moderna: Y dedicó en la muerte sus hechos:* «*¡Al olvido!*» / *Y el grito de su vida luciferina:* «*¡Al viento!*»

II
Por el influjo de la primavera[1]

Sobre el jarrón de cristal
Hay flores nuevas. Anoche
Hubo una lluvia de besos.
Despertó un fauno bicorne
Tras un alma sensitiva.
Dieron su olor muchas flores.
En la pasional siringa
Brotaron las siete voces

---

[1] Apareció en *Blanco y Negro* el día 20 de mayo de 1905. Carmen Conde lo data en «París 1905» y recuerda en qué circunstancias lo concibió Darío: «Francisca sigue evocando aquella mañana en que venía del mercado, en París [...] y traía un ramo de flores para la mesa del poeta [...] Pocos momentos después se duplicaban, pues Rubén devolvía el presente con su poema "Sobre el jarrón hay flores nuevas..." *[sic]*» (Conde 81). Más precisión, en cuanto a la fecha, ofrecen los testimonios de Juan Ramón Jiménez, quien, al pie de una carta enviada por Darío el 15 de junio de 1904 y en la que éste le enviaba «esos versos que me ha traído la primavera y la espuela de sus amables pedidos», anota que se trataba de «El májico romance, transfiguración de la "Primavera" *[sic]* de *Azul...,* "Por el influjo de la primavera"» (*Mi Rubén* 112).

Variantes de *Blanco y Negro:*
v. 2: *Hay rosas nuevas. Anoche*
v. 18: *Se enfloró de Primavera*
vv. 46-47: *Y todo por ti, oh Alma! / Y por ti, Cuerpo, y por ti,*
vv. 50-51: *Y no encontraremos nunca. / ¡Jamás!*

Que en siete carrizos puso
Pan[2].

Antiguos ritos paganos
Se renovaron. La estrella
De Venus brilló más límpida
Y diamantina. Las fresas
Del bosque dieron su sangre.
El nido estuvo de fiesta.
Un ensueño florentino
Se enfloró de primavera,
De modo que en carne viva
Renacieron ansias muertas.
Imaginaos un roble
Que diera una rosa fresca;
Un buen egipán latino[3]
Con una bacante griega
Y parisiense. Una música
Magnífica. Una suprema
Inspiración primitiva,
Llena de cosas modernas.
Un vasto orgullo viril
Que aroma el *odor di femina;*
Un trono de roca en donde
Descansa un lirio.

¡Divina Estación! ¡Divina
Estación! Sonríe el alba
Más dulcemente. La cola
Del pavo real exalta
Su prestigio. El sol aumenta
Su íntima influencia; y el arpa
De los nervios vibra sola.
¡Oh, Primavera sagrada!

---

[2] Después de que la ninfa Siringa, huyendo de Pan, se convirtiese en una caña, el dios la transformó en el instrumento musical que lleva el nombre de aquélla.

[3] *Egipán:* sátiro.

¡Oh, gozo del don sagrado
De la vida! ¡Oh, bella palma
Sobre nuestras frentes! ¡Cuello
Del cisne! ¡Paloma blanca!
¡Rosa roja! ¡Palio azul!
Y todo por ti, ¡oh alma!
Y por ti, cuerpo, y por ti,
Idea, que los enlazas.
Y por Ti, lo que buscamos
Y no encontraremos nunca,
Jamás!

III
La dulzura del ángelus...[1]

La dulzura del ángelus matinal y divino
Que diluyen ingenuas campanas provinciales,
En un aire inocente a fuerza de rosales,
De plegaria, de ensueño de virgen y de trino

De ruiseñor, opuesto todo al rudo destino
Que no cree en Dios... El áureo ovillo vespertino
Que la tarde devana tras opacos cristales
Por tejer la inconsútil tela de nuestros males

Todos hechos de carne y aromados de vino...
Y esta atroz amargura de no gustar de nada,
De no saber adónde dirigir nuestra prora

Mientras el pobre esquife en la noche cerrada
Va en las hostiles olas huérfano de la aurora...
(¡Oh, suaves campanas entre la madrugada!)

---

[1] Publicado en la *Revista Hispano Americana* de Madrid (abril de 1905).
El manuscrito, regalado por Juan Ramón a Enrique Díez Canedo, se conserva en la biblioteca del hijo de éste (Jiménez, *Mi Rubén* 26).

IV
Tarde del trópico[1]

Es la tarde gris y triste.
Viste el mar de terciopelo
Y el cielo profundo viste
De duelo.

Del abismo se levanta
La queja amarga y sonora.
La onda, cuando el viento canta,
Llora.

Los violines de la bruma
Saludan al sol que muere.
Salmodia la blanca espuma:
Miserere.

---

[1] Lo recogió por primera vez el *Diario de Centroamérica* (Guatemala) en su salida del 4 de junio de 1892, con el título de «Sinfonías». Iba rematado con la advertencia «A bordo del Barracouta», barco en el que Darío salió de Costa Rica el 15 de mayo de 1892. Mantiene este título hasta su aparición en *Electra* el 23 de marzo de 1901 (pág. 37), donde se cambia por «Tardes del trópico» y luego en *El Álbum Ibero Americano* (12 de enero de 1905), donde aparece ya como «Tarde del trópico». Rubén lo confunde con «Ondas y Nubes» cuando en *Historia de mis libros* afirma que lo escribió «hace mucho tiempo, cuando por la primera vez sentí bajo mis pies las vastas aguas oceánicas en mi viaje a Chile» (*OC* I, 219).
Variantes:
v. 15: en publicaciones anteriores a *Cantos: La canción dulce y profana* (Méndez Plancarte).

La armonía del cielo inunda,
Y la brisa va a llevar
La canción triste y profunda
Del mar.

Del clarín del horizonte
Brota sinfonía rara,
Como si la voz del monte
Vibrara.

Cual si fuese lo invisible...
Cual si fuese el rudo son
Que diese al viento un terrible
León.

V
Nocturno[1]

Quiero expresar mi angustia en versos que abolida
Dirán mi juventud de rosas y de ensueños,
Y la desfloración amarga de mi vida
Por un vasto dolor y cuidados pequeños.

Y el viaje a un vago Oriente por entrevistos barcos,
Y el grano de oraciones que floreció en blasfemia,
Y los azoramientos del cisne entre los charcos
Y el falso azul nocturno de inquerida bohemia.

Lejano clavicordio que en silencio y olvido
No diste nunca al sueño la sublime sonata,
Huérfano esquife, árbol insigne, obscuro nido
Que suavizó la noche de dulzura de plata...

Esperanza olorosa a hierbas frescas, trino
Del ruiseñor primaveral y matinal,
Azucena tronchada por un fatal destino,
Rebusca de la dicha, persecución del mal...

---

[1] El manuscrito del poema, cuya primera publicación conocida es la del libro, formaba parte de los ofrecidos por Juan Ramón a *El Sol*. El moguereño, antes de regalarlo a la Biblioteca del Congreso, lo reprodujo en el segundo número de *La Torre* de 1953 (págs. 177-78).

El ánfora funesta del divino veneno
Que ha de hacer por la vida la tortura interior,
La conciencia espantable de nuestro humano cieno
Y el horror de sentirse pasajero, el horror

De ir a tientas, en intermitentes espantos,
Hacia lo inevitable desconocido y la
Pesadilla brutal de este dormir de llantos
De la cual no hay más que Ella que nos despertará!

VI
Canción de otoño en primavera[1]

A Martínez Sierra

Juventud, divino tesoro,
¡Ya te vas para no volver!
Cuando quiero llorar, no lloro...
Y a veces lloro sin querer...

---

[1] No se conoce publicación anterior a la del libro, aunque sí existen dos importantes referencias para fechar a su redacción. La primera es la gran estima que Darío profesó por Gregorio Martínez Sierra, a quien dedicó el poema, y que en los primeros meses de 1904, a raíz de los comentarios del madrileño aparecidos en el número de enero de *Helios,* alcanzó sus expresiones más cálidas (Cfr. Jiménez, *Mi Rubén* 110). A Martínez Sierra le confió, además, la edición de *Tierras Solares,* que vio la luz en mayo de 1904. Así, pues, no tendría nada de extraño que, si dedicatoria y poema son simultáneos, Darío compusiera la «Canción» como agradecimiento a las tareas de Martínez Sierra durante esas fechas. Por otra parte, y de acuerdo al testimonio de Juan Ramón, éste habría escuchado el poema de labios de Rubén durante la primavera de 1905, cuando Darío se encontraba en Madrid (*Mi Rubén* 174).

En cuanto al primer manuscrito —sin título y sin las estrofas dedicadas a Francisca (desde «Otra juzgó» hasta «Y las demás»)—, Juan Ramón lo regaló a Gregorio Marañón, quien, a su vez, lo regaló a la Real Academia Española en 1948; se reprodujo en el *Seminario Archivo Rubén Darío* [7 (1963): 15-23]. La disposición del título en *07* presenta, por último, la variante de estar repartido en dos líneas: «Canción de otoño / en primavera».

Otras variantes del manuscrito:

v. 8: *Mundo de pena y aflicción*
v. 15: *Para mi ensueño hecho de armiño*
v. 18: *Te fuiste para no volver*

Plural ha sido la celeste
Historia de mi corazón.
Era una dulce niña, en este
Mundo de duelo y aflicción.

Miraba como el alba pura;
Sonreía como una flor.
Era su cabellera obscura
Hecha de noche y de dolor.

Yo era tímido como un niño.
Ella, naturalmente, fue,
Para mi amor hecho de armiño,
Herodías y Salomé...

Juventud, divino tesoro,
¡Ya te vas para no volver...!
Cuando quiero llorar, no lloro,
Y a veces lloro sin querer...

La otra fue más sensitiva,
Y más consoladora y más
Halagadora y expresiva,
Cual no pensé encontrar jamás.

Pues a su continua ternura
Una pasión violenta unía.
En un peplo de gasa pura
Una bacante se envolvía...

En sus brazos tomó mi ensueño
Y lo arrulló como a un bebé...

---

v. 24: *Cual no creí hallar jamás*
v. 27: *En un peplo de lumbre [?] pura*
v. 32: *Falta de luz, falta de fe*
v. 50: *Te fuiste para no volver*
v. 69: *Más es mía el alba de oro!*

Y le mató, triste y pequeño,
Falto de luz, falto de fe...

Juventud, divino tesoro,
¡Te fuiste para no volver!
Cuando quiero llorar, no lloro,
Y a veces lloro sin querer...

Otra juzgó que era mi boca
El estuche de su pasión;
Y que me roería, loca,
Con sus dientes el corazón.

Poniendo en un amor de exceso
La mira de su voluntad,
Mientras eran abrazo y beso
Síntesis de la eternidad;

Y de nuestra carne ligera
Imaginar siempre un Edén,
Sin pensar que la Primavera
Y la carne acaban también...

Juventud, divino tesoro,
¡Ya te vas para no volver!
Cuando quiero llorar, no lloro,
Y a veces lloro sin querer!

¡Y las demás! en tantos climas,
En tantas tierras, siempre son,
Si no pretextos de mis rimas,
Fantasmas de mi corazón.

En vano busqué a la princesa
Que estaba triste de esperar.
La vida es dura. Amarga y pesa.
¡Ya no hay princesa que cantar!

Mas a pesar del tiempo terco,
Mi sed de amor no tiene fin;
Con el cabello gris me acerco
A los rosales del jardín...

Juventud, divino tesoro,
Ya te vas para no volver...
Cuando quiero llorar, no lloro,
Y a veces lloro sin querer...

¡Mas es mía el Alba de oro!

VII
Trébol[1]

I

DE DON LUIS DE GÓNGORA Y ARGOTE
A DON DIEGO DE SILVA VELÁZQUEZ

Mientras el brillo de tu gloria augura
Ser en la eternidad sol sin poniente,
Fénix de viva luz, fénix ardiente,
Diamante parangón de la pintura,

---

[1] Con este título y esta misma ordenación de sus tres poemas apareció en *La Ilustración Española y Americana* el día 15 de junio de 1899 (pág. 374); sin embargo, en *05* y *07* —no en *La Ilustración*— los encabezamientos de los dos primeros sonetos presentan cambiados los apellidos de Góngora («A don Luis de Argote y Góngora»). El origen del poema parece encontrarse en los acontecimientos originados en torno a la inauguración de la sala Velázquez del Museo del Prado. Con tal motivo, el 22 de septiembre de 1899 Rubén redactó para *La Nación* una crónica titulada «La fiesta de Velázquez» (*OC* III, 182-93); en ella cita la biografía de G. Cruzada Villamil en la que se mencionan brevemente las relaciones entre los dos artistas españoles (*Anales de la vida y de las obras de Diego de Silva y Velázquez,* Madrid, Librería de Miguel Guijarro, 1885, pág. 27). Como de otras composiciones, Juan Ramón conservaba también de ésta unos gratos recuerdos: «Y en aquel momento había dejado de pintar para leer en *La Ilustración Española y Americana* que mi hermana me acababa de subir "El trébol" de Rubén Darío» (*Mi Rubén* 52).

De España está sobre la veste obscura
Tu nombre, como joya reluciente;
Rompe la Envidia el fatigado diente,
Y el Olvido lamenta su amargura.

Yo en equívoco altar, tú en sacro fuego,
Miro a través de mi penumbra el día
En que al calor de tu amistad, Don Diego,

Jugando de la luz con la armonía,
Con la alma luz, de tu pincel el juego
El alma duplicó de la faz mía[2].

II

DE DON DIEGO DE SILVA VELÁZQUEZ
A DON LUIS DE GÓNGORA Y ARGOTE

Alma de oro, fina voz de oro,
Al venir hacía mí ¿por qué suspiras?
Ya empieza el noble coro de las liras
A preludiar el himno a tu decoro;

Ya al misterioso son del noble coro
Calma el Centauro sus grotescas iras,
Y con nueva pasión que les inspiras,
Tornan a amarse Angélica y Medoro[3].

---

[2] «Con *la* alma luz, de tu pincel el juego / *El* alma duplicó de la faz mía». *Sic* en *Ilustración, 05* y *07*.

[3] Amantes protagonistas de *Orlando furioso* (1532), el poema caballeresco de Ludovico Ariosto. Góngora escribió su romance «Angélica y Medoro» teniendo como referencia principal las estrofas 16-37 del canto XIX del *Orlando* (cfr. Dámaso Alonso, *Obras Completas V. Góngora y el gongorismo*, Madrid, Gredos, 1976, 26, n. 3).

A Teócrito y Poussin la Fama dote[4]
Con la corona de laurel supremo;
Que en donde da Cervantes el Quijote

Y yo las telas con mis luces gemo,
Para Don Luis de Góngora y Argote
Traerá una nueva palma Polifemo.

III

En tanto «pace estrellas» el Pegaso divino[5],
Y vela tu hipogrifo, Velázquez, la Fortuna,
En los celestes parques al Cisne gongorino
Deshoja sus sutiles margaritas la Luna.

Tu castillo, Velázquez, se eleva en el camino
Del Arte como torre que de águilas es cuna,
Y tu castillo, Góngora, se alza al azul cual una
Jaula de ruiseñores labrada en oro fino.

Gloriosa la península que abriga tal colonia.
¡Aquí bronce corintio y allá mármol de Jonia!
Las rosas a Velázquez, y a Góngora claveles.

De ruiseñores y águilas se pueblen las encinas,
Y mientras pasa Angélica sonriendo a las Meninas,
Salen las nueve musas de un bosque de laureles.

---

[4] *Ilustración:* «A Teócrito y Pussin la Fama dote»; en *05* y *07:* «A Teócrito y Possin la Fama dote». Nicole Poussin (1591-1665), pintor francés en
quien confluyen la tendencia renacentista y la barroca.
[5] Alusión a uno de los versos de las *Soledades* de Góngora: *en campo de
zafiros pace estrellas.*

VIII
«Charitas»[1]

A Vicente de Paúl, nuestro Rey Cristo
Con dulce lengua dice:
—Hijo mío, tus labios
Dignos son de imprimirse
En la herida que el ciego
En mi costado abrió. Tu amor sublime
Tiene sublime premio: asciende y goza
Del alto galardón que conseguiste.

El alma de Vicente llega al coro
De los alados Ángeles que al triste[2]
Mortal custodian: eran más brillantes
Que los celestes astros. Cristo: Sigue,—
Dijo al amado espíritu del Santo.—

---

[1] No se conoce publicación anterior a la de *Cantos,* donde el título aparece entrecomillado. San Vicente de Paúl (Francia, 1581-1660) es conocido como uno de los grandes apóstoles y santos de la caridad. El vocablo *charitas,* que él empleó para bautizar algunas de sus fundaciones (Hijas de la Caridad, Cofradía de la Caridad, etc.), aparece grabado junto a su figura en numerosos lienzos y retratos.
[2] En *07: De los alados ángeles que al triste;* mantengo la versión de *05* porque Rubén se está refiriendo a una categoría concreta de los espíritus angélicos, como lo es también la de los Arcángeles, Príncipes, Potestades, etc., palabras que en el poema siempre comienzan con mayúscula. La jerarquía angélica ofrecida por Darío coincide con la de Dante en la *Divina Comedia* (Paraíso, XXVII, 98-126), aunque también es frecuente en textos de corte esotérico.

Ve entonces la región en donde existen
Los augustos Arcángeles, zodíaco
De diamantina nieve, indestructibles
Ejércitos de luz y mensajeras
Castas palomas o águilas insignes.

Luego la majestad esplendorosa
Del coro de los Príncipes,
Que las divinas órdenes realizan
Y en el humano espíritu presiden;
El coro de las altas Potestades
Que al torrente infernal levantan diques;
El coro de las místicas Virtudes,
Las huellas de los mártires
Y las intactas manos de las vírgenes;
El coro prestigioso
De las Dominaciones que dirigen
Nuestras almas al bien, y el coro excelso
De los Tronos insignes,
Que del Eterno el solio,
Cariátides de luz indefinible,
Sostienen por los siglos de los siglos;
Y el coro de Querubes que compite
Con la antorcha del sol.
                                    Por fin, la gloria
De teológico fuego en que se erigen
Las llamas vivas de inmortal esencia.

Cristo al Santo bendice
Y así penetra el Serafín de Francia
Al coro de los ígneos Serafines.

IX[1]

¡Oh, terremoto mental!
Yo sentí un día en mi cráneo
Como el caer subitáneo
De una Babel de cristal.

De Pascal miré el abismo,
Y vi lo que pudo ver
Cuando sintió Baudelaire
«el ala del idiotismo»[2].

Hay, no obstante, que ser fuerte;
Pasar todo precipicio
Y ser vencedor del Vicio
De la Locura y la Muerte.

---

[1] No se conoce publicación anterior a la del libro. El manuscrito lo ofreció Jiménez a *El Sol* y posteriormente lo regaló a Juan Guerrero Ruiz, cuyo hijo lo conserva actualmente en su biblioteca (*Mi Rubén* 26). En la reproducción que de él hace Oliver Belmás (*Este otro* 49) presenta una primera cifra romana (XXXI) borrada y una segunda (IX) escritas por otra mano.

[2] Seguramente se trata de una alusión al primer cuarteto de «Le gouffre», uno de los poemas de *Les fleurs du mal* en que Baudelaire menciona a su vez el abismo pascaliano: «Pascal avait son gouffre, avec lui se mouvant. / —Hélas! tout est abîme, action, desir, rêve, / Parole! et sur mon poil qui tout droit se relève / Mainte fois de la Peur je sens passer le vent.» La expresión «el ala del idiotismo» también parece tomada de Baudelaire, en concreto de una nota escrita en los mismos días que el soneto y destinada a la serie *Hygiène* de sus *Journeaux intimes*: «Maintenant j'ai toujours le vertige, et aujourd'hui 23 janvier 1862, j'ai subi un singulier avertissement, j'ai senti passer sur moi *le vent de l'aile de l'imbecilité*» (cfr. Baudelaire, *Oeuvres Complètes*, 2 vols., ed. de Claude Pichois, París, Gallimard, 1975, págs. 142, 668 y 1115).

X[1]

El verso sutil que pasa o se posa
Sobre la mujer o sobre la rosa,
Beso puede ser, o ser mariposa.

En la fresca flor el verso sutil;
El triunfo de Amor en el mes de abril:
Amor, verso y flor, la niña gentil.

Amor y dolor. Halagos y enojos.
Herodías ríe en los labios rojos.
Dos verdugos hay que están en los ojos.

¡Oh, saber amar es saber sufrir![2]
Amar y sufrir, sufrir y sentir,
Y el hacha besar que nos ha de herir...

---

[1] El manuscrito del poema lo ofreció también Juan Ramón a *El Sol* y actualmente se encuentra en la Biblioteca del Congreso. El poema se publicó por primera vez en *El Gladiador* (Buenos Aires, 1902). Luego se recogió en *La Revista Moderna* (México, agosto de 1903) y en *El Cojo Ilustrado* (Caracas, 1 de diciembre de 1903, pág. 708). En este último aparece junto a otros dos poemas de Darío («A Esperanza de Ciganda» y «Madrigal Exaltado»), todos ellos bajo el único título de «Álbumes y abanicos», y dedicado «Para la señorita E. G.»; el manuscrito, que no lleva dedicatoria, presenta la cifra X en su cabezera.
Variantes en *El Cojo Ilustrado*.
v. 3: *Beso puede ser, o ser rosa*
v. 5: *El triunfo de amor en el mes de abril*
v. 6: *Flor, verso y amor, la niña gentil*
[2] En *Ms. 05* y *07: Oh, saber amar es saber sufrir*, sin admiraciones; en *El Cojo: Pues saber amar es saber sufrir*.

Rosa de dolor, gracia femenina;
Inocencia y luz, corola divina!
Y aroma fatal y cruel espina...

Líbranos, Señor, de abril y la flor
Y del cielo azul, y del ruiseñor,
De dolor y amor, líbranos, Señor![3].

---

[3] *Sic* en *El Cojo;* en *05* y *07:* «*Líbranos Señor de abril y la flor / Y del cielo azul, y del ruiseñor, / De dolor y amor líbranos Señor.*

XI
Filosofía[1]

Saluda al Sol, araña, no seas rencorosa.
Da tus gracias a Dios, ¡oh, sapo!, pues que eres.
El peludo cangrejo tiene espinas de rosa
Y los moluscos reminiscencias de mujeres.
Sabed ser lo que sois, enigmas siendo formas;
Dejad la responsabilidad a las Normas,
Que a su vez la enviarán al Todopoderoso...
(Toca, grillo, a la luz de la luna, y dance el oso!)

---

[1] Se desconoce publicación anterior a la del libro. El manuscrito fue regalado por Juan Ramón a la Biblioteca del Congreso y presenta tachada la
cifra III, que parece escrita por mano de Darío y que se sustituye por la cifra XI, escrita por otra mano diferente. Agrupo a continuación las variantes textuales de *05* y *07* en relación al texto autógrafo, que en este caso
tomo como base.

v. 1: *05* y *07: Saluda al sol, araña, no seas rencorosa*
v. 6: *05* y *07: Deja la responsabilidad a las Normas*
v. 8: *05* y *07: (Toca, grillo, a la luz de la luna, y dance el oso)* (Sin excla-
maciones).

XII
Leda[1]

El cisne en la sombra parece de nieve;
Su pico es de ámbar, del alba al trasluz;
El suave crepúsculo que pasa tan breve,
Las cándidas alas sonrosa de luz.

Y luego, en las ondas del lago azulado,
Después que la aurora perdió su arrebol,
Las alas tendidas y el cuello enarcado,
El cisne es de plata, bañado de sol.

Tal es, cuando esponja las plumas de seda,
Olímpico pájaro herido de amor,
Y viola en las linfas sonoras a Leda,
Buscando su pico los labios en flor.

---

[1] Su primera aparición parece ser la de *Guatemala Ilustrada*, en su número de la primera quincena de septiembre de 1892 (Montiel 261). Un mes más tarde, el 18 de octubre, lo reproducía *La Hoja del Pueblo* (San José de Costa Rica) encabezado con una dedicatoria «A mi amigo el artista / Francisco Valiente T.». Según la prensa costarricense, Darío estampó el poema en el álbum de este fotógrafo y pintor colombiano como muestra de agradecimiento por un retrato que aquél le hiciera (Arellano/Jirón, *Contribuciones* 84-86).

Variantes de *La Hoja del Pueblo*:

v. 14: *Y en tanto que al aire sus fuerzas se van.*
v. 16: *chispean lascivos los ojos de Pan.*

414

Suspira la bella desnuda y vencida,
Y en tanto que al aire sus quejas se van,
Del fondo verdoso de fronda tupida
Chispean turbados los ojos de Pan.

XIII[1]

Divina Psiquis, dulce Mariposa invisible
Que desde los abismos has venido a ser todo
Lo que en mi ser nervioso y en mi cuerpo sensible
Forma la chispa sacra de la estatua de lodo!

Te asomas por mis ojos a la luz de la tierra
Y prisionera vives en mí de extraño dueño:
Te reducen a esclava mis sentidos en guerra
Y apenas vagas libre por el jardín del sueño.

Sabia de la Lujuria que sabe antiguas ciencias,
Te sacudes a veces entre imposibles muros,
Y más allá de todas las vulgares conciencias
Exploras los recodos más terribles y obscuros.

Y encuentras sombra y duelo. Que sombra y duelo en-
                                                    [cuentres
Bajo la viña en donde nace el vino del Diablo.

---

[1] Se desconoce publicación anterior a la del libro. El manuscrito fue ofrecido por Juan Ramón a *El Sol* y más tarde regalado a la Biblioteca del Congreso. En su parte superior presenta también la cifra XIII, escrita por una mano distinta a la del resto del poema.
Variantes:
v. 17: ms.: *A Juan Virgen y a Pablo militar y violento*
v. 21: ms.: *Entre la Catedral y las ruinas paganas*
v. 27: ms.: *Entre la Catedral*

Te posas en los senos, te posas en los vientres
Que hicieron a Juan loco e hicieron cuerdo a Pablo.

A Juan virgen y a Pablo militar y violento,
A Juan que nunca supo del supremo contacto;
A Pablo el tempestuoso que halló a Cristo en el viento,
Y a Juan ante quien Hugo se queda estupefacto[2].

Entre la catedral y las ruinas paganas
Vuelas, ¡oh, Psiquis, oh, alma mía!
—Como decía
Aquel celeste Edgardo[3],
Que entró en el paraíso entre un son de campanas
Y un perfume de nardo,—
Entre la catedral
Y las paganas ruinas
Repartes tus dos alas de cristal,
Tus dos alas divinas.
Y de la flor
que el ruiseñor
Canta en su griego antiguo, de la rosa,
Vuelas, ¡oh, Mariposa!
¡A posarte en un clavo de Nuestro Señor!

---

[2] El contexto de estas referencias a los dos santos se halla en los epígrafes que Hugo les dedica en el catálogo heroico de su *William Shakespeare* (París, Albin Michel, 1937, págs. 33-37).

[3] Referencia a «Ulalume», el poema de Poe con un verso *(Of cypress, with Psyche, my Soul),* que ya había utilizado Darío para encabezar «El reino interior».

XIV
El soneto de trece versos[1]

De una juvenil inocencia
Qué conservar sino el sutil
Perfume, esencia de su Abril,
La más maravillosa esencia!

Por lamentar a mi conciencia
Quedó de un sonoro marfil
Un cuento que fue de las *Mil*
Y Una Noches de mi existencia...

Scherezada se entredurmió...
El Visir quedó meditando...
Dinarzada el día olvidó...[2]

Mas el pájaro azul volvió...
Pero...
Pero...No obstante...
Pero...No obstante...Siempre...
Pero...No obstante...Siempre...Cuando...

---

[1] Aunque seguramente de origen bonaerense (Boti, *Hipsipilas* 141), su primera publicación conocida es la de *Renacimiento Latino,* de abril de 1905. El manuscrito fue regalado por Juan Ramón a Alfonso Reyes y hoy se conserva en la biblioteca que lleva su nombre, en México.
Variantes:
vv. 7-8: *05* y *07: Un cuento que fue de las Mil / y Una Noche de mi existencia.*
[2] *Dinarzada* es la hermana de Scherezada, principal personaje femenino en *Las mil y una noches,* y ambas son hijas del visir a las órdenes de Shariar, el sultán protagonista del relato.

XV[1]

¡Oh, miseria de toda lucha por lo finito!
Es como el ala de la mariposa
Nuestro brazo que deja el pensamiento escrito.
Nuestra infancia vale la rosa,
El relámpago nuestro mirar,
Y el ritmo que en el pecho
Nuestro corazón mueve,
Es un ritmo de onda de mar,
O un caer de copo de nieve,
O el del cantar
Del ruiseñor,
Que dura lo que dura el perfumar
De su hermana la flor.
¡Oh, miseria de toda lucha por lo finito!
El alma que se advierte sencilla y mira clara-
Mente la gracia pura de la luz cara a cara,
Como el botón de rosa, como la coccinela,
Esa alma es la que al fondo del infinito vuela.
El alma que ha olvidado la admiración, que sufre
En la melancolía agria, olorosa a azufre,
De envidiar malamente y duramente, anida
En un nido de topos. Es manca. Está tullida.
¡Oh, miseria de toda lucha por lo finito!

---

[1] No se conoce publicación anterior a la del libro. Mejía Sánchez, apoyándose en algunas semejanzas textuales del poema con *Tierras solares*, sugiere una redacción cercana a julio de 1903. Tampoco se tienen noticias acerca del paradero del manuscrito, que se encontraba entre los ofrecidos por Juan Ramón a *El Sol*.

XVI[1]
A Phocás el campesino

Phocás el campesino, hijo mío, que tienes,
En apenas escasos meses de vida, tantos
Dolores en tus ojos que esperan tantos llantos
Por el fatal pensar que revelan tus sienes...

Tarda en venir a este dolor a donde vienes,
A este mundo terrible en duelos y en espantos;
Duerme bajo los Ángeles, sueña bajo los Santos,
Que ya tendrás la Vida para que te envenenes...

[1] Aunque su primera aparición conocida es la del libro, resulta muy probable que se redactase en febrero de 1905. En ese mes el poeta pudo pasar un tiempo en Madrid con su segundo hijo tenido de Francisca, de nombre Rubén Darío Sánchez, y que, nacido en París en 1903, había sido llevado a Navalsaúz a vivir con su abuela materna. Phocás, como Rubén lo llamó seguramente recordando al emperador bizantino del mismo nombre y criado entre pastores, falleció en el pueblecito de Ávila en junio de 1905. El manuscrito final del poema había sido ofrecido por Juan Ramón a *El Sol* y se conserva en la Biblioteca del Congreso. Oliver Belmás reproduce lo que llama «primer autógrafo» del soneto (*Este otro* 433). El autógrafo está encabezado por la cifra XVI, que es la que lleva en *Cantos*. En él el nombre de «Phocas» se encuentra sobreescrito encima de otro, que parece ser «Rubén».

En el manuscrito, las últimas palabras del verso 13 resultan ilegibles, y difícilmente pueden corresponder al texto de *05* y *07: Y te he de ver en [ilegible] de rosas [ilegible].*

420

Sueña, hijo mío, todavía, y cuando crezcas,
Perdóname el fatal don de darte la vida
Que yo hubiera querido de azul y rosas frescas;

Pues tú eres la crisálida de mi alma entristecida,
y te he de ver en medio del triunfo que merezcas
Renovando el fulgor de mi psique abolida.

XVII[1]

¡Carne, celeste carne de la mujer! Arcilla,
Dijo Hugo —ambrosía más bien ¡oh maravilla![2]
La vida se soporta,
Tan doliente y tan corta,
Solamente por eso:
Roce, mordisco o beso
En ese pan divino
Para el cual nuestra sangre es nuestro vino!
En ella está la lira,
En ella está la rosa,
En ella está la ciencia armoniosa,
En ella se respira
El perfume vital de toda cosa.

Eva y Cipris concentran el misterio
Del corazón del mundo.
Cuando el áureo Pegaso
En la victoria matinal se lanza
Con el mágico ritmo de su paso

---

[1] La primera aparición conocida es la del libro. El manuscrito lo ofreció
Juan Ramón a *El Sol* y se conserva actualmente en la Biblioteca del Congreso.
   Variantes:
   v. 44: sic en ms.; en *05* y *07: El placer de vivir, hasta la muerte*
[2] Víctor Hugo en «Le sacre de la femme», el primer epígrafe del segundo capítulo de la *Leyenda de los siglos,* escribe: «Chair de la femme! argile
ideale! ô merveille.»

Hacia la vida y hacia la esperanza,
Si alza la crin y las narices hincha
Y sobre las montañas pone el casco sonoro
Y hacia la mar relincha,
Y el espacio se llena
De un gran temblor de oro,
Es que ha visto desnuda a Anadiomena[3].

Gloria, ¡oh, Potente a quien las sombras temen!
¡Que las más blancas tórtolas te inmolen!
Pues por ti la floresta está en el polen
Y el pensamiento en el sagrado semen!

Gloria, ¡oh, Sublime que eres la existencia,
Por quien siempre hay futuros en el útero eterno!
Tu boca sabe al fruto del árbol de la Ciencia
Y al torcer tus cabellos apagaste el infierno!

Inútil es el grito de la legión cobarde
Del interés, inútil el progreso
Yankee, si te desdeña.
Si el progreso es de fuego, por ti arde,
Toda lucha del hombre va a tu beso,
Por ti se combate o se sueña!

Pues en ti existe Primavera para el triste,
Labor gozosa para el fuerte,
Néctar, Ánfora, dulzura amable.
Porque en ti existe
El placer de vivir, hasta la muerte—
Y ante la eternidad de lo probable...!

---

[3] *Anadiomena:* otro de los nombres griegos de Venus y que evoca el nacimiento de la diosa de las espumas del mar.

XVIII
Un soneto a Cervantes[1]

A Ricardo Calvo

Horas de pesadumbre y de tristeza
Paso en mi soledad. Pero Cervantes
Es buen amigo. Endulza mis instantes
Ásperos, y reposa mi cabeza.

Él es la vida y la naturaleza,
Regala un yelmo de oros y diamantes
A mis sueños errantes.
Es para mí: suspira, ríe y reza.

Cristiano y amoroso y caballero
Parla como un arroyo cristalino.
Así le admiro y quiero,

---

[1] El poema, de cuyo manuscrito no se conservan noticias, apareció en *Helios* (septiembre de 1903, pág. 37) dedicado «A Ricardo Calvo» y fechado en «París, 1903». Ricardo Calvo (1873-1966) era el primer actor del Teatro Español y también gran amigo de los escritores modernistas. Dos meses antes (24 de julio), Jiménez había recibido instrucciones de Darío respecto a la publicación de estos versos: «No publique el soneto a Cervantes, solo. Mañana o pasado le enviaré otros versos, todos de mi próxima *plaquette: Cantos de Vida y de Esperanza [sic]*. A Calvo le leí algo» (*Mi Rubén* 98).
   Variantes de *Helios*:
   v. 6: *Regala un yelmo de oro y de diamantes*

Viendo cómo el destino
Hace que regocije al mundo entero
La tristeza inmortal de ser divino!

XIX
Madrigal exaltado[1]

A Mademoiselle Villagrán

Dies irae, dies illa!
Solvet seclum in favilla[2]
Cuando quema esa pupila!

La tierra se vuelve loca,
El cielo a la tierra invoca
Cuando sonríe esa boca.

Tiemblan los lirios tempranos
Y los árboles lozanos
Al contacto de esas manos.

---

[1] Primera publicación en *El Gladiador*, Buenos Aires, 1902. Sin título, con el encabezamiento «En el álbum de la señorita Adela Villagrán» y junto a «El verso sutil...» apareció en *El Cojo Ilustrado* en su número del 1 de diciembre de 1903. El manuscrito se encuentra en la Biblioteca del Congreso, presenta la cifra XIX a su cabecera y va firmado «R. Darío» *[sic]*.
Variantes de *El Cojo Ilustrado:*
v. 3: *Cuando queme esa pupila!*
v. 16: *y el sol, sultán de orgullosas*
v. 19: *Dadme rosas, dadme rosas*
v. 20: *Para Adela Villagrán...!*
[2] Primeras palabras del himno «Dies irae», atribuido a Tomaso di Celano (siglo XIII) y que se halla esculpido en una lápida de mármol de la iglesia de San Francisco de Mantua, en Italia.

El bosque se encuentra estrecho
Al egipán en acecho
Cuando respira ese pecho.

Sobre los senderos, es
Como una fiesta, después
Que se han sentido esos pies.

Y el Sol, sultán de orgullosas
Rosas, dice a sus hermosas
Cuando en primavera están:
Rosas, rosas, dadme rosas
Para Adela Villagrán!

XX
Marina[1]

Mar armonioso,
Mar maravilloso,
Tu salada fragrancia[2],

---

[1] Precede al poema «Caracol» en el número de *Caras y Caretas* del 18 de abril de 1903; ambos están datados en las «Costas Normandas, 1903» y agrupados bajo el título común de «Junto al mar». El manuscrito, con la cifra XX y el título de «Marina» a su cabeza, se conserva en la Biblioteca del Congreso.
Variantes de *Caras y Caretas*:
v. 1: *Mar armonioso!*
v. 2: *Mar maravilloso!*
v. 6: *Cuando suaves las horas*
v. 7: *Venían, en un paso de danza reposada,*
v. 9: *Mar armonioso!*
v. 13: *Espejo de las vagas ciudades de los cielos,*
v. 18: *Mi alma siente la influencia de tu alma invisible!*
v. 24: *Alas purpúreas de bajeles*
v. 25: *Que saludaron el mugir del Toro*
v. 27: *Que salpicaba la revuelta espuma:*
v. 28: *Magnífico, sonoro,*
v. 32: *Brazos salen de la onda. Suenan, lejos, canciones.*
v. 33: *Llueven piedras preciosas,*
v. 35: *Venus y el sol hacen nacer mil rosas!*
Además, el último grupo versal de *Cantos* (desde «Velas» hasta «rosas») se halla en *Caras y Caretas* dividido en tres paraestrofas, separadas entre sí; la primera de cuatro versos (de «Velas» a «peñascos»), la segunda de cinco (de «O galeras» a «espuma») y la tercera de los versos restantes.
[2] Verso ausente en *Caras y Caretas*. Además, en el manuscrito estos tres

Tus colores y músicas sonoras
Me dan la sensación divina de mi infancia
En que suaves las horas
Venían en un paso de danza reposada
A dejarme un ensueño o regalo de hada.

Mar armonioso,
Mar maravilloso,
De arcadas de diamante que se rompen en vuelos
Rítmicos que denuncian algún ímpetu oculto,
Espejo de mis vagas ciudades de los cielos,
Blanco y azul tumulto
De donde brota un canto
Inextinguible,
Mar paternal, mar santo,
Mi alma siente la influencia de tu alma invisible.

Velas de los Colones
Y velas de los Vascos,
Hostigadas por odios de ciclones
Ante la hostilidad de los peñascos;
O galeras de oro,
Velas purpúreas de bajeles
Que saludaron el mugir del toro
Celeste, con Europa sobre el lomo
Que salpicaba la revuelta espuma.
Magnífico y sonoro
Se oye en las aguas como
Un tropel de tropeles,
¡Tropel de los tropeles de tritones!
Brazos salen de la onda, suenan vagas canciones,
Brillan piedras preciosas,
Mientras en las revueltas extensiones
Venus y el Sol hacen nacer mil rosas.

---

primeros versos llevaban una disposición diferente y, a juzgar por las enmiendas autógrafas, provisional. El primer verso original era *Mar maravilloso, tu salada fragancia;* entre éste y *Tus colores y músicas sonoras* se insertó
Mar armonioso y, después, *tu salada fragancia* pasó a ocupar el tercer verso.

XXI
Cleopompo y Heliodemo[1]

A Vargas Vila

Cleopompo y Heliodemo, cuya filosofía
Es idéntica, gustan dialogar bajo el verde
Palio del platanar. Allí Cleopompo muerde
La manzana epicúrea y Heliodemo fía

Al aire su confianza en la eterna harmonía.
Mal haya quien las Parcas inhumano recuerde:
Si una sonora perla de la clepsidra pierde,
No volverá a ofrecerla la mano que la envía.

Una vaca aparece, crepuscular. Es hora
En que el grillo en su lira hace halagos a Flora,
Y en el azul florece un diamante supremo:

---

[1] No se tienen datos sobre publicación anterior a la del libro, ni tampoco sobre el manuscrito. Apareció como «Poema en prosa» en las *Obras Completas* de Rubén editadas por Ghiraldo y González Blanco (III, 115-17) y también en las editadas por M. Sanmiguel (*OC* IV, 469).

José María Vargas Vila (1860-1933), grandilocuente y discutido escritor colombiano, vivió muy cerca de Darío durante las fechas circundantes a *Cantos;* era asiduo compañero suyo en los paseos parisinos, en los viajes fuera de Francia y en sus tareas como cónsul de Nicaragua. Sin embargo, en su *Rubén Darío* (Barcelona, Sopena, s. f.) no ha dejado ninguna noticia sobre el poema.

Variantes:

v. 5: *Al aire su confianza en la eterna armonía*

Y en la pupila enorme de la bestia apacible
Miran como que rueda en un ritmo visible
La música del mundo, Cleopompo y Heliodemo.

XXII
Ay, triste del que un día...[1]

Ay, triste del que un día en su esfinge interior
Pone los ojos e interroga. Está perdido.
Ay del que pide eurekas al placer o al dolor.
Dos dioses hay, y son: Ignorancia y Olvido.

Lo que el árbol desea decir y dice al viento,
Y lo que el animal manifiesta en su instinto,
Cristalizamos en palabra y pensamiento.
Nada más que maneras expresan lo distinto.

---

[1] Se desconoce publicación anterior. El manuscrito, ofrecido por Juan Ramón a *El Sol,* se encuentra en la Biblioteca del Congreso. En éste, y separado de la última estrofa, puede leerse lo siguiente: *Hay dos que han comprendido / Orfeo / Pegaso [?].*

XXIII[1]

En el país de las Alegorías
Salomé siempre danza,
Ante el tiarado Herodes,
Eternamente,
Y la cabeza de Juan el Bautista,
Ante quien tiemblan los leones,
Cae al hachazo. Sangre llueve.
Pues la rosa sexual
Al entreabrirse
Conmueve todo lo que existe,
Con su efluvio carnal
Y con su enigma espiritual.

[1] Se desconoce publicación anterior a la del libro; el manuscrito se conserva en la Biblioteca del Congreso y no presenta divergencia alguna con los textos de 1905 y 1907.

XXIV
Augurios[1]

A E. Díaz Romero

Hoy pasó un águila
Sobre mi cabeza,
Lleva en sus alas
La tormenta,
Lleva en sus garras
El rayo que deslumbra y aterra.
¡Oh, águila!
Dame la fortaleza
De sentirme en el lodo humano
Con alas y fuerzas
Para resistir los embates
De las tempestades perversas,
y de arriba las cóleras
Y de abajo las roedoras miserias.

---

[1] No se conoce publicación anterior a la del libro; el manuscrito, sin dedicatoria, se guarda en la Biblioteca del Congreso y también fue ofrecido
a *El Sol* por Juan Ramón. A su cabeza lleva escrita la cifra XXIV y a su pie
la firma «RD.» Entre los actuales versos 40 y 41 Rubén eliminó, en el manuscrito, los dos siguientes: *Y tus ágiles patas, para cuando cace, / Que mis al-*
mas sean bien asidas. Otra diferencia es la del verso 52, pues en el manuscrito se lee: *Ah, divino Señor!*

Eugenio Díaz Romero, poeta argentino, fundador de *El Mercurio de*
América y amigo de Darío durante los años de Buenos Aires. Se conservan

434

Pasó un búho
Sobre mi frente.
Yo pensé en Minerva
Y en la noche solemne.
¡Oh, búho!
Dame tu silencio perenne,
Y tus ojos profundos en la noche
Y tu tranquilidad ante la muerte.
Dame tu nocturno imperio
Y tu sabiduría celeste,
Y tu cabeza cual la de Jano[2]
Que siendo una, mira a Oriente y Occidente.

Pasó una paloma
Que casi rozó con sus alas mis labios.
¡Oh, paloma!
Dame tu profundo encanto
De saber arrullar, y tu lascivia
En campo tornasol, y en campo
De luz tu prodigioso
Ardor en el divino acto.
(Y dame la justicia en la naturaleza,
Pues, en este caso,
Tú serás la perversa
Y el chivo será el casto).

Pasó un gerifalte. ¡Oh, gerifalte!
Dame tus uñas largas
Y tus ágiles alas cortadoras de viento
Y tus ágiles patas
Y tus uñas que bien se hunden
En las carnes de la caza.

---

dos cartas suyas al nicaragüense, ambas llenas de admiración y respeto hacia quien considera su maestro y ambas escritas en fechas coincidentes con
las de otros textos de *Cantos*. Rubén, por su lado, en el viaje a Argentina de
1912, le dedicó la «Balada al poeta Eugenio Díaz Romero», poema lleno
de afecto y gratitud (Ghiraldo 251-58; *PC* 1225).
    [2] *Jano:* dios romano representado habitualmente como una cabeza de
dos caras mirando en direcciones opuestas.

Por mi cetrería
Irás en giras fantásticas,
Y me traerás piezas famosas
Y raras,
Palpitantes ideas,
Sangrientas almas.

Pasa el ruiseñor.
¡Ah, divino doctor!
No me des nada. Tengo tu veneno,
Tu puesta de sol
Y tu noche de luna y tu lira,
Y tu lírico amor.
(Sin embargo, en secreto,
Tu amigo soy,
Pues más de una vez me has brindado
En la copa de mi dolor,
Con el elixir de la luna
Celestes gotas de Dios...)

Pasa un murciélago.
Pasa una mosca. Un moscardón.
Una abeja en el crepúsculo.
No pasa nada.
La muerte llegó.

XXV
Melancolía[1]

A Domingo Bolívar

Hermano, tú que tienes la luz, dime la mía.
Soy como un ciego. Voy sin rumbo y ando a tientas.
Voy bajo tempestades y tormentas
Ciego de sueño y loco de armonía.

Ése es mi mal. Soñar. La poesía
Es la camisa férrea de mil puntas cruentas
Que llevo sobre el alma. Las espinas sangrientas
Dejan caer las gotas de mi melancolía.

Y así voy, ciego y loco, por este mundo amargo;
A veces me parece que el camino es muy largo,
Y a veces que es muy corto...

---

[1] Apareció en el número 335 de *El Cojo Ilustrado* (1 de diciembre de 1905, pág. 740) junto a «Urna votiva» y sin la dedicatoria. El texto de *El Cojo* y el de *Cantos* no presentan divergencia alguna.

Domingo Bolívar: Pintor colombiano a quien Darío trató en París y a cuyos lienzos dedicó diversos comentarios en la prensa escrita. Bolívar marchó de París a Washington a finales de octubre de 1902 y desde allí cruzó correspondencia con Darío. La segunda carta del colombiano que reproduce Oliver Belmás está fechada en enero de 1903, meses antes de su suicidio (*Este otro* 310-11). No resulta aventurado, pues, pensar que el poema —o al menos la dedicatoria— se redactó en esas fechas y, si leemos el primer verso como lo hace Mejía Sánchez (Darío, *Poesía*, lxxii), al poco de la muerte del pintor.

Y en este titubeo de aliento y agonía,
Cargo lleno de penas lo que apenas soporto.
¿No oyes caer las gotas de mi melancolía?

XXVI
¡Aleluya![1]

A Manuel Machado

Rosas rosadas y blancas, ramas verdes,
Corolas frescas y frescos
Ramos, Alegría!

Nidos en los tibios árboles,
Huevos en los tibios nidos,
Dulzura, Alegría!

El beso de esa muchacha
Rubia, y el de esa morena
Y el de esa negra, Alegría!

Y el vientre de esa pequeña
De quince años, y sus brazos
Armoniosos, Alegría!

---

[1] No se conoce publicación anterior a la de *Cantos* y tampoco se tienen noticias sobre el manuscrito. «La dedicatoria "A Manuel Machado" está refrendada por curiosas adiciones autógrafas que Darío hizo en el ejemplar de *Caprichos* que Machado le dedicó en 1905» (Darío, *Poesía*, lxxii). Manuel Machado y Rubén mantuvieron una estrecha amistad en París, durante los años anteriores a la aparición de *Cantos*. Las visitas del andaluz a la casa de Darío eran frecuentes y fructificaron, entre otras cosas, en un fugaz noviazgo de aquél con María Sánchez, la hermana de Francisca.

Y el aliento de la selva virgen
Y el de las vírgenes hembras,
Y las dulces rimas de la Aurora,
Alegría, Alegría, Alegría!

XXVII
De otoño[1]

Yo sé que hay quienes dicen: ¿Por qué no canta ahora
Con aquella locura armoniosa de antaño?
Ésos no ven la obra profunda de la hora,
La labor del minuto y el prodigio del año.

Yo, pobre árbol, produje, al amor de la brisa,
Cuando empecé a crecer, un vago y dulce son.
Pasó ya el tiempo de la juvenil sonrisa:
¡Dejad al huracán mover mi corazón!

---

[1] Sin datos sobre el manuscrito ni sobre una aparición anterior a la de *Cantos*. En su correspondencia de 1904 con Juan Ramón, Rubén alude a «una cosa de otoño» y a «unos versos míos» enviados a *Blanco y Negro* y pagados por la revista, pero de cuya publicación no ha recibido noticia alguna (*Mi Rubén* 114-15). Tal vez se trate de este poema, que, según Mejía Sánchez, habría visto la luz a finales de 1904. Pero también, y en contra de la opinión del erudito nicaragüense, Darío podría estar refiriéndose a «Versos de otoño», que vio la luz en esa misma revista el 30 de septiembre de 1905.

XXVIII
A Goya[1]

Poderoso visionario,
Raro ingenio temerario,
Por ti enciendo mi incensario.

Por ti, cuya gran paleta,
Caprichosa, brusca, inquieta,
Debe amar todo poeta;

Por tus lóbregas visiones,
Tus blancas irradiaciones,
Tus negros y bermellones;

Por tus colores dantescos,
Por tus majos pintorescos,
Y las glorias de tus frescos.

Porque entra en tu gran tesoro
El diestro que mata al toro,
La niña de rizos de oro,

---

[1] La primera publicación conocida es la de *El Mundo,* México, 23 de mayo de 1897, aunque no puede descartarse una redacción anterior en varios años. El texto de *El Mundo* no presenta separación interestrófica.
Variantes de *El Cojo:*
v. 33: *O los Cristos lamentables*
v. 49: *De lo que dan testimonio*

Y con el bravo torero,
El infante, el caballero,
La mantilla y el pandero.

Tu loca mano dibuja
La silueta de la bruja
Que en la sombra se arrebuja,

Y aprende una abracadabra
Del diablo patas de cabra
Que hace una mueca macabra.

Musa soberbia y confusa,
Ángel, espectro, medusa.
Tal aparece tu musa.

Tu pincel asombra, hechiza,
Ya en sus claros electriza,
Ya en sus sombras sinfoniza;

Con las manolas amables,
Los reyes, los miserables,
O los cristos lamentables.

En tu clarobscuro brilla
La luz muerta y amarilla
De la horrenda pesadilla,

O hace encender tu pincel
Los rojos labios de miel
O la sangre del clavel.

Tienen ojos asesinos
En sus semblantes divinos
Tus ángeles femeninos.

Tu caprichosa alegría
mezclaba la luz del día
Con la noche obscura y fría:

Así es de ver y admirar
Tu misteriosa y sin par
Pintura crepuscular.

De lo que da testimonio:
Por tus frescos, San Antonio;
Por tus brujas, el demonio.

XXIX
Caracol[1]

A Antonio Machado

En la playa he encontrado un caracol de oro
Macizo y recamado de las perlas más finas;
Europa le ha tocado con sus manos divinas
Cuando cruzó las ondas sobre el celeste toro.

He llevado a mis labios el caracol sonoro
Y he suscitado el eco de las dianas marinas,
Le acerqué a mis oídos y las azules minas
Me han contado en voz baja su secreto tesoro.

Así la sal me llega de los vientos amargos
Que en sus hinchadas velas sintió la nave Argos
Cuando amaron los astros el sueño de Jasón;

---

[1] Junto a «Marina» aparece por primera vez y sin dedicatoria en *Caras y Caretas,* Buenos Aires, el 18 de abril de 1903. El manuscrito se encontraba entre los ofrecidos a *El Sol* por Juan Ramón.

«Me alegro —escribe Darío a Juan Ramón en junio de 1903— de ver despertar la poesía de España. Hay poetas nuevos que anuncian mucha belleza, y sueñan y dicen bellamente su soñar. Y, entre ellos, dos que quiero y prefiero: Antonio Machado y V., mi amable Jiménez» (*Mi Rubén,* 97). Cabe la posibilidad de que el nicaragüense añadiera esta dedicatoria después de leer «Al maestro Rubén Darío», que Machado publicó en 1904.

Variantes de *Caras y Caretas:*
v. 2: *Pulido y recamado de las perlas más finas*
v. 4: *Cuando cruzó las aguas sobre el celeste Toro*
v. 13: *Y un latido profundo y un misterioso viento*

Y oigo un rumor de olas y un incógnito acento
Y un profundo oleaje y un misterioso viento...
(El caracol la forma tiene de un corazón).

XXX
Amo, amas[1]

Amar, amar, amar, amar siempre, con todo
El ser y con la tierra y con el cielo,
Con lo claro del sol y lo obscuro del lodo:
Amar por toda ciencia y amar por todo anhelo.

Y cuando la montaña de la vida
Nos sea dura y larga y alta y llena de abismos,
Amar la inmensidad que es de amor encendida
Y arder en la fusión de nuestros pechos mismos!

---

[1] Sin datos sobre el manuscrito ni sobre su aparición en fechas anteriores a 1905.

XXXI
Soneto autumnal
al Marqués de Bradomín[1]

Marqués (como el Divino lo eres), te saludo.
Es el otoño y vengo de un Versalles doliente.
Había mucho frío y erraba vulgar gente.
El chorro de agua de Verlaine estaba mudo.

Me quedé pensativo ante un mármol desnudo,
Cuando vi una paloma que pasó de repente,
Y por caso de cerebración inconsciente
Pensé en ti. Toda exégesis en este caso eludo.

Versalles otoñal; una paloma; un lindo
Mármol; un vulgo errante, municipal y espeso;
Anteriores lecturas de tus sutiles prosas;

---

[1] Méndez Plancarte y Mejía Sánchez, siguiendo la bibliografía de Saavedra Molina, aseguran que el poema apareció al frente de *Sonata de primavera* (Madrid, A. Marzo, 1904, p. III) y que fue escrito, según la dedicatoria, en el «Real Sitio de Aranjuez, mayo de 1904». Sin embargo, ni el poema ni la dedicatoria aparecen en los dos ejemplares de esa edición de
Sonata de primavera que he manejado yo (Biblioteca Nacional de Madrid y
University of Northern Iowa) y que parecen conservarse íntegros y completos. Tampoco existen datos sobre el manuscrito. En *07* el título se escribe en una única línea.

La reciente impresión de tus triunfos... prescindo
De más detalles para explicarte por eso
Cómo, autumnal, te envío este ramo de rosas.

XXXII
Nocturno[1]

A Mariano de Cavia

Los que auscultasteis el corazón de la noche,
Los que por el insomnio tenaz habéis oído
El cerrar de una puerta, el resonar de un coche
Lejano, un eco vago, un ligero ruido...

En los instantes del silencio misterioso,
Cuando surgen de su prisión los olvidados,
En la hora de los muertos, en la hora del reposo,
Sabréis leer estos versos de amargor impregnados...!

---

[1] El manuscrito, ofrecido por Juan Ramón a *El Sol*, se conserva en la Biblioteca del Congreso, con la numeración XXXI *[sic]* en la parte superior pero sin dedicatoria a Mariano de Cavia. Escrito por la mano del poeta aparece el título de «Otro nocturno», colocado por error en la segunda hoja del autógrafo. En el verso 15 el manuscrito presenta, además, otra ligera variante con respecto a *05* y *07: El pensar que un instante no pude haber nacido.*

Mariano de Cavia, autor de origen aragonés (1855-1920), era conocido por su prolífica obra periodística y un asiduo participante en las tertulias literarias madrileñas. Ya había recibido atenciones de Rubén en escritos anteriores a *Cantos.* Cuando, en *España Contemporánea* hizo un repaso de las revistas peninsulares, comenta el poeta: «Pueden caber en ella *[Revista Nueva]* y caben los versos de los que intentan una renovación de la poesía castellana y los versos demasiado sólidos del vigoroso pensador señor Unamuno; los sutiles bordados psicológicos de Benavente y las paradojas estallantes de Maeztu; los castizos chispazos de Cavia y las prosas macizas de Unamuno...» (*OC* III, 200).

Como en un vaso vierto en ellos mis dolores
De lejanos recuerdos y desgracias funestas,
Y las tristes nostalgias de mi alma, ebria de flores,
Y el duelo de mi corazón, triste de fiestas.

Y el pesar de no ser lo que yo hubiera sido,
La pérdida del reino que estaba para mí,
El pensar que un instante pude no haber nacido,
Y el sueño que es mi vida desde que yo nací!

Todo esto viene en medio del silencio profundo
En que la noche envuelve la terrena ilusión,
Y siento como un eco del corazón del mundo
Que penetra y conmueve mi propio corazón.

XXXIII
Urna votiva[1]

A Lamberti

Sobre el caro despojo esta urna cincelo:
Un amable frescor de inmortal siempreviva
Que decore la greca de la urna votiva
En la copa que guarda rocío del cielo;

Una alondra fugaz sorprendida en su vuelo
Cuando fuese a cantar en la rama de oliva,
Una estatua de Diana en la selva nativa
Que la Musa Armonía envolviera en su velo.

Tal si fuese escultor con amor cincelara
En el mármol divino que brinda Carrara,
Coronando la obra una lira, una cruz;

---

[1] Según el facsímil publicado por *Variedades* (Lima, 25 de marzo de 1916), el manuscrito llevaba la dedicatoria «Para Antonio Lamberti, el 10 de junio de 1898 / En la tumba familiar». La primera aparición conocida es la de *Vida Nueva*, el 15 de octubre de 1899; fue también el primer poema de Rubén que leyó Juan Ramón y del que pensó que era una «joya de la palabra y el ritmo nuevos» (Guerrero 216). Junto a «Melancolía» (v.) y sin la dedicatoria, se publicó también en *El Cojo Ilustrado*.
Antonino Lamberti, escritor argentino amigo de Darío en los años de Buenos Aires. Juntos y al alimón escribieron el soneto «Roma», en 1896, en un café de la capital del Plata (Boti, *Hipsipilas* 111). Darío le dedicó también «La página blanca» de *Prosas profanas*.

Y sería mi sueño, al nacer de la aurora,
Contemplar en la faz de una niña que llora,
Una lágrima llena de amor y de luz.

XXXIV
Programa matinal[1]

¡Claras horas de la mañana
En que mil clarines de oro
Dicen la divina diana!
¡Salve al celeste Sol sonoro!

En la angustia de la ignorancia
De lo porvenir, saludemos
La barca llena de fragancia
Que tiene de marfil los remos.

Epicúreos o soñadores
Amemos la gloriosa Vida,
Siempre coronados de flores
Y siempre la antorcha encendida!

Exprimamos de los racimos
De nuestra vida transitoria
Los placeres porque vivimos
Y los champañas de la gloria.

---

[1] No se conoce publicación anterior a la de *Cantos*. El manuscrito fue ofrecido por Juan Ramón a *El Sol* y más tarde entregado por él a la Biblioteca del Congreso. Presenta una ligera variante en el verso 12: *Y siempre la Antorcha encendida!*

Devanemos de Amor los hilos,
Hagamos, porque es bello, el bien,
Y después durmamos tranquilos
Y por siempre jamás. Amén.

XXXV
Ibis[1]

Cuidadoso estoy siempre ante el Ibis de Ovidio,
Enigma humano tan ponzoñoso y suave
Que casi no pretende su condición de ave
Cuando se ha conquistado sus terrores de ofidio.

[1] La primera aparición conocida es la de *Cantos*. El manuscrito, conservado en la Biblioteca del Congreso, se encontraba entre los ofrecidos por Juan Ramón a *El Sol*. Cabría la posibilidad de que originalmente este poema fuera más extenso, ya que el manuscrito va encabezado por la cifra *2*, cifra que en estos casos se refiere al número de la hoja autógrafa que ocupan. Al final del manuscrito pueden leerse casi íntegros dos versos, eliminados luego por la mano del poeta: *Es el enigma dulce que acaricia y que [ilegible] / Y cuyo [ilegible] nunca hay que decir. Callad.*

XXXVI
Thánatos[1]

En medio del camino de la Vida...
Dijo Dante. Su verso se convierte:
En medio del camino de la Muerte.

Y no hay que aborrecer a la ignorada
Emperatriz y reina de la Nada.
Por ella nuestra tela está tejida,
Y ella en la copa de los sueños vierte
Un contrario nepente: ¡ella no olvida!

---

[1] Sin datos sobre el manuscrito y sobre publicación alguna anterior a 1905.

XXXVII
Ofrenda[1]

Bandera que aprisiona
El aliento de Abril,
        Corona
Tu torre de marfil

Cual princesa encantada,
Eres mimada por
        Un hada
De rosado color.

Las rosas que tú pises
Tu boca han de envidiar;
        Los lises
Tu pureza estelar.

Carrera de Atalanta
Lleva tu dicha en flor;
        Y canta
Tu nombre un ruiseñor.

---

[1] Titulado «Bouquet» y fechado en «Panamá, mayo de 1893», apareció
publicado en Cuba por primera vez (*PC* 1190). No se tienen datos sobre el
manuscrito.

Y si meditabunda
Sientes pena fugaz,
　　　Inunda
Luz celeste tu faz.

　　Ronsard, lira de Galia[2],
Te daría un rondel,
　　　Italia
Te brindara al pincel,

　　Para que la corona
Tuvieses, celestial
　　　Madona,
En un lienzo inmortal.

　　Ten al laurel cariño,
Hoy, cuando aspiro a que
Vaya a ornar tu corpiño
Mi rimado bouquet.

---

[2] *Pierre de Ronsard* (1524-1585), poeta francés de extendida fama en vida y con estilo abundante en latinismos y helenismos.

XXXVIII
Propósito primaveral[1]

A Vargas Vila

A saludar me ofrezco y a celebrar me obligo
Tu triunfo, Amor, al beso de la estación que llega
Mientras el blanco cisne del lago azul navega
En el mágico parque de mis triunfos testigo.

Amor, tu hoz de oro ha segado mi trigo;
Por ti me halaga el suave son de la flauta griega
Y por ti Venus pródiga sus manzanas me entrega
Y me brinda las perlas de las mieles del higo.

En el erecto término coloco una corona
En que de rosas frescas la púrpura detona;
Y en tanto canta el agua bajo el boscaje obscuro,

Junto a la adolescente que en el misterio inicio
Apuraré alternando con tu dulce ejercicio
Las ánforas de oro del divino Epicuro.

---

[1] No se conoce publicación anterior ni manuscrito. Para la dedicatoria, véase «Cleopompo y Heliodemo» (*supra*, pág. 430).

XXXIX
Letanía
de nuestro señor don Quijote[1]

A Navarro Ledesma

Rey de los hidalgos, señor de los tristes,
Que de fuerza alientas y de ensueños vistes,
Coronado de áureo yelmo de ilusión;

---

[1] Aparece en la recopilación de conferencias y poemas pronunciados en el Paraninfo de la Universidad de Madrid con motivo del homenaje a Cervantes organizado por el Ateneo de la capital (13 de mayo de 1905; *El Ateneo...*, 467-69). Existen noticias contradictorias sobre la persona que recitó la «Letanía» en dicha sesión. Vargas Vila asegura que el poeta se encontraba enfermo y que, en su lugar, mandó a Martínez Sierra para que la recitase (*Rubén Darío* 137). Por su lado, los editores de *El Ateneo...* aclaran que ésta «y la de Francisco A. de Icaza fueron magistralmente leídas por Ricardo Calvo». Por último, J. Pando y Valle, amigo de Rubén y secretario de la Unión Iberoamericana en Madrid, le solicita el original del poema con vistas a su publicación, en carta fechada en «Madrid, 2 de junio de 1905», en estos términos: «Mi distinguido amigo: Hace ya algunos días rogué a V. en nombre de la Junta Directiva de esta Sociedad se dignara enviarnos la composición poética pronunciada por V. en la fiesta literaria que celebramos para conmemorar el centenario del *Quijote*. Los demás discursos y composiciones poéticas están en la imprenta desde el día 27, y únicamente falta el muy importante de V. para que pueda ajustarse y ser tirado el número extraordinario de nuestra Revista que se dedica muy especialmente a dar a conocer los expresados trabajos» (Álvarez 150-51).

El texto del Ateneo, titulado *Letanías de Nuestro Señor Don Quijote*, no lleva dedicatoria y presenta numerosas aunque poco importantes divergencias con el de *Cantos*:

461

Que nadie ha podido vencer todavía,
Por la adarga al brazo, toda fantasía,
Y la lanza en ristre, toda corazón.

Noble peregrino de los peregrinos,
Que santificaste todos los caminos
Con el paso augusto de tu heroicidad,
Contra las certezas, contra las conciencias
Y contra las leyes y contra las ciencias,
Contra la mentira, contra la verdad...

Caballero errante de los caballeros,
Barón de varones, príncipe de fieros,
Par entre los pares, maestro, salud!

---

vv. 1-2: *Rey de los hidalgos, Señor de los tristes, / que por fuerza alientas y de en-sueños vistes,*

v. 7: *¡Noble peregrino de los peregrinos,*

vv. 12-14: *contra la mentira, contra la verdad!... / ¡Caballero errante de los ca-balleros, / varón de varones, príncipe de fieros,*

vv. 20-21: *Tú, quien pocas fueron las victorias / antiguas, y para quien clásicas glorias*

v. 25: *y, teniendo a Orfeo, tienes a Orfeón!*

v. 34: *llenos de congojas y faltos de sol...*

v. 40: *de laurel! Pro nobis ora, gran Señor.*

v. 41: *Y, antes que tu hermano, vago Segismundo*

vv. 47-48: *pues casi ya estamos sin savia y sin brote, / sin alma, sin vida, sin paz, sin Quijote,*

vv. 53-55: *de las epidemias, de horribles blasfemias / de las Academias, líbra-nos, Señor. / De rudos malsines, falsos paladines*

v. 61: *con burlar la gloria, la vida, el honor...*

v. 63: *líbranos, Señor.*

v. 69: *contra la mentira, contra la verdad,*

v. 70: *Ora por nosotros, Señor de los tristes,*

Francisco Navarro Ledesma, el destinatario del poema, era el director de *Blanco y Negro,* semanario donde Darío publicaba con cierta periodici-dad. Sus relaciones con el poeta fueron especialmente cordiales durante las fechas de *Cantos;* en carta a Juan Ramón (13 de julio de 1904) escribe Da-río: «Con *Blanco y Negro,* perfectamente. El señor Navarro Ledesma, muy gentil. Y la Administración lo mismo» (*Mi Rubén* 113). También intervino en el homenaje del Ateneo a Cervantes, donde pronunció la conferencia inicial y un discurso de clausura en el que aludía a «los nobles versos de Icaza y de Rubén Darío que esta noche habéis oído y que no necesito en-carecer» (*El Ateneo* 476).

¡Salud, porque juzgo que hoy muy poca tienes,
Entre los aplausos o entre los desdenes,
Y entre las coronas y los parabienes
Y las tonterías de la multitud!

¡Tú, para quien pocas fueran las victorias
Antiguas y para quien clásicas glorias
Serían apenas de ley y razón,
Soportas elogios, memorias, discursos,
Resistes certámenes, tarjetas, concursos,
Y, teniendo a Orfeo, tienes a orfeón!

Escucha, divino Rolando del sueño,
A un enamorado de tu Clavileño,
Y cuyo Pegaso relincha hacia ti;
Escucha los versos de estas letanías,
Hechas con las cosas de todos los días
Y con otras que en lo misterioso vi.

¡Ruega por nosotros, hambrientos de vida,
Con el alma a tientas, con la fe perdida,
Llenos de congojas y faltos de sol,
Por advenedizas almas de manga ancha,
Que ridiculizan el ser de la Mancha,
El ser generoso y el ser español!

Ruega por nosotros, que necesitamos
Las mágicas rosas, los sublimes ramos
De laurel! *Pro nobis ora,* gran señor.
(Tiembla la floresta de laurel del mundo,
Y antes que tu hermano vago, Segismundo,
El pálido Hamlet te ofrece una flor).

Ruega generoso, piadoso, orgulloso;
Ruega casto, puro, celeste, animoso;
Por nos intercede, suplica por nos,
Pues casi ya estamos sin savia, sin brote,
Sin alma, sin vida, sin luz, sin Quijote,
Sin pies y sin alas, sin Sancho y sin Dios.

De tantas tristezas, de dolores tantos,
De los superhombres de Nietzsche, de cantos
Áfonos, recetas que firma un doctor,
De las epidemias de horribles blasfemias
De las Academias,
Líbranos, señor.

De rudos malsines[2],
Falsos paladines
Y espíritus finos y blandos y ruines,
Del hampa que sacia
Su canallocracia
Con burlar la gloria, la vida, el honor,
Del puñal con gracia,
¡Líbranos, señor!

Noble peregrino de los peregrinos,
Que santificaste todos los caminos
Con el paso augusto de tu heroicidad,
Contra las certezas, contra las conciencias
Y contra las leyes y contra las ciencias,
Contra la mentira, contra la verdad...

Ora por nosotros, señor de los tristes,
Que de fuerza alientas y de ensueños vistes,
Coronado de áureo yelmo de ilusión;
Que nadie ha podido vencer todavía,
Por la adarga al brazo, toda fantasía,
Y la lanza en ristre, toda corazón!

---

[2] *Malsín:* corneta de sonido agudo y penetrante que se utiliza en las batallas a campo abierto. También puede referirse a una persona cizañera o murmuradora.

XL
Allá lejos[1]

Buey que vi en mi niñez echando vaho un día
Bajo el nicaragüense sol de encendidos oros,
En la hacienda fecunda, plena de la armonía
Del trópico; paloma de los bosques sonoros
Del viento, de las hachas, de pájaros y toros
Salvajes, yo os saludo, pues sois la vida mía.

Pesado buey, tú evocas la dulce madrugada
Que llamaba a la ordeña de la vaca lechera,
Cuando era mi existencia toda blanca y rosada,
Y tú, paloma arrulladora y montañera,
Significas en mi primavera pasada
Todo lo que hay en la divina Primavera.

---

[1] Sin datos acerca de su publicación antes de *Cantos*. El manuscrito fue de los que Darío mostró a Juan Ramón en su viaje de 1905 a España, junto con la «Canción de otoño en primavera» y «Lo fatal» (*Mi Rubén* 174). La imagen del buey, asociada a la paz de una vida en contacto con la naturaleza, es recurrente en Darío. Se encuentra, por ejemplo, en el cuadro «Paisaje (I)» y en el poema «Chanson crépusculaire», ambos de *Azul...*, y también en la crónica de 1890 dedicada a Valero Pujol (*OC* II, 28).

XLI
Lo fatal[1]

A René Pérez[2]

Dichoso el árbol que es apenas sensitivo,
Y más la piedra dura porque ésa ya no siente,
Pues no hay dolor más grande que el dolor de ser vivo,
Ni mayor pesadumbre que la vida consciente.

Ser, y no saber nada, y ser sin rumbo cierto,
Y el temor de haber sido y un futuro terror...
Y el espanto seguro de estar mañana muerto,
Y sufrir por la vida y por la sombra y por

Lo que no conocemos y apenas sospechamos,
Y la carne que tienta con sus frescos racimos,
Y la tumba que aguarda con sus fúnebres ramos,
Y no saber adónde vamos[3],
Ni de dónde venimos...!

---

[1] Sin datos sobre su publicación antes de *Cantos*. En el manuscrito, conservado en la Biblioteca del Congreso, aparece con la cifra XXXIII en la parte superior y también está escrita por una mano distinta a la del poeta. El manuscrito contiene además la firma «RD» y una ligera variante en el último verso: *Ni de dónde venimos...* (sin exclamación).

[2] *Ms.: A René Pérez M.;* René Pérez Mascayano: músico sudamericano y amigo del poeta en París. Participó en la pequeña fiesta que la familia de Rubén —ausente éste por su viaje a América— organizó por el bautizo de Güicho, el tercer hijo del poeta y de Francisca, en el mes de octubre de 1907 (Oliver Belmás, *Este otro* 129).

[3] *05: Y no saber a dónde vamos.*

Colección Letras Hispánicas